El clan de la Loba

MAITE CARRANZA

Paseo de San Juan Bosco 62
08017 Barcelona
www.edebe.com

Diseño de cubiertas: César Farrés y Marc Sala

1.ª edición en este formato, octubre 2008

ISBN 978-84-236-8456-3
Depósito Legal: B. 29514-2008
Impreso en España
Printed in Spain
EGS - Rosario, 2 - Barcelona

PROFECÍA DE O

Y un día llegará la elegida, descendiente de Om.

Tendrá fuego en el cabello,
alas y escamas en la piel,
un aullido en la garganta
y la muerte en la retina.

Cabalgará el sol
y blandirá la luna.

1. *La desaparición de Selene*

La niña dormía en su habitación de techos altísimos y paredes encaladas una y mil veces. Una habitación alegre en una casa de pueblo que olía a leña y a leche dulce acabada de hervir. Los postigos de las ventanas estaban pintados de verde y verdes eran también los rombos del *kilim* que cubría el suelo de madera, los valles de los dibujos que colgaban de las paredes y algunos de los lomos de los libros juveniles que se apiñaban en las estanterías junto a otros muchos rojos, amarillos, anaranjados y azules. Abundancia de colores diseminados con atrevimiento en los cojines, la colcha, las cajas de los puzles y las babuchas abandonadas bajo la cama. Colores de infancia que ya no se correspondían con la ausencia de muñecas, relegadas al fondo del armario, ni con la seriedad de la mesa de trabajo, ocupada casi enteramente por un Pentium de última generación.

A lo mejor la niña no era tan niña.

Y, aunque aún lo fuera, no sabía que aquella mañana empezaría a dejar de serlo.

El sol se colaba a raudales por las rendijas de las persianas mal cerradas mientras Anaíd, que así se llamaba la niña, se movía inquieta y gritaba en sueños. Un rayo de sol reptó por la colcha, alcanzó trabajosamente su mano, ascendió lento pero tenaz por su cuello, su nariz, su mejilla y, finalmente, al rozar sus párpados cerrados, la despertó.

Anaíd lanzó un grito y abrió los ojos. Estaba confusa. Le faltaba el aliento y extrañaba la intensa luz que invadía su habitación. Se hallaba en ese estadio de duermevela que aún no discierne entre el sueño y la realidad.

En su pesadilla, tan vívida, corría y corría bajo la tormenta buscando refugio en el bosque de robles. Entre el fragor de los truenos oía la voz de Selene gritando «¡detente!», pero ella no hacía caso de la advertencia de su madre. A su alrededor, los rayos caían por doquier, a centenares, a miles, deslumbrándola, cegándola, inundando el bosque con una lluvia de fuego hasta que un rayo la alcanzaba y caía fulminada.

Anaíd parpadeó y sonrió aliviada. Efectivamente. El culpable de todo había sido un rayo de sol juguetón que se había filtrado por las persianas de su ventana sin pedir permiso.

Ya no quedaba ni rastro de la tormenta eléctrica que la noche anterior había azotado el valle. El fuerte viento había barrido las nubes y los cielos lavados resplandecían como el agua violeta de los lagos.

¿Y esa luz tan intensa? ¿Tan tarde era? ¡Qué extraño! ¿Cómo es que Selene no la había despertado todavía para ir a la escuela?

Saltó de la cama y reprimió un escalofrío al poner los pies desnudos sobre el *kilim.* Se vistió, como de costumbre, sin dedicar a su atuendo más de un segundo, y se lanzó en busca de su reloj. ¡Las nueve! ¡Era tardísimo! Ya había perdido la primera hora de clase. ¿Y su madre? ¿Cómo es que Selene aún no estaba levantada? ¿Le habría ocurrido algo? Siempre la despertaba a las ocho.

—¿Selene?

Musitó Anaíd empujando la puerta de la habitación contigua y reprimiendo la angustia de su pesadilla que comenzaba a invadirla de nuevo.

—¿Selene?

Repitió incrédula al comprobar que en la habitación no había nadie excepto ella y el aire gélido del norte que entraba por la ventana abierta de par en par.

—¡Selene!

Exclamó enfadada como hacía siempre que su madre le gastaba una broma pesada. Pero esa vez Selene no apareció tras la cortina, riendo con su risa atolondrada, ni echándose sobre ella para rodar juntas sobre la cama medio deshecha.

Anaíd respiró profundamente una vez, dos, y lamentó que el viento hubiera barrido el perfume a jazmín que impregnaba la habitación de Selene y que tanto le gustaba. Luego cerró la ventana temblando. Había nevado. A pesar de estar avanzado el mes de mayo y de apuntar ya los primeros brotes primaverales, esa noche había nevado. El campanario de pizarra negra de la ermita de Urt, en lontananza, amanecía espolvoreado de blanco como un pastel de nata. Pensó que era una mala premonición por tratarse de un año bisiesto y cruzó los dedos como le había enseñado a hacer Deméter.

—¿Selene? —repitió de nuevo Anaíd en la cocina.

Pero allí todo estaba intacto, tal y como lo habían dejado la noche anterior después de la discusión, antes de la tormenta y la pesadilla. Anaíd fisgoneó meticulosamente. Ni un rastro de taza de café tomada a hurtadillas, ni una galleta mordisqueada, ni un vaso de agua bebido a deshora. Selene no había puesto los pies en la cocina. Segurísimo.

—¡Selene! —insistió Anaíd gritando cada vez más nerviosa.

Y su voz resonó en la era, en el porche y llegó hasta el viejo pajar que hacía las veces de garaje. Y allí Anaíd se detuvo unos instantes, justo en el lindar de la destartalada puerta de madera, esforzándose en acostumbrar sus ojos a la penumbra del interior. El viejo coche estaba inmóvil, cubierto de polvo y con las llaves en el contacto. Sin él Selene no podía haber ido muy lejos. Urt quedaba alejado de todas partes y a medio camino de todos sitios. Era necesario coger el coche para ir a la ciudad, a la estación de trenes, a las pistas de esquí, a la montaña, a los lagos y hasta al supermercado de las afueras. Entonces..., si no había cogido el coche...

Anaíd comenzó a urdir una sospecha. Regresó al caserón y lo revolvió a conciencia. Efectivamente, las pertenencias de Selene estaban intactas. Su madre no podía haber salido de casa sin abrigo, sin bolso, sin llaves y sin zapatos.

Anaíd, cada vez más alterada, iba acumulando más y más certezas que la remitían a la ansiedad que sintió la mañana de la muerte de su abuela Deméter. Era absurdo, pero todo parecía indicar que Selene se había esfumado con lo puesto, sin una miserable horquilla de su cabello, semidesnuda y descalza.

Con el corazón latiéndole desacompasadamente arrancó literalmente su grueso anorak de plumas del perchero de la entrada y, poniéndoselo de cualquier manera, se cercioró de que las llaves estuviesen en el bolsillo, cerró la puerta tras de sí y salió a la carrera. En la callejuela, el viento helado se colaba silbando y zigzagueando por el estrecho corredor que dejaban las casas de gruesos muros construidas a resguardo del norte.

Urt, de casas de piedra y tejados de pizarra, se alzaba en la cabecera del valle de Istaín, a pie de Pirineos, rodeado de altas cimas e ibones helados. En su plaza, orientada al este para recibir en su altar el primer rayo de sol, se levantaba la iglesia románica. En lo alto, dominando el valle y la entrada del desfiladero, se erguía el torreón en ruinas, habitado por cuervos y murciélagos. Antiguamente, el vigía permanecía alerta día y noche con una única tarea, mantener viva la antorcha destinada a prender la fogata al divisar al enemigo. La torre vigía de Urt era la torre madre de los valles, su señal se divisaba desde seis poblaciones distintas y cuenta la leyenda que la fogata de Urt detuvo el avance implacable de las huestes sarracenas a través de los valles pirenaicos, allá por el siglo VIII, en una hazaña ignorada y anónima.

Anaíd se mantuvo al abrigo del viento hasta que franqueó las ruinas de las viejas murallas de Urt. Una vez a campo descubierto, recibió el azote del norte en pleno rostro. Dos gruesos lagrimones le resbalaron mejillas abajo, pero no se arredró y, enfrentándose al vendaval, tomó el camino del bosque sin detenerse ni una sola vez.

El viejo robledal aparecía de buena mañana con un aspecto lastimoso. Ramas desgajadas, troncos centenarios carbonizados, hojas caídas, matorrales chamuscados... Aquí y allá la tormenta había dejado heridas que sólo el tiempo se encargaría de cicatrizar. Anaíd, con la ayuda de un bastón, desbrozaba palmo a palmo el manto grisáceo y fangoso que cubría el suelo. Temía dar con lo que buscaba. Lo temía tanto que lo negaba una y otra vez. Pero así y todo, y a pesar de su pánico, hacía su trabajo concienzudamente. Se había propuesto recorrer el bosque de punta a punta, revisando palmo a palmo todos sus rincones.

Buscaba el cuerpo de Selene.

Anaíd nunca podría olvidar la mañana en que desapareció Deméter ni la noche que precedió a su muerte. Deméter, su abuela, había muerto en el bosque durante una noche de tormenta hacía poco menos de un año, al regresar de atender su último parto. Era comadrona. Al recordarlo, Anaíd todavía notaba el sabor salado de las lágrimas que lloró por ella.

Esa mañana, tras una aparatosa tormenta, el día había amanecido cubierto por una neblina descolorida. Selene estaba inquieta porque Deméter no había dormido en su cama, y Anaíd sintió un miedo abstracto, inconcreto. Selene no dejó que la acompañara al bosque, quiso ir sola, y al regresar, aterida de frío y con los ojos cubiertos por una telaraña de dolor, no podía articular las pocas palabras que necesitaba para comunicarle la muerte de su abuela. Pero no hizo falta porque Anaíd ya lo sabía. Había notado el gusto agrio de la muerte subiendo por su garganta nada más despertar. Selene, a duras penas, le explicó que ella misma había encontrado el cuerpo de Deméter en el bosque. Luego calló. Selene, de natural tan parlanchina, enmudeció y no respondió a una sola de las preguntas de Anaíd.

Durante los días siguientes la casa se llenó de familiares lejanas venidas de todas las partes del mundo. Recibieron centenares de cartas, de llamadas telefónicas, de *e-mails,* pero nadie aventuraba nada. Por fin dijeron que había sido un rayo y la médica forense, una especialista que voló desde Atenas, así lo certificó. Sin embargo Anaíd no pudo besarla antes de meterla en su ataúd, pues su cuerpo estaba carbonizado, irreconocible.

En el pueblo se habló largamente del rayo que alcanzó a la abuela de Anaíd esa noche de tormenta eléctrica, aunque nadie se explicó nunca, ni siquiera Anaíd, qué hacía Deméter en el robledal a esas horas de la noche. Su coche fue hallado en la carretera, aparcado junto a la cuneta del camino forestal, con la ventanilla de la puerta del conductor abierta, los faros de posición encendidos y el intermitente parpadeando con terquedad.

Anaíd se detuvo y el presente se reinstaló raudo entre las sombras de las hojas de los robles. Su bastón había topado con algo, con un objeto duro cubierto por la hojarasca. Sin poder remediarlo sus manos la traicionaron y comenzaron a temblar de forma insistente. Recordó los consejos de Deméter para vencer al miedo cuando el pánico se enseñoreaba de la voluntad. Dejó su mente en blanco y luego apartó las hojas con sus botas y contuvo la respiración: era un cuerpo todavía caliente, pero no pertenecía a un ser humano, era..., era... un lobo, mejor dicho, una loba, puesto que se distinguían perfectamente sus mamas hinchadas de leche. Sus cachorros no debían de andar lejos. Pobrecillos, sin la leche de su madre estaban condenados a morir de hambre. Anaíd se consoló pensando que tal vez ya estuviesen lo suficientemente crecidos para subsistir con la ayuda de la manada. Observó al animal. Era bello. Su pelaje, a pesar de la suciedad del barro, era de un gris perla, suave y sedoso al tacto. Sintió lástima por la joven loba y la cubrió de nuevo con hojas secas, ramaje y piedras para evitar que fuese pasto de carroñeros. La loba estaba lejos de las montañas, había bajado al valle aventurándose en territorio humano y había hallado la muerte. ¿Por qué bajaría al valle?

Anaíd miró su reloj. Eran las doce del mediodía. Decidió que lo más sensato sería volver a casa y comprobar si todo seguía igual. A veces sucedía que las circunstancias cambiaban inesperadamente y aquello que horas o minutos antes parecía horroroso dejaba de serlo.

Confiando en la remota posibilidad de hallar a Selene en casa, encaró el camino de regreso sin tomar precauciones y tuvo la mala fortuna de topar con sus compañeros de clase que salían en tropel de la escuela. Dar explicaciones o responder a preguntas engorrosas era lo último que deseaba hacer en aquellos momentos. Tampoco se veía con ánimos de afrontar sus burlas. Así pues dio media vuelta y salió disparada en dirección contraria desviándose por el callejón del puente. Se giró para comprobar si había conseguido esquivarlos y ese gesto la perdió. No vio venir el Land Rover azul que bajaba la cuesta y sólo sintió un fuerte golpe en la pierna y un chirrido de frenos. Después un grito. Luego nada.

Anaíd yacía en el suelo atontada, sin poder moverse, y la conductora del vehículo, una turista vestida con ropa deportiva, cabello rubio, ojos azules y leve acento extranjero, se arrodillaba sobre ella lamentándose y tanteando su cuerpo.

—Pobrecilla niña, quédate quieta, llamaré a una ambulancia. ¿Cómo te llamas?

Antes de que Anaíd abriese la boca, un montón de voces respondieron por ella.

—Anaíd Tsinoulis.

—La enana sabelotodo.

—La empollona.

Anaíd quiso fundirse y se negó a abrir los ojos. Había oído la voz de Marion, la chica más guapa de su clase, la que montaba las fiestas más guays y nunca la invitaba. Y también había oído la voz de Roc, el hijo de Elena, con el que jugaba de pequeña pero que ya no le hablaba, ni la miraba, ni la veía... Quería morirse.

Suponía que todos los buitres de su clase estaban en corro sobre ella, señalándola con el dedo, regodeándose de su desgracia, viéndola pequeña, enana, miserable, fea y cachondeándose de su accidente... Quería morirse de vergüenza.

Desde que las chicas de su clase crecieron, crecieron y la dejaron atrás, riéndose de su talla de niña, Anaíd se sentía una marciana. Ni Marion ni las otras la invitaban a sus fiestas de cumpleaños, ni a sus salidas nocturnas a la ciudad, ni compartían con ella sus secretos, ni intercambiaban su ropa y sus CD. Y no era porque le tuviesen ojeriza o envidia por sacar mejores notas, sino porque ni siquiera la veían. Su problema, el gran problema de Anaíd, era que a pesar de haber cumplido catorce años medía como una niña de once y pesaba como una de nueve.

Era invisible, pasaba inadvertida fuese donde fuese, excepto en el aula. En el aula brillaba con luz propia y ahí residía su pequeña tragedia. Tenía la mala suerte de entenderlo todo a la primera y de sacar las mejores notas, así que cuando respondía en clase o le puntuaban con un diez en un examen sus compañeros se burlaban apodándola la enana sabelotodo. Para colmo de males, su inteligencia también molestaba a algunos profesores y en más de una ocasión se había arrepentido por no morderse la lengua a tiempo. Últimamente se abstenía de levantar la mano en clase y procuraba cometer siempre alguna falta en los ejercicios para bajar nota. Pero daba lo mismo, continuaba siendo la enana sabelotodo. Y eso escocía, vaya si escocía.

Anaíd, en el suelo, sólo quería que se marchasen y la dejasen tranquila, que dejasen de mirarla con sus ojos burlones y poco compasivos.

—¡Fuera de aquí, niños, largo! —les increpó la extranjera.

La misma voz dulce y firme que la había atendido se había tornado dura e inflexible. Y le hicieron caso. Los chavales de su clase salieron a la desbandada y Anaíd, tumbada en medio de la calzada, oyó el retumbar de las suelas de sus zapatos al correr por los suelos empedrados de las callejuelas de Urt. Corrían para propagar la noticia de su atropello.

—Anaíd, ya se han ido —murmuró la bella extranjera.

Anaíd abrió los ojos y se sintió reconfortada. La esperaban una sonrisa cómplice y unos ojos azules y profundos como el lago, el recibimiento más dulce que una niña pudiera soñar tras una tanda de sucesos tristes.

—Creo que no es nada —comentó Anaíd imbuida de un súbito optimismo mientras se tocaba la pierna herida.

—¡No, espera, no te pongas de pie! —intentó impedir la turista.

Pero Anaíd ya se había levantado de un salto y movía las articulaciones una a una. Estaba perfectamente.

—No puedo creerlo —musitó la extranjera subiendo la pernera del pantalón de Anaíd y buscando la fractura de su pierna allí donde suponía que había recibido el impacto del Land Rover.

—De verdad, estoy bien, sólo ha sido un arañazo. Mire —dijo Anaíd mostrándole la pierna y sintiendo la suave caricia de la mano delicada, muy blanca, sobre su rodilla.

—Sube, te llevaré al médico yo misma —insistió la mujer.

Y la tomó de la mano para ayudarla a subir al vehículo alquilado.

—No, no, no puedo ir al médico —se resistió Anaíd.

La extranjera pareció dudar.

—Tienen que hacerte radiografías, pruebas...

Anaíd suplicó con vehemencia:

—De verdad que me es imposible. Tengo que ir a casa.

—Pues te acompañaré yo misma y hablaré con tu madre.

—¡No puede ser! —gritó Anaíd, corriendo ya calle abajo, totalmente repuesta de su caída.

—¡Espera! —gritó la hermosa mujer, desconcertada, sin saber qué hacer.

Pero Anaíd ya había desaparecido por el primer callejón a la izquierda y en esos precisos momentos estaba abriendo la puerta de su casa.

A pesar de sus buenos presagios la casa continuaba vacía.

Selene no había regresado.

Anaíd se sentó en la mecedora que tiempo atrás estaba reservada para Deméter y se meció durante largo rato. El movimiento repetido de echar el cuerpo hacia adelante y hacia atrás columpiando su tristeza, frenando su desasosiego, acabó por tranquilizarla y relajar su mente. No podía precipitarse, debía hacer las cosas ordenadamente, una tras otra. Selene estaba en alguna parte y, si no tenía forma de comunicar con ella, bien podía intentar seguir su rastro.

Antes de acudir a nadie en busca de ayuda, Anaíd imprimió todos los *e-mails* recibidos y enviados a lo largo del último mes desde la cuenta de correo electrónico de su madre, apuntó religiosamente el número de las últimas cincuenta llamadas telefónicas que constaban en la memoria de su aparato y copió todos los movimientos de caja que registraban sus cuentas bancarias, comprobando así que no hubiera retirado dinero en la última semana y que no hubiera ningún cobro extraño durante el último mes.

También hizo acopio de la correspondencia que guardaba en su cajón, correspondencia en su mayoría editorial y bancaria, y hojeó su agenda personal donde anotaba citas, compromisos y nombres. Al repasar los datos se dio cuenta de que el número telefónico más repetido en las llamadas recibidas y efectuadas provenía de Jaca, la ciudad más cercana a Urt y a la que Selene iba muy a menudo de compras.

Anaíd marcó el número sin titubear. Al otro lado de la línea respondió una voz de hombre. *Soy Max, ahora no estoy en casa. Si quieres ponerte en contacto conmigo déjame tu mensaje.* Pero Anaíd colgó. ¿Quién era ese Max? ¿Por qué Selene no le había hablado nunca de él? ¿Un amigo? ¿Algo más que un amigo? En sus *e-mails* y en su agenda, en cambio, no había ni rastro de Max, ni nada que destacar, excepto, tal vez, una correspondencia cada vez más íntima y frecuente con una admiradora que se declaraba apasionada lectora de sus cómics y que le pedía una cita para conocerla personalmente.

Firmaba S.

Gaya estaba corrigiendo exámenes junto al fuego. A veces, como aquella tarde, lo encendía sin necesidad, por el simple placer de acercar las manos a las llamas y gozar de su caricia. Estaba arrepentida de haber aceptado esa plaza de maestra en Urt. Tenía demasiados alumnos, el invierno duraba diez meses y no le quedaban tiempo ni ganas para la música. Creyó que sería un destino tranquilo y que el aislamiento le permitiría componer, pero se equivocó. Y no era únicamente el frío lo que hacía perecer las notas congeladas antes de nacer, eran las continuas interferencias que se sucedían una tras otra.

La habían engañado. Había ido a parar al ojo del huracán. En ese mismo instante llamaron al timbre y Gaya supo, por la desazón que la invadía, que lo peor aún no había llegado.

La visita no era otra que Anaíd, la hija de Selene, que no había acudido a la escuela en todo el día. Precisamente acababa de corregir su examen. Un buen examen, demasiado bueno. Por eso le había bajado un punto con la excusa de que hacía la letra demasiado puntiaguda. Y no es que le tuviera ninguna manía especial a la niña... Anaíd era feúcha y tímida, pero no incordiaba. Lo que le fastidiaba era que Selene se apuntase los méritos de su hija y un diez era excesivo para la petulancia de aquella pelirroja narcisista.

—¿Qué pasa, Anaíd?

Anaíd no acababa de arrancar, tenía los ojos enrojecidos y parecía asustada. Gaya se impacientó y la obligó a sonarse los mocos y a beber un sorbo de agua fría. Anaíd se salpicó el jersey al beber. No era fea, sus ojos azules, de un azul cobalto, magnético, siempre habían fascinado a Gaya, pero tenía tan poca gracia la pobre, tan flaca y esmirriada, con esos jerséis grandotes y con aquellos cuatro pelos ralos, muy cortos, saliendo debajo de los gorros de lana que la afeaban tanto. Nunca había comprendido el mal gusto de Selene vistiendo a su hija y cortándole el pelo. Nadie que las viera juntas diría que la provocadora y atractiva pelirroja pudiera ser la madre de aquella adolescente desgarbada. Por fin pareció que Anaíd reaccionaba.

—Selene ha desaparecido.

Gaya se puso a mil.

—¿Cuándo?

Anaíd estaba confundida y Gaya detectó que esquivaba su mirada con culpabilidad.

—Esta mañana cuando me he levantado no estaba, por eso no he ido a la escuela. La he estado esperando, esperando, pero no ha regresado.

Gaya exploró la posibilidad de que Anaíd se equivocara.

—Debe de estar en el despacho de Melendres, discutiendo sobre la última entrega de Zarco.

Anaíd negó. Melendres era el editor de los cómics de su madre, y efectivamente se llevaban como el perro y el gato, aunque el personaje de Selene, Zarco, estuviese empezando a tener un cierto éxito.

—No ha ido a la ciudad, el coche está en el pajar.

—A lo mejor...

Sin embargo Anaíd estaba muy segura de lo que decía:

—He repasado todos sus zapatos y abrigos y no falta ninguno. Y su bolso, con las llaves, las tarjetas y el billetero, está colgado en el perchero.

Gaya palideció y cogió el teléfono sin apenas dar importancia a la presencia de Anaíd. Mientras marcaba sentía que se la comía la rabia. Si tuviese delante a Selene la abofetearía, le tiraría de los pelos hasta arrancárselos uno a uno, le pisaría los pies embutidos en esas botas de tacón de aguja, llamativas, fardonas. ¿Por qué? ¿Por qué no le hizo caso? Había estado buscando su propia ruina desde hacía un año, desde la muerte de su madre Deméter.

—¿Elena? Soy Gaya. Tengo aquí delante a Anaíd, que dice que Selene ha desaparecido.

Gaya pareció asombrada al oír las palabras de Elena.

—¿Un accidente? —y se dirigió a Anaíd—: Elena dice que has tenido un accidente, que te ha atropellado un coche esta mañana.

Anaíd maldijo a Roc y a Marion y a todos sus compañeros de clase.

—No fue nada, ni siquiera me tocó.

—¿La has oído? Pues te esperamos. .

Gaya colgó el teléfono, se quedó mirando fijamente a Anaíd y sintió lástima por ella. Estaba sola y había pasado tantas desgracias seguidas... No obstante no estaba dispuesta a acarrear con los errores de Selene. Era la hija de Selene, no la suya. Miró sus exámenes, su fuego, y no pudo evitar un rictus de contrariedad por todos los problemas que le supondría cualquier decisión que tomase.

—Ahora vendrá Elena y te llevará a su casa.

Anaíd abrió los ojos sorprendida.

—Tenemos que ir a la policía.

—¡No! —gritó en el acto Gaya.

Luego, al ver el efecto contraproducente que había causado en Anaíd rectificó:

—Imagina que tiene un lío con... con alguien. Sería un escándalo. La buscaremos.

—Pero...

—Tu madre no está bien de la cabeza, hace muchas tonterías. ¿Quieres que además te señalen con el dedo por la calle?

Anaíd calló. Sabía que Gaya, a pesar de ser amiga de Selene, la envidiaba. Envidiaba su melena roja y rizada, sus largas piernas, su simpatía y su desparpajo. No hacía falta ser muy lista para darse cuenta de que Gaya, una maestra mojigata, hubiera vendido su alma al diablo por ser como Selene.

Elena, la bibliotecaria, la que proporcionó a Anaíd todas sus lecturas infantiles, llegó resoplando con sus kilos de más. Anaíd pasaba apuros en su presencia puesto que era incapaz de distinguir cuándo estaba embarazada, cuándo estaba recién parida y cuándo no estaba ni una cosa ni otra. Calculaba, si no había perdido la cuenta, que Elena debía de tener ya siete hijos, todos niños. El mayor era Roc, y a Anaíd, la posibilidad de convivir con Roc bajo el mismo techo se le antojaba un suplicio. Roc era clavado a su padre, el herrero del pueblo, fuerte, socarrón y moreno de cutis y cabello. Roc y ella habían jugado muchas veces en el bosque y se habían bañado juntos en la poza del río. Pero eso había sido de niños. Ahora Roc tenía moto, vestía vaqueros ajustados, se acababa de hacer un *piercing* en el lóbulo izquierdo, iba a la ciudad los sábados y, si se cruzaba con ella, miraba hacia otra parte, como los demás, como casi todos.

Elena, a diferencia de Gaya, era cariñosa y lo primero que hizo fue abrazar a Anaíd y abrumarla con sus besos.

—Explícame, bonita, ¿cómo ha sido?

—No sabe nada —interrumpió Gaya.

—Alguna pista nos podrá dar, algo que nosotras no sepamos...

Pero Gaya estaba indignada.

—Lo sabíamos, tú, yo y todas. Sabíamos que ocurriría tarde o temprano.

—No te precipites.

—¿Qué pretendía si no Selene con sus faldas cortas y esa larguísima melena roja, chillona y rizada que ondeaba a los cuatro vientos? ¿Qué pretendía con esos reportajes en Internet, dejándose entrevistar y fotografiar en su casa, en su estudio, haciendo declaraciones controvertidas sobre el mundo del cómic y permitiéndose criticar a personajes públicos? ¿Y qué decir de sus continuas multas por excesos de velocidad? ¿Y sus sonadísimas borracheras?

Elena la interrumpió azorada:

—Gaya, por favor, estamos delante de Anaíd. Compórtate.

Gaya tenía ganas de explotar desde hacía demasiado tiempo y no reprimió su última frase:

—La ha perdido su ego.

Anaíd se sintió obligada a defenderla:

—Selene es especial, es diferente... y yo la quiero.

La agresividad de Gaya la hizo mostrarse valiente, pero también precavida. Anaíd decidió que no pasaría a nadie la información que había conseguido sobre los últimos movimientos de su madre.

Gaya se sintió en falso. No soportaba a Selene, narcisista, enamorada de sí misma, y le parecía mentira que la pobre niña a la que había eclipsado y arrinconado como un mueble viejo saliese en su defensa. Suspiró.

—Lo siento, Anaíd, no tengo nada contra tu madre, sólo contra su falta de discreción. Es una forma de... buscarse enemigos, de llamar la atención. ¿Comprendes?

—¿Quieres decir que ha desaparecido a consecuencia de esa entrevista de Internet? —inquirió Anaíd sardónica.

Gaya deseaba haberse callado la boca minutos antes.

—No, no, yo..., bueno yo, no me hagas caso. Pero que sepas que yo admiraba mucho a Deméter, tu abuela. Deméter era toda una dama.

Elena la tomó de las manos.

—Anaíd, esta noche, ¿has oído algo, has intuido algo... desagradable como cuando...?

Anaíd fue tajante, contundente, ni se planteó de dónde salía la fuerza que la inspiró para responder con tanta seguridad.

—Mi madre no está muerta.

Gaya y Elena respiraron aliviadas. La certeza de Anaíd no admitía dudas.

—¿Cómo lo sabes?

—Lo sé y punto.

Elena se sentó en la silla y quedó pensativa unos instantes.

—Anaíd, haremos una cosa. Nosotras dos te ayudaremos a encontrar a Selene, pero tú también tienes que ayudarnos. En primer lugar te pediremos una cosa muy difícil para una chica curiosa como tú.

—¿Cuál?

—Que no hagas preguntas.

Anaíd tragó saliva. Necesitaba una sola razón para convencerse de que su discreción podría ayudar a encontrar a Selene.

—¿Está metida en algún lío?

Elena y Gaya se miraron y asintieron.

—Así es.

—De acuerdo, no haré preguntas. ¿Y la segunda condición?

—Que no hables con nadie de este tema, con NADIE. ¿Entendido?

Anaíd asintió. Necesitaba beber las palabras de Elena para saber que la desaparición de Selene estaba dentro de los parámetros posibles de la lógica. Y así era.

—¿Y qué versión doy en Urt?

—Diremos..., diremos que Selene ha salido de viaje. A Berlín. ¿Te gusta Berlín?

Anaíd asintió.

—¿Y mientras tanto?

—Mientras tanto yo me ocuparé de ti —afirmó Elena.

—¿Dónde dormiré?

—Pues, pues con...

—No puedo dormir con Roc —gritó con un cierto desespero Anaíd.

—¿Por qué no? Sois amigos.

Anaíd se sintió desfallecer. Lo peor que le podía pasar en este mundo no era que su madre desapareciese, sino que le obligaran a pasar la vergüenza más grande de su vida compartiendo habitación con Roc.

—No, no somos amigos.

—Pues... así os reconciliáis. ¿Qué te parece?

—Fatal.

Elena suspiró y se llevó la mano al vientre. Anaíd se fijó. ¿Se movía? Sí, efectivamente, el enorme barrigón de Elena se agitaba inquieto. Debía de estar embarazada de nuevo.

Gaya, para librarse de su mala conciencia, le acarició el cabello con la mano tensa, un intento de aproximación que viniendo de ella significaba un gran esfuerzo.

—Anda, te acompañaré a casa a recoger tus cosas, pero antes come algo, seguro que no has probado bocado.

Y le sacó pollo frío y una verdura que recalentó en el fuego y que Anaíd, a pesar de odiar la verdura, agradeció. No había comido nada desde la noche anterior.

2. *Tía Criselda*

Anaíd masticaba lentamente la croqueta rogando que le durase horas. Se sentía incapaz de levantar la vista del plato y topar con los ocho pares de ojos que estaban fijos en ella.

Era la novedad.

Era el centro de la curiosidad y la atención de los siete hijos de Elena y su marido.

—¿Veis cómo come Anaíd? Poco a poco, masticando, sin hablar con la boca llena, ni eructar, ni limpiarse los dedos grasientos en la camiseta... Pues así son las chicas bien educadas.

Anaíd se quería fundir de la vergüenza. El marido de Elena no hacía más que hablar de ella como de una nueva especie de chimpancé recién descubierta.

Elena intentó distraer la atención.

—Anda, dejadla ya. Roc, ¿has decidido el disfraz para la fiesta de Marion?

Roc contestó con desgana.

—Es un secreto. No puedo decirlo.

Anaíd no había sido invitada y al recordarlo la croqueta se le hizo una bola y se empeñó en quedarse atascada. Y comenzó a ponerse nerviosa. Era más que evidente que Roc no quería hablar del disfraz porque ella estaba delante. ¿Era tonta Elena? ¿No se daba cuenta de que Roc y ella eran como el agua y el aceite? ¡Qué empeño en casarlos quieras o no!

Por más que lo intentaba, no podía tragar la croqueta, se le había atragantado. Sin levantar apenas la vista, acercó la mano hasta el vaso y bebió de un trago.

—¡Anaíd no se ha limpiado los morros! —se chivó uno de los mocosos.

Anaíd le miró a través del vaso, que lo deformaba horriblemente, y lo fulminó con la mirada. Era un gemelo desdentado con un enorme chichón en la frente.

Su padre quitó hierro al asunto.

—Bueno, bueno, no pasa nada, los tenía limpios.

—Mentira, estaban sucios de croqueta —atacó el otro gemelo con un ojo a la funerala.

Debían de atacar a pares, pensó Anaíd, que no sabía si limpiarse los labios con la servilleta, lanzar el agua sobre la cara de los gemelos o salir corriendo. Elena la sacó del apuro.

—¿Queréis hacer el favor de dejarla tranquila? Anaíd es exactamente como vosotros.

—¡No! Es una chica.

—¡Y las chicas tienen tetas!

—¡Pero Anaíd no!

—¡A callar!

Anaíd estaba roja como un tomate. Los pequeños monstruos no se callaban ni una. Seguro que en esos momentos la estaban repasando de arriba abajo y anotando todas las diferencias para luego escupirlas sin piedad.

—¿Puedo salir esta noche?

Era la voz de Roc que pedía permiso a su padre.

—¿Con Anaíd? —preguntó Elena.

—¿Con Anaíd? —exclamó Roc sorprendido—. ¿Cómo quieres que salga con Anaíd?

Anaíd supo que lo que Roc había querido decir era: «¿Anaíd es algo con lo que se pueda salir por la calle?»

Pero Elena insistió:

—Es nuestra invitada.

—Ya he quedado con otra gente y no les gustará si me presento con Anaíd...

Anaíd sacó fuerzas de donde no le quedaban.

—Tengo que pasar por casa para imprimir el trabajo de Sociales.

Lo dijo de un tirón. Fue lo único que dijo en toda la cena y lo hizo para salvar a Roc del apuro y para salvarse a sí misma del engorro. Pero Roc no tuvo ni la gentileza de agradecérselo.

Una vez en la calle corrió y corrió y corrió, pero no fue a su casa. Se refugió en un lugar que sólo ella conocía. En el mismo lugar donde lloró a solas la muerte de Deméter. En su cueva del bosque.

Antes de su muerte, Anaíd solía ir con Deméter al robledal. Desde muy niña la ayudaba a recolectar las raíces de mandrágora, las hojas de belladona, las flores de estramonio, los tallos de beleño blanco y todas las plantas medicinales con las que preparar tisanas y ungüentos.

Con ella Anaíd aprendió a conocer el bosque y a desconfiar de los poderes alucinógenos de las amanitas que proliferaban bajo los frondosos robles, de las venenosas hojas del tejo y de la cicuta silvestre, letal y fulminante.

Con Deméter celebraba el solsticio de invierno en la quietud de la noche, mirando al norte y abriéndose a la inspiración. En el equinoccio de primavera, de cara al sol que nace al este, se preparaban para la sabiduría. En el solsticio de verano, en pleno día enfrentándose al sur, celebraban la expresión de sus sueños. Por fin llegaba el equinoccio de otoño, en el que el sol se escondía por el oeste y que era tiempo de recolección de frutos y experiencias y la preparación para el renacer de un nuevo ciclo.

A veces, Anaíd sentía pereza de las serias tareas que le imponía Deméter y se escondía tras unos matorrales eludiendo su llamada. Así descubrió su cueva, apenas un resquicio en la roca por el que se coló reptando y por donde cayó a través de un túnel que, a guisa de tobogán, desembocaba en una maravillosa sala de amplios techos. Y cuando la exploró, extasiada ante sus delicadas estalactitas y sus lagos y grutas subterráneos, supo que aquél sería por siempre más su refugio, el pequeño lugar del mundo —confortable y solitario— que la había escogido a ella y no al revés, y donde de ahora en adelante se cobijaría siempre que tuviese miedo.

Esa noche no tuvo miedo de atravesar el bosque oscuro, de oír el solitario grito de la lechuza, ni de dejarse caer por el túnel hasta las profundidades de su cueva. Allí, sola, con la única luz de un candil, talló meticulosamente dos pedazos de su piedra meteórica negra en forma de lágrimas, tal y como hizo cuando murió su abuela Deméter. La piedra, un meteorito que cayó en el bosque el verano anterior, tenía la dureza y el brillo que Anaíd precisaba. Por eso ambas veces colgó una lágrima de su cuello y enterró la otra en la entrada de su cueva. Nadie le había dado instrucciones, nadie le había explicado el significado de su ritual. Lo repitió para confortarse nuevamente. Era su forma primitiva de marcar el territorio de su pena y expresar su dolor públicamente. En su cuello lucía dos lágrimas, una por cada mujer que la había querido y la había abandonado.

Deméter, sensata y estricta, pero justa.

Selene, extravagante y loca, pero cariñosa.

Para Anaíd, que tuvo dos madres radicalmente opuestas, ambas conformaban un equilibrio. Muerta Deméter, se aferró a Selene como a un clavo ardiente. Reconocía que Selene la hacía avergonzar muy a menudo, que no se comportaba como las otras madres ni vestía como las otras madres ni guardaba discreción como las otras madres. Y sin embargo la quería.

Y ahora que Selene había desaparecido, estaba SOLA. Pero no quería sentir miedo ni angustia, por eso se repetía continuamente que Selene regresaría en cualquier momento.

Anaíd, acuclillada en la entrada de su cueva, acabó de enterrar su lágrima y, aunque le hubiera gustado permanecer a solas con sus recuerdos, un rumor impreciso, una brisa extraña, la obligó a levantarse de un salto y reparar en la oscuridad que la rodeaba. Mientras se sacudía el fango y las hojas secas que habían quedado adheridas a sus vaqueros, se giró hasta tres veces con la certeza de que unos ojos la miraban a través de la negrura del bosque.

De regreso al pueblo fue acelerando el paso imperceptiblemente. Sentía una vaga inquietud a sus espaldas, y tal vez fuera un espejismo producto del cansancio y la tristeza, pero hubiera jurado que el aire se enrarecía y el fulgor nítido de la luna en cuarto creciente se mitigaba.

Sin Selene, el mundo, su mundo, parecía más pequeño y sombrío. Como si alguien hubiera encerrado el valle de Urt en una bola de cristal empañado.

—¡Anaíd, Anaíd!

Anaíd, con la cartera al hombro, levantó la cabeza. Elena había ido a esperarla a la puerta de la escuela.

—Acaba de llegar tu tía Criselda.

Se quedó tan sorprendida con la noticia que ni siquiera supo reaccionar.

—¿Mi tía? ¿Qué tía?

—La hermana de tu abuela. Anda, vamos, seguro que la recuerdas, estuvo en su entierro el año pasado.

Anaíd, ante su asombro, la recordaba perfectamente a pesar de que no se parecía en nada a Deméter. Tal vez no recordaba con precisión los rasgos de su cara, suaves, imprecisos, pero en cambio tenía muy presente su aroma de lavanda y la caricia de su mano en su cabello. Su mano, el contacto de la palma de su mano, la tranquilizó profundamente y eso que la tía Criselda no era nada tranquilizadora. Pequeña, revoltosa y regordeta, tenía la cabeza ocupada en tantas cosas a la vez que algo acababa por salir malparado. Un plato, un vaso, un jarrón o un pobre perro. Cuando la abrazó con cariño, Anaíd se dio cuenta, sorprendida, de que en el poquísimo tiempo que llevaba ahí, había puesto la cocina patas arriba. ¿Por qué?

—Estaba muy sucia, muy revuelta. Las cocinas son el alma de las casas y hacen falta limpieza y orden.

Anaíd no se preguntó quién la había llamado, cómo había entrado en casa ni de dónde había sacado la peregrina idea de que lo primero que tenía que hacer era vaciar las alacenas, la nevera, revolver los tarros de Deméter, probar todas las especias con las que cocinaba Selene, alinear los pucheros y las cazuelas y meter las narices en las hierbas que colgaban en rastrojos de las vigas del techo.

Por suerte, tía Criselda no se había movido de la cocina. Aún no había tenido ocasión de entrar en tromba en la biblioteca, el salón o las habitaciones. Anaíd estaba acostumbrada a las excentricidades de Selene y decidió no enfadarse. Criselda la sacaba de un apuro terrible. Podría volver a dormir en su cama y olvidarse de la pesadilla de las cenas en la mesa de Elena y las noches en el plegatín junto a Roc. Consideró que si ésa era la manera de sentirse cómoda de su tía la aceptaba, pero... ¿Qué significaba su llegada? ¿Qué significaba su presencia en casa?

—¿Sabes algo de Selene?

—Pronto tendremos noticias, pequeña, pronto, muy pronto.

Y mientras hablaba, la mano de Criselda se posó de nuevo en la frente de Anaíd y borró sus inquietudes, como un bálsamo.

Elena, maternal, regresó de la cocina al cabo de unos instantes con un delicioso potaje de carne, patatas, garbanzos y col humeante. Anaíd no era niña de potajes, pero recordó que tenía hambre y ni siquiera preguntó quién había cocinado aquel plato tan laborioso ni de dónde habían salido los ingredientes. En la nevera de su casa nunca había col, Selene no soportaba la col.

Las tres se dispusieron a dar buena cuenta de la comida y Anaíd dedujo tres cosas de la conversación cruzada y algo enigmática que mantuvieron Criselda y Elena por encima de su cabeza.

Que Elena estaba embarazada por octava vez, pero que de nuevo era un varón.

Que Criselda no tenía ni idea de cuidar niños, pero pensaba quedarse en su casa, hacerse cargo de ella y averiguar el paradero de Selene.

Y que Criselda había roto y tirado todos los tarros de la cocina incluida su medicina de crecimiento.

Y eso la indignó mucho.

—¡Llevo cuatro años tomando ese jarabe! Desde que tenía diez y Karen nos advirtió que iba muy atrasada en mi crecimiento...

El asombro de tía Criselda fue mayúsculo.

—¿Tienes catorce años?

Y su sorpresa, sincera, la indignó más todavía, porque estaba indignada por el atropello.

—¡Y fíjate en cómo estoy!

Entonces su tía Criselda abrió una boca enorme y le hizo el tipo de pregunta que sólo hacen las tías, las tías indiscretas.

—¿Y ya tienes la regla?

Anaíd se dio cuenta de que dos pares de ojos la escrutaban atentamente. Su respuesta tenía gran importancia, puesto que la expectativa que se había generado era enorme. No dilató más el misterio, era más que obvio que su naturaleza femenina era un desastre.

—No.

Y las dos mujeres cruzaron una mirada de preocupación. Elena se disculpó con un movimiento de hombros como diciendo «Lo siento, no computaba ese detalle».

—Y dime, Anaíd, ¿tu madre te habló de tomar precauciones? De estar... preparada por si...

Anaíd se ofendió. ¿Por quién la tomaban?

—En mi clase todas mis amigas tienen la regla, sé lo que son una compresa y un tampón. No voy a llorar ni a asustarme, no os preocupéis.

Sin embargo, ni Elena ni Criselda se tranquilizaron por la respuesta de Anaíd. Al contrario, su preocupación aumentó. El lenguaje de los signos de los adultos, cuando había infiltrados incómodos delante, siempre la había fascinado. Desde niña desentrañó, o se propuso desentrañar, muchas de las señales que se enviaban su madre y su abuela y que ella interceptaba. Anaíd tradujo algo así como «Menuda faena nos ha hecho Selene». Pero no pudo comprender su significado. A ella continuaba preocupándole su medicina.

—¿Y ahora qué tomo? Selene era la única que conocía

la fórmula de Karen y ahora Karen está trabajando en un hospital de Tanzania.

Y al acabar de decirlo, Anaíd se preguntó cómo y desde cuándo sabía que Karen había viajado a Tanzania. Había sido algo muy curioso. Una revelación. De pronto lo supo, como supo que Selene estaba viva y como supo también, un año antes, al despertarse bruscamente a las tres de la madrugada, que Deméter había muerto.

—No te preocupes, lo solucionaremos. Criselda te preparará una fórmula con la misma receta, estoy segura de haberla visto por ahí.

A pesar de que ese «por ahí» se perdía en la inmensidad del caserón, su espíritu maternal y pragmático bastó para calmar a Anaíd, que no se quedó tranquila del todo hasta comprobar con sus propios ojos que tía Criselda no había arrasado también con su champú especial. Tenía un pelo tan desastroso que, si no se aplicaba el fortalecedor y lo lavaba con su champú de vitaminas, se le caía a puñados.

¿Por qué Selene era alta, esbelta y tenía un cabello precioso? Anaíd no se parecía en nada a su madre, a su lado se sentía un buñuelo mal frito. Y a pesar de eso añoraba a Selene. Viéndola tan mundana y segura de sí misma, tan habladora, simpática y extrovertida, se reconfortaba y soñaba en parecerse a ella algún día. Su angustia por la falta del medicamento no era tal, se mezclaba todo, era la angustia por la ausencia de la madre.

Tía Criselda la tomó entonces de la mano y la miró al fondo de su retina.

—Ahora quiero que me lo expliques todo desde el principio. Explícame todo lo que recuerdes de la noche en que desapareció Selene. Todo.

Y susurró ese «todo» tan persuasivamente que Anaíd

sintió como si los recuerdos —que ella había borrado para que no la molestasen— aflorasen de golpe.

De uno en uno, obedientes, los recuerdos de Anaíd se pusieron en fila y salieron del fondo de los cajones de su memoria inmediata para que tía Criselda los desempolvara y los estudiara detenidamente.

«Selene me sirvió un zumo de arándanos, que me chiflan, y me invitó a sentarme en el porche, a su lado, para jugar a nombrar las constelaciones. Lo hacíamos a menudo, pero aquella noche me pilló desprevenida y, mientras yo buscaba desesperadamente Andrómeda y Casiopea, me propuso pasar las vacaciones de verano en Sicilia con una amiga suya, Valeria. Me vendió que tenía un chalé junto al mar en la playa de Taormina, bajo el Etna, y una hija como yo, de mi edad. Y, al rato, me enseñó un billete de avión. Yo no me lo podía creer: Selene lo tenía todo preparado y no me había dicho nada antes. Por eso no reaccioné como ella creía que tenía que reaccionar, no di saltos de alegría ni la besé ni me fui a probar el biquini del año pasado. Sólo le pregunté que cómo se le había ocurrido que a mí me gustaría pasar las vacaciones sola, sin ella, con una familia desconocida y en un país extranjero. Selene se puso muy nerviosa, como si la hubiese contrariado, y bizqueó. Cuando Selene está en apuros bizquea. No quería que yo me diese cuenta de que para ella era muy importante que yo me marchase de casa. Fingió que no le importaba y se sacó de la manga que todo había sido casual y que se le ocurrió esa posibilidad por una llamada de Valeria felicitándola por su personaje Zarco y que fue en ese momento, mientras hablaban por teléfono, cuando se le encendió la bombilla y creyó que comprarme el billete sería una sorpresa bomba para mí. Me dijo que, si yo no quería ir, lo anularía inmediatamente, pero que era una lástima porque Clodia, la hija de Valeria, era muy extrovertida y tenía un montón de amigos y yo necesitaba ver mundo y estar con gente joven, de mi edad. Y entonces le dije que no, un no definitivo. No me daba la gana. Y no lo dije por falta de curiosidad ni porque Sicilia no tuviese atractivos. Al revés, me encantaría visitar el teatro de Siracusa y conocer Palermo, participar en una persecución de la mafia, subir al Etna y lanzarme de cabeza al Mediterráneo, pero ni loca, ni borracha, estaba dispuesta a ser el hazmerreír de Clodia y sus *amici italiani.* Cuantas más virtudes tuviera Clodia, peor. ¿No se daba cuenta de que mi problema era ése? Si me hubiera vendido que Clodia, la pobre, tenía lepra y no podía salir de casa porque se le caían los dedos y las orejas, a lo mejor hubiese aceptado.

Sin embargo Selene creyó que lo hacía para fastidiarla y me dijo que era una irresponsable estúpida que no entendía nada, y me amenazó, me amenazó con... una desgracia, con una desgracia terrible. Me dijo que si ella faltaba, si ella se veía obligada a marcharse o le sucedía algo..., yo debía estar acompañada. Y me dio tanta rabia que usase una treta tan cochina para salirse con la suya, que me ofusqué y pensé que lo que quería en realidad era quitarme de en medio para estar sola con alguien y que ese alguien debía de ser MUY importante para ella y a lo mejor era el destinatario de todos sus perfumes, sus maquillajes, sus vestidos ajustados y sus noches en la ciudad. Vaya, que me convencí de que Selene tenía un novio que no podía conocerme porque yo no era importante para Selene. O porque Selene se avergonzaba de mí. Y por eso me obcequé y me negué a bajar del burro. Juré que nunca iría a Taormina. Y luego hice lo que más fastidiaba a Selene: me levanté, sin abrir la boca, y me largué. Selene me persiguió hasta mi habitación intentando que la mirara a la cara, rogándome que le hablase, obligándome a escucharla para ablandarme, para estudiar mis flaquezas y atacar mis puntos débiles. Pero, por eso mismo, me negué a darle cancha, me metí en la cama, apagué la luz y fingí dormir.

Y ya no volví a verla más.

Esa noche, de madrugada, me desperté a causa de un rayo. El resplandor fue tan grande que abrí los ojos de golpe y creí que era de día, que estaba tomando el sol en la playa de Taormina, al lado de una italiana leprosa, y el Etna entraba en erupción. Daba miedo ver el cielo y oír los truenos que hacían retumbar las paredes. Hasta los cuervos parecían asustados y no paraban de volar en círculos ante mi ventana. Lo curioso es que ahora que lo pienso, y recuerdo que lo pensé, parecían más grandes, enormemente deformados y como si quisiesen refugiarse dentro de casa. Uno de ellos se me quedó mirando fijamente a través del cristal y tenía una mirada inteligente, sentí que me hablaba y que me ordenaba abrir la ventana y... por un momento estuve a punto de abrirla.

Luego cerré los ojos e intenté continuar durmiendo a pesar de la tormenta.

No fui a la habitación de Selene para que no se creyese que cedía y que aceptaba su propuesta. Continuaba enfadada y quería demostrarle mi enfado. Por eso no me moví de mi habitación y no me metí en su cama, como otras veces, ni ella me llamó para salir juntas al huerto a danzar bajo la lluvia hasta caer en el barro empapadas y exhaustas, como hacíamos siempre que llovía a cántaros, para desesperación de Deméter que se desgañitaba riñéndonos.

Al día siguiente Selene no estaba en su cama y su ventana estaba abierta. Pensé que estaría en la ducha o en la cocina. Pero no. No estaba en ninguna parte. No faltaba nada, ni sus zapatillas, ni su libro, ni su cepillo de dientes, ni su pasador del pelo, sólo ella. Tampoco había signos de lucha ni de violencia, no había sangre en el suelo ni cabellos en la almohada. Todo estaba intacto, como si durante el sueño Selene se hubiese esfumado, como si hubiese salido volando por la ventana y en cualquier momento pudiese regresar a dormir a su cama.

Yo no toqué nada, lo dejé todo tal cual lo había dejado ella, pero esa mañana exploré palmo a palmo el bosque con miedo de encontrar el cuerpo de mi madre alcanzado por un rayo.

Sólo encontré una loba muerta y de repente supe que Selene estaba viva. Aunque no supe por qué lo sabía.»

PROFECÍA DE ODI

Ella destacará entre todas,
será reina y sucumbirá a la tentación.

Disputarán su favor y le ofrecerán su cetro,
cetro de destrucción para las Odish,
cetro de tinieblas para las Omar.

El dictado del corazón de la elegida propiciará la verdad.
La una triunfará sobre las otras.
Definitivamente.

3. *Selene*

Selene, recostada sobre el camastro de paja, respiraba lenta y acompasadamente. Permanecía inmóvil, aletargada. No quería malgastar fuerzas inútilmente puesto que no había comido ni bebido nada en tres días.

Las moscas verdes revoloteaban sobre el cubo de los excrementos y algunas de ellas se posaban sobre su frente y sus mejillas, pero Selene no las ahuyentaba y permanecía con los ojos entrecerrados, los labios exangües, el pulso lento y el rostro frío. Si bien su cuerpo se encontraba ahí, su espíritu flotaba muy lejos del minúsculo zulo, cegado a la luz, de apenas cinco metros cuadrados. El control absoluto que ejercía sobre su cuerpo le impedía sentir hambre, frío, sed, asco. Hasta su olfato se había acostumbrado al intenso olor de orines que le revolvió el estómago al llegar.

Posiblemente, si nada hubiera alterado el aislamiento, Selene hubiera continuado ajena a su entorno, pero al oír los pasos que se acercaban supo que no podría continuar anestesiando sus sentidos. De nuevo vio las paredes rezumando humedad, los piojos y las chinches saltando por doquier, las cucarachas trepando por los minúsculos barrotes de su camastro y los hocicos de las ratas temblando al olisquear su angustia. Y al bajar la guardia arrugó su nariz con asco: acababa de percibir con claridad el olor a sangre, sudor y miedo impregnando las paredes y la suciedad del jergón amarillento, salpicado de manchas parduzcas, donde se recostaba. Todo el esfuerzo de contención y autocontrol que había estado practicando durante ese tiempo se esfumó ante la expectativa de que la puerta se abriera y de que por ese hueco se colase la esperanza de un mundo cálido, luminoso y limpio. Selene, prisionera, se sintió al límite de sus fuerzas y tuvo la flaqueza de permitirse el deseo imperioso de huir del calabozo al precio que fuera.

La puerta se abrió sin necesidad de llaves y Selene, dominándose, se irguió tan alta como era, alisó las arrugas de su liviano camisón y desenredó con los dedos la espesa cabellera rojiza que caía sobre sus hombros desnudos en un intento por recuperar su dignidad.

—Vaya, vaya —musitó la visitante mirándola fijamente—, eres más hermosa de lo que imaginaba.

Selene, con la expresión marmórea y el rostro severo como una máscara, permaneció impermeable a las palabras amables de su carcelera.

—Y tu fortaleza resulta admirable. No has pedido agua, comida, ni abrigo, no has gemido ni llorado, ni te has comunicado con nadie.

Selene la miró altivamente.

—¿Qué creías?

—Sinceramente. Creía que utilizarías tu magia.

Selene se rió.

—La reservo para cosas más importantes.

La visitante se situó frente a su prisionera y clavó su mirada en ella. Era tan alta como Selene, tal vez más joven y sin lugar a dudas tan bella como la exótica pelirroja, aunque se trataba de una belleza clásica, de rostro ovalado, ojos negros y almendrados, cabellos de azabache y piel nívea, blanquecina, casi translúcida. Su piel era tan fascinante que Selene se entretuvo en repasar la huella de las venas azuladas de su pulso que vibraban al ritmo de sus latidos. Cascadas de sangre ansiosas de lluvia.

Selene sostuvo su mirada con fiereza. Los ojos de la desconocida, dos brasas de carbón incandescente, acuchillaban su carne y herían su cerebro, pero Selene, a pesar de la debilidad del ayuno, no desfalleció.

La visitante abandonó su juego antes de que Selene parpadeara ni diera muestras de flaqueza. Simplemente se cansó.

—Eres poderosa. La primera Omar que resiste mi mirada.

Selene esbozó una sonrisa irónica.

—Salma, supongo.

—Supones bien.

Selene midió sus palabras y las sazonó con la rabia justa.

—Nuestro comienzo no ha sido muy prometedor. Me engañaste.

Salma disimuló su sorpresa.

—¿Te atreves a llamarme mentirosa?

Pero Selene no se arredró lo más mínimo.

—Me prometiste esperar hasta el verano.

La risa de Salma sonaba a hueca, a eco de risa repetida una y mil veces. Una risa gastada y vieja.

—¿Qué importancia tienen dos meses si los comparas con la eternidad?

—Mucha. No es así como yo lo planeé. Ha sido todo tan precipitado que no he podido borrar las huellas de nuestros contactos, ni he podido urdir una coartada coherente, ni tan siquiera despedirme de mi trabajo, ni cerrar la casa, ni cancelar mis cuentas...

—¿Y qué? Nadie es imprescindible. Pasados unos meses te darán por desaparecida y todos se olvidarán de ti, hasta tu editor.

Selene no estaba de acuerdo.

—Mis compañeras no se resignarán, me buscarán, os crearán problemas, tenedlo por seguro. Atarán cabos y se interferirán en mi camino...

Salma consideró que tal vez Selene tuviera razón.

—Hubieras preferido simular tu propia muerte...

Selene afirmó.

—Ése era el trato.

Salma se encogió de hombros.

—Ha sido orden de la condesa. Yo lo llevaba a mi manera hasta que la condesa dio la orden. Fue ella quien adelantó las fechas.

Selene enmudeció unos instantes, pero se repuso.

—Tengo que volver y solucionarlo todo. Aún estoy a tiempo de impedir que mi marcha cause más revuelo de lo necesario.

Sin embargo, Salma no estaba dispuesta a permitirlo.

—Imposible, la condesa quiere verte.

Selene tembló, un leve temblor que se expandió por su nuca y aleteó hasta la punta de sus dedos fríos.

—¿Ha regresado?

—No.

—¿Entonces? —preguntó Selene con miedo, intuyendo la respuesta.

—Tendrás que acudir a su lado. Viajarás conmigo al mundo opaco.

Selene palideció y se aferró al barrote del camastro sin importarle la cucaracha que aplastó.

—¿Al mundo opaco?

—¿Tienes miedo? —le reprochó Salma burlona.

Selene no se avergonzó de su temor, no era infundado.

—Ninguna Omar ha regresado nunca.

Salma volvió a reír con su risa hueca.

—Tú no eres una Omar cualquiera.

Selene pensaba con rapidez, no podía dilatar la espera de Salma ni de la condesa.

—Viajaré... con una condición. Antes debo regresar a mi casa y borrar mis huellas.

Salma rió.

—Lo haré yo.

—¿Tú? —exclamó horrorizada Selene.

—Será divertido —musitó Salma repentinamente convertida en una niña traviesa—. Las engañaré.

—No, Salma, tú no. Además han pasado tres días.

—No importa.

Selene se enfadó.

—Te he dicho que no te acerques a mi casa o te arrepentirás.

De pronto Salma calló y su silencio se prolongó un tiempo demasiado largo para que Selene pudiera permanecer tranquila.

—¿Ocultas algo?

Selene negó.

Salma esbozó un gesto de contrariedad.

—Una semana más aquí dentro te hará recuperar la memoria.

Selene se sintió desesperar. Salma dio media vuelta dispuesta a salir de nuevo sin ofrecerle siquiera un poco de agua, una manta. No. Selene sabía que una vez concebida la esperanza resulta imposible deshacerse de ella. Y suplicó.

—Espera.

Salma se detuvo y aguardó a que hablase.

—Hay un hombre, Max, que vive en la ciudad y que me estará esperando. Está loco por mí.

—¿Y tú?

Selene se mordió los labios antes de responder. Aún le dolían sus besos.

—Podré olvidarlo.

—¿Alguien más?

—Una niña.

—¿Una niña?

—Mi hija adoptiva.

—¿Una hija?

Selene se revolvió con ímpetu.

—No es mía, Deméter me obligó a criarla. Fue más hija suya que mía.

—¿Una Omar?

—No, una mortal feúcha y algo torpe, sin poderes, sin ninguna gracia especial...

—¿Y qué importancia tiene?

Selene pensó en una cama mullida, en un vaso de agua fresca, en un baño caliente, en una estancia cálida, en un rayo de sol luminoso. Miró fijamente a la astuta Salma. No podía engañarla.

—...Para ella soy su madre y...

—¿Y?

—Le tengo cariño —admitió bajando la cabeza.

4. El despertar de Anaíd

El telegrama llegó la misma tarde de la llegada de tía Criselda. Iba dirigido a Anaíd, pero el redactado era impropio de Selene. Y no obstante las palabras del telegrama la hirieron profundamente. Decía así.

Anaíd:

No me busques, Max me recogió en su coche, empezaremos una nueva vida lejos de todo.

No era posible estar los tres. Enviaré dinero a Elena. Me olvidarás. Selene.

Anaíd lo leyó hasta aborrecerlo. Así pues era cierto. Max existía, era un hombre de carne y hueso, un amante de su madre en la ciudad, alguien a quien Selene prefería antes que a ella. Sintió deseos de llamar de nuevo al número de Max y de dejarle un mensaje a gritos pidiéndole que le devolviese a Selene, pero era absurdo. Selene le amaba a él y en esos momentos debían de estar los dos lejos, muy lejos.

Tía Criselda, con las gafas caladas, leyó el telegrama sin acabar de creérselo y la mareó a preguntas sobre Max, su madre y sus locuras. Pero Anaíd no le respondió, únicamente quería estar a solas y llorar.

Unas horas más tarde Elena se presentó en la casa con un sobre que contenía dinero en metálico y, junto con los billetes, que entregó a Criselda, mostró una breve nota mecanografiada y firmada por Selene rogando a Elena que se hiciese cargo de Anaíd con la promesa de recibir más adelante una cantidad para su manutención.

—¿De dónde ha sacado el dinero? —se preguntó Anaíd en voz alta—. Todas sus libretas y tarjetas de crédito estaban dentro de su bolso, yo misma anoté los movimientos y no había retirado dinero.

Elena y Criselda, sorprendidas, miraron a Anaíd.

—Dijiste que Selene no se llevó nada con ella.

Anaíd se reafirmó en lo que sus ojos vieron el día después de la tormenta.

—Todo quedó aquí, su ropa, sus zapatos, su abrigo y su bolso.

Y mientras Anaíd lo iba diciendo, comprobaba con asombro que en el perchero no había ni rastro del bolso de Selene, ni de su abrigo.

—¡Los vi aquí, colgados! —protestó.

Elena y Criselda cruzaron una mirada cómplice.

—¿Y los zapatos has dicho?

—Venid a verlo, está todo intacto, hasta su maleta...

Sin embargo, tras subir las escaleras y abrir las puertas del armario de Selene, Anaíd palideció. Estaba medio vacío: de sus zapatos apenas quedaban un par de viejas *katiuskas* agujereadas y unos mocasines sin suelas, el lugar donde reposaba su maleta era ahora una balda vacía y de su mesilla de noche habían desaparecido su libro de lectura, sus gafas de sol y sus pasadores del pelo. Anaíd fue con precaución al baño. No podía creerlo: tampoco estaba el cepillo de dientes. Ni el champú, ni el guante de pita con el que frotaba su cuerpo cada mañana.

Pero eso no fue lo más extraño ni lo más curioso que sucedió esa tarde. Cuando Anaíd mostró a Criselda y Elena el estado del correo electrónico de su madre para dejar patente que no se había despedido de nadie ni había advertido a su editor de su marcha, se encontró con la desagradable sorpresa de que los archivos tampoco eran los mismos que ella había leído. Había unos *e-mails* diferentes. En ellos, datados con anterioridad a su desaparición, Selene anunciaba su partida a la editorial y cancelaba a través del correo diversos compromisos adquiridos de antemano: una conferencia, un congreso de cómics y la inauguración de un salón de exposiciones. Anaíd los contrastó con los *e-mails* que imprimió ella misma tres noches antes. No había ninguna coincidencia. Ni siquiera quedaba rastro de la relación epistolar con esa admiradora furibunda que tanto la elogiaba. S.

Mostró sus impresiones a Elena y a Criselda, pero notó que ninguna de las dos lo consideraba importante. Y cuando Criselda se quejó de la desaparición de los números telefónicos en la memoria inmediata del aparato, Anaíd, anonadada, consideró que lo mejor sería callar.

Era más que evidente que tras la desaparición de Selene alguien había regresado dispuesto a borrar todas las huellas.

Tuvo su primer escalofrío.

¿Cómo había entrado en casa?

¿Cómo había sabido cuáles eran sus efectos personales?

¿Cómo había conseguido borrar la memoria del aparato telefónico?

¿Cómo había logrado escribir *e-mails* datados en fecha anterior?

Sólo había una explicación. Lo había hecho Selene en persona.

Luego se sintió mal, muy mal, y se metió en la cama tiritando.

No tenía fiebre y sin embargo se sentía mucho peor que cuando sufrió la neumonía y la ingresaron a causa de las convulsiones. A Anaíd le dolía todo el cuerpo, desde la raíz del cabello hasta las uñas de los pies. Se sentía crujir los huesos uno a uno, sentía las vísceras removerse dentro de sus cavidades, sentía cuchillos clavados en los tendones, sentía los músculos asaeteados por mil agujas, sentía la piel tensa a punto de resquebrajarse. Imposible pegar ojo, sentarse, leer o... simplemente pensar.

Hacía ya dos semanas que se sentía morir y no iba a la escuela, aunque esto último no tenía importancia. El médico le había dicho que descansara y que no se preocupase por los estudios, que estaba alterada por lo que había ocurrido con su madre. Anaíd se avergonzó. En boca de todos estaba la historia de la huida de Selene con un hombre llamado Max y, si bien al principio Anaíd se resistió a admitir la traición, fue considerando que Selene había huido con él en un rapto de locura, que era su estilo, y que luego había regresado de noche para llevarse sus cosas, reescribir sus *e-mails,* borrar sus llamadas y enviar el telegrama y su dinero. Lo había solventado todo sin atreverse a dar la cara. Eludiéndola. Y por su cobardía y sus mentiras hubiera querido odiarla, extirparla de su vida como una apendicitis infecciosa. Hubiera querido tenerla delante para echarle en cara su egoísmo, su absoluta falta de responsabilidad, la misma que le reprochaba Deméter. Pero también sabía que la necesitaba. Fuese egoísta, ambiciosa, irresponsable o loca...

Durante esos días de obligado reposo lo que más la inquietaba era su cabeza, o lo que tuviese dentro, porque en lugar de cerebro parecía que se le hubiese instalado un enjambre de abejas o un aserradero de madera. El zumbido le resultaba insoportable; era constante, pero se agudizaba en determinados momentos y en sitios muy concretos. Una tarde intentó hallar tranquilidad en su refugio, pero no consiguió recorrer el camino del robledal, pues antes de llegar a su cueva se vio obligada a dar media vuelta y regresar corriendo. Era una tortura, la mezcolanza de sonidos que desprendía el bosque agudizó el zumbido hasta un nivel insoportable y a punto estuvo de volverla loca.

Anaíd añoraba a Selene constantemente, pero en los momentos en que se encontraba peor añoraba a Karen. Deseó que Karen, su médico y gran amiga de su madre, regresara de Tanzania, la tendiese en su camilla de olor a azúcar Candy para hacerle cosquillas con el *auscultómetro* y la curase. De niña creía que el estetoscopio de Karen era mágico y que con sólo acariciar su pecho o su espalda sanaba sus bronquios o sus pulmones resfriados.

Intentó pensar como habría pensado Karen, intentó preguntarle a Karen cómo comportarse, y la respuesta le llegó a través de un susurro que la visitó una noche de insomnio: *«Anaíd, bonita, no luches contra el dolor ni el ruido, es tu cuerpo, eres tú, forman parte de ti, no los rechaces, siente el dolor, respira hondo, escucha los sonidos que hay dentro de ti, acéptalos, intégralos en ti.»*

La sugestión de la voz de Karen funcionó como la seda. Consiguió que su cuerpo aflojase la tensión y que el retumbar de su cabeza se amortiguase, sobre todo al caer la noche.

Pero al igual que en los episodios febriles, le sucedía que luego, de madrugada, tras haber conseguido dar un par de cabezadas, se despertaba con los ojos abiertos y el corazón palpitante creyendo que las paredes de su habitación hablaban, que de las cortinas de la ventana surgía una esbelta figura de una dama con una airosa túnica y que sobre su *kilim* turco reposaba un guerrero a la antigua usanza, con yelmo y armadura.

Ésas eran sus alucinaciones, cobraban forma cada noche y cada noche ocupaban el mismo lugar. El caballero y la dama eran osados y curiosos, la observaban con descaro y parecía que iban a ponerse a hablar en cualquier momento. Eso era tal vez lo más divertido de todo lo que le estaba sucediendo.

Mientras tanto, tía Criselda, un encanto, pero no servía más que para causarle problemas y montar estropicios. Anaíd intentó explicarle los síntomas de su extraña enfermedad, pero tras visitar al médico y no obtener un diagnóstico claro ni un remedio concreto, la mujer se asustó, se lió diciendo que ella no entendía de niños y le dio a beber un líquido nauseabundo que le produjo una gran vomitona. Se pasaba la mayor parte del día haciendo llamadas telefónicas o revolviendo en la biblioteca y en la habitación de Selene. Últimamente la tenía preocupada la difícil situación financiera en que vivían. Tía Criselda había descubierto que tras la muerte de Deméter Selene hipotecó la casa y derrochó el dinero a manos llenas. Se cambió de coche, compró mobiliario nuevo, viajó y se regaló un montón de caprichos. En esos momentos las deudas y facturas impagadas amenazaban con ahogarlas y tía Criselda no sabía cómo conseguir el dinero. Melendres, el editor de su madre, era un mal bicho. Se negó a adelantarles ni un duro si Selene no firmaba personalmente sus facturaciones.

Pero a Anaíd, a sus catorce años, no le preocupaba ese tipo de cosas. Además, no confiaba en la tía Criselda. Excepto sus manos balsámicas que borraban las preocupaciones, para nada recurriría de nuevo a ella en busca de soluciones prácticas a problemas concretos. Nunca le pediría que le preparase una tortilla (se la frió con vinagre) o un filete (se lo sirvió crudo) o que le lavase un jersey (lo destiñó con lejía).

Lo que no acababa de comprender Anaíd era por qué motivo se consideraba que un adulto cuidaba de un niño cuando en su caso era completamente al revés. Tía Criselda, con todo el morro, se apuntaba a las comidas y a las cenas que ella preparaba. Afortunadamente Criselda era conformista, le daba lo mismo comer unos espaguetis carbonara, que unos espaguetis con tomate que unos espaguetis al pesto. En eso le agradecía la falta de gusto y Anaíd confirmaba que tía Criselda era un espécimen muy raro de adulto y que las mujeres de su familia no se parecían en nada entre ellas, pero que —cada una en su especialidad— juntas podían poblar un zoológico.

Fuese por el atracón de espaguetis, el reposo o los mismos nervios, lo cierto es que a los quince días de la desaparición de Selene —y a los trece exactos de la llegada de tía Criselda— Anaíd se dio cuenta de que la ropa que usaba no le servía. Ni le subía la cremallera de los pantalones ni le abrochaban los botones de las camisas y, ante su estupor, se percató de que necesitaba un sujetador. Anaíd, sin creérselo, comprobó que por primera vez en su vida le estaba creciendo el pecho. ¡Y Selene no estaba para celebrarlo!

No quiso decírselo a tía Criselda. Era demasiado indiscreta o demasiado poco entendida en niñas. Proclamaría a los cuatro vientos que su sobrina necesitaba un sujetador o diría que ella no entendía de sujetadores de chicas. Con lo cual, decidió salir sola, hacia el crepúsculo, cuando los ruidos disminuían y su cabeza dejaba de echar humo por unas horas. Cogió dinero del sobre del cajón de la cómoda y salió de casa camino de la mercería rogando que no estuviese Eduardo. Si la atendía Eduardo se moriría de vergüenza, sería capaz de fundirse ante el mostrador. Eduardo tocaba a su lado en la banda del pueblo: ella, el acordeón, y él, el trombón. No la había mirado jamás, no sabía que existía, pero Anaíd sí que miraba a su izquierda constantemente para contemplar el sudor que perlaba su frente morena y la vena que se le hinchaba en el cuello al soplar el instrumento. Eduardo era mayor, hacía músculos en el gimnasio, tenía novia y estaba como un queso, o eso decían sus amigas, envidiosas de que tocara junto a Eduardo.

Antes muerta que dejar que Eduardo le vendiese un sujetador.

Y Eduardo estaba ahí.

Anaíd, muy nerviosa, le vio claramente a través del cristal del aparador y dio media vuelta dispuesta a abandonar. Tan abstraída estaba y tan confundida por el contratiempo que chocó de frente con una señora y cayó al suelo.

—Oh, disculpe —dijo sintiéndose tonta por disculparse, encima de caerse.

—Perdona, ha sido culpa mía —respondió la señora con un leve acento extranjero.

Y las dos se quedaron mudas de asombro al reconocerse.

—Nuestro destino es chocar... —exclamó la bella extranjera, la misma que conducía el Land Rover azul la mañana que desapareció Selene y que la atropelló sin querer en la cuesta del puente.

Y se echaron a reír.

—¿Te has recuperado ya de la caída?

—Sí, completamente, muchas gracias.

—Pues hoy no te escaparás, te debo una compensación por atropellarte. ¿Te apetece un cruasán con un chocolate con nata?

Anaíd dudó. ¿Cómo sabía que le chiflaba el chocolate con nata? Con Selene celebraban todas sus fiestas en la chocolatería, con sus amigas o solas, y ahora hacía dos semanas que no probaba el chocolate. Se le hizo la boca agua. Probablemente la compra (o no compra) de su primer sujetador era una ocasión más que importante para ser celebrada, probablemente Selene la habría invitado ella misma.

—Conozco una cafetería muy cerca de aquí —dijo.

Y la bella extranjera le sonrió y le ofreció su brazo con un gesto elegante y natural. Anaíd, con la misma naturalidad, se asió al brazo de la mujer y la guió a través de las callejuelas mirándola de soslayo.

Tenía la tez muy blanca, el cabello rubio ceniza, los ojos azules, de un azul profundo, intenso como el mar, y una sonrisa encantadora. Era hermosa y fascinante, extranjera sin duda, pero imposible descubrir de dónde provenía por el acento. Hacia esas épocas, al inicio de la primavera y una vez acabada la temporada de esquí, comenzaban a llegar los extranjeros. Se alojaban en el hotel y los campings. Algunos practicaban *rafting* y descendían por las rápidas aguas del río aprovechando los primeros deshielos, otros comenzaban a ascender las montañas, si el tiempo lo permitía, y a salpicar los valles de colores con sus anoraks chillones, hasta que cedían el puesto a los escaladores, los más volátiles y atrevidos, que llegaban adelantado el verano, cuando ya se había fundido el hielo de las grietas de la roca. Estaban también los que simplemente paseaban por los valles y visitaban los lagos gozando de las maravillosas vistas y respirando el aire sano de la montaña. La extranjera bien educada parecía ser de estos últimos.

—¿Te espera tu madre?

Anaíd sintió un nudo en la garganta. No la esperaba su

madre. No tenía madre ni abuela, sólo una tía medio inútil que no le servía de nada.

—El otro día no me presenté, me llamo Cristine Olav.

—Yo soy Anaíd.

—Ya lo recuerdo, bonito nombre, Anaíd, imposible de olvidar. Te hace honor. ¿Sabes que eres muy bonita?

No era cierto. Anaíd sabía que no lo era, pero cuando la señora Olav lo dijo con tanta sinceridad creyó que era cierto y se sintió hermosa, admirada, y sobre todo querida.

Por eso, y a pesar de su promesa a Elena, le explicó a la señora Olav la reciente desaparición de su madre y su súbita enfermedad y también, ¿por qué no?, la llegada de su tía y su compra frustrada del sujetador. Se lo explicó porque necesitaba que alguien la mirara con arrobo, la escuchara con atención y le sonriera constantemente. La señora Olav fue menos explícita, sólo le dijo que se alojaba en el hotel unos días y que estaba de paso, pero que le gustaría visitar los lagos. Y entonces se le iluminó el rostro.

—¿Querrías acompañarme?

Sin dudarlo, sin ni siquiera pestañear, Anaíd aceptó. Durante toda la merienda no había sentido en ningún momento ni el zumbido en la cabeza ni el constante dolor de las articulaciones ni la pena por la ausencia de Selene. La señora Olav y el chocolate con cruasán eran, hasta el momento, la mejor medicina que había probado.

De pronto la señora Olav se puso en pie y le hizo un signo mudo para indicarle que regresaba enseguida. Anaíd creyó que iba al baño y aprovechó para acabar de engullir el segundo cruasán y pedirle a Rosa, la encargada, que le pusiese otra cucharada de nata, por favor, porque el chocolate estaba delicioso, pero se le había acabado la nata.

No supo si la señora Olav se había ausentado un minuto o una hora, aunque lo cierto es que le dio tiempo para traerle un regalo. Con una sonrisa enigmática le hizo entrega de un obsequio envuelto en el papel de la mercería de Eduardo.

Anaíd no podía dar crédito. La señora Olav le había comprado el sujetador más bonito que nunca había visto. Un estampado étnico de fondo granate festoneado de alegres dibujos geométricos verdes y azulados. ¿Le iría bien?

Se levantó emocionada y fue a probárselo al baño. Era su talla, se ajustaba a su cuerpo como una segunda piel, era exactamente como lo había soñado, divertido, desenfadado, cómodo. No conocía la marca pero ninguna de sus amigas tenía un sujetador como ése, estaba segura. Se puso el jersey encima y salió corriendo de nuevo hacia la mesa para agradecer el regalo a la maravillosa señora Olav, pero ante su estupor en la mesa sólo había una caja de bombones.

—Son para ti —le dijo Rosa, la encargada.

Anaíd no tenía más hambre, así pues cogió la caja de bombones mientras Rosa recogía las tazas de chocolate y le explicaba que la extranjera había pagado la merienda y se había marchado discretamente tras dejarle los bombones a Anaíd y una generosa propina a ella.

Elena se sentía incómoda. Estaba sentada en su cocina, junto a Criselda, pelando judías y vigilando los pucheros. Pero se sentara como se sentara, el bebé continuaba pataleando con sus piececitos contra su vientre. Eran golpes secos, contundentes, y el último la había dejado sin aliento.

—¿Así pues era cierto?

Criselda afirmó llevándose un bombón a la boca y tentando a Elena.

—Efectivamente. Se ha producido ya la conjunción de Saturno y Júpiter. Y se corresponde con la predicción que hace la astrónoma Hölder en su tratado sobre la llegada de la elegida.

—¿Y la conjunción de los siete planetas?

—Está próxima. Tal vez un par de meses, o tres.

Elena rechazó el bombón y continuó pelando las judías.

—Llévate la caja, son demasiado ricos —luego, pensativa, añadió—: Todo parece encajar. La conjunción astral y el meteorito lunar señalan el cuándo y el dónde.

—Aquí y ahora.

—No me lo puedo creer. Sospechábamos que Selene fuera la elegida, pero no existían certezas como las que ahora nos das.

—Las Odish lo sabían desde mucho antes. Desde la ofensiva en la que murió Deméter —afirmó Criselda.

—Malditas Strigas..., malditas brujas Odish, a punto estuvieron también de llevarse a Anaíd.

Llegados a ese punto Criselda negó rotundamente con la cabeza.

—Anaíd no pudo ver a la Striga, no ha sido iniciada.

—¿Ah no? La descripción que nos hizo del cuervo era la de una Striga. Dijo deformada, enorme, ojos inteligentes, hasta le habló... Intentó torcer su voluntad —le rebatió Elena.

—Pero... si hubiera sido la Striga, hubiera corrido la misma suerte que Selene. Nadie, y menos una niña, puede resistirse a su voluntad —le rebatió Criselda tozuda como una mula.

—¿Y ese Max?

—No merece la pena ni buscarlo. Probablemente no exista.

Elena se puso nerviosa y el bebé lo notó, por eso comenzó su sesión de nuevo, una patada, dos... Había tantas cosas extrañas, tantas. Y estaba segura de que Criselda le ocultaba muchas más.

—Entonces estás diciendo que Anaíd tenía razón, que la

desaparición de la ropa de Selene, el telegrama, el dinero, todo lo que justificó su partida posterior fue un apaño para hacernos creer que se había marchado por voluntad propia.

—...Lo supe desde el primer momento.

—Entonces..., ¿por qué has dejado que Anaíd crea que su madre la ha abandonado por un hombre?

—¿Y qué íbamos a decirle? —preguntó Criselda comiendo otro bombón.

—La verdad —defendió Elena—. Tiene derecho a saber la verdad.

—Eso deberá decidirlo el *coven.*

—Muy bien, pero hasta entonces tenemos que protegerla. Tiene catorce años, concédele un escudo protector —suplicó Elena.

—¿Yo? —objetó Criselda levantándose nerviosa de la mesa.

Era incapaz de permanecer cinco minutos sentada y no podía tener las manos quietas. Cogió un cucharón de encima del mármol. Elena insistió.

—Mientras duerme, sin que lo note. ¿Recuerdas el conjuro?

Y mientras lo recordaba, Elena se entristeció al constatar que ella nunca lo había recitado y, dada su mala suerte de concebir sólo varones, tal vez no lo llegara a recitar jamás. El escudo protector servía para las muchachas adolescentes, para protegerlas de la maldición de las Odish e impedir que en el delicado tránsito de niña a mujer perecieran desangradas. Anaíd lo ignoraba y debía protegerse.

Criselda estaba apurada. Se notaba a la legua que jamás había creado un escudo protector para una adolescente. Removió el enorme puchero con excesivo ímpetu mientras hablaba.

—Pero Anaíd parece que tenga diez años, no hace falta.

—¿Que no hace falta? Su madre acaba de ser secuestrada y ella está en el momento más delicado de la vida de una Omar. ¿Y dices que no hace falta? ¿Qué hace falta entonces? —gritó Elena desesperada.

Criselda era un absoluto desastre, pensó Elena. ¿A quién se le había ocurrido la brillante idea de enviar a Criselda? A Gaya, claro, para quitarse de encima a la niña y vengarse de Selene.

Pero Criselda se enfadó y agitó el cucharón.

—Mi trabajo es encontrar a Selene, por eso vine y eso es lo que estoy haciendo.

—¿Y la niña? —inquirió Elena.

—La niña ya se apaña, yo no soy ninguna niñera.

Y era cierto, Criselda entendía tanto de niñas como de cocidos. No tenía ni idea.

Elena cambió de postura e interrogó a Criselda.

—Ya llevas dos semanas en eso y aún no nos has dicho nada. ¿Qué has averiguado desde el telegrama y el sobre del dinero? ¿Eh?

—Nada —se excusó Criselda sin ocultar su apuro.

Y con ese «nada» no mentía, pero era una ocultación de la verdad. Ese «nada» significaba mucho. Significaba sospechas en torno a Selene. Sospechas que ella no formularía hasta que estuviera completamente segura. Lo que había averiguado era precisamente nada, lo cual era lo menos tranquilizador de todo.

—Y tampoco te ocupas de Anaíd.

—¿Cómo que no me ocupo? Estoy viviendo con ella.

—Quiero decir que no la vigilas, no la atiendes, no sabes siquiera lo que le pasa por la cabeza.

—Tonterías, le pasan tonterías, le aplico las manos cada noche para borrarle las tonterías —se defendió Criselda con pasión.

—¿Y eso es todo?

—Estoy buscando a su madre, que es lo que Anaíd necesita. A su madre. Yo no he tenido hijos como tú. ¿Por qué no te quedaste tú con ella?

A Elena le dio un patatús. Ya tuvo bastante con los dos días que convivió bajo su techo y que se le antojaron complicadísimos.

—En el próximo *coven* tenemos que decidir qué hacemos con Anaíd —dijo Elena para resolver la cuestión de una vez.

Criselda la miró con estupor y señaló su enorme vientre.

—¿Podrás volar?

—Pues claro, qué remedio. Estoy más pesada, no puedo comunicarme, pero el hechizo funciona igual.

Criselda probó el guiso y se quemó la lengua.

—Anaíd no me preocupa. No sufro por su seguridad, no quiere salir de casa. Es muy prudente.

Elena se vio en la obligación de advertir a Criselda, no sabía nada de Anaíd.

—Es muy lista.

—Ya me he dado cuenta.

—Acabó con todos los libros de la biblioteca juvenil hace dos años. Selene le traía libros de la ciudad.

—Una niña lectora.

—Habla y escribe cinco lenguas perfectamente.

—Ya.

—Toca todos los instrumentos que se le pongan por delante.

Criselda ya se estaba quedando sin argumentos.

—¿Qué me quieres decir?

—Que no entiendo ni entenderé nunca por qué Selene no la inició a la edad que le correspondía.

Elena observó a Criselda, que reaccionaba poco a poco,

y retuvo la respiración cuando se apoyó en el puchero y el puchero se tambaleó. Elena gritó demasiado tarde.

—¡Cuidado!

Criselda agarró el puchero, pero sin querer trastabilló y se sujetó a la cortina de la ventana. La cortina se vino abajo y el puchero cayó al suelo con gran estrépito; se rompió en mil trozos esparciendo pedazos de pollo, tocino, apio, zanahoria, cebollas y patatas por toda la cocina.

Elena respiró hondo una vez, dos, el pequeño saltarín se alteraba con ella. ¿Resistiría los dos meses que le quedaban hasta el parto con el pequeño futbolista arremetiendo desde dentro y Criselda complicándole la vida desde fuera? Tras el estruendo, la cocina comenzó a llenarse de niños que llegaban de todas partes creyendo que había explotado una bomba.

—¿Y la bomba?

—¿Qué ha pasado?

—¿Qué comeremos?

—¡Fuera! ¡Fuera de aquí todo el mundo! —gritó Elena a punto de echarse a llorar.

Criselda, en cambio, parecía flotar ajena a todo y a todos. Aun teniendo delante el desastre, parecía ciega y lo contemplaba sin verlo. Estaba atando cabos lentamente.

—¿Me estás diciendo que Selene tenía alguna razón que desconocemos para no iniciar a Anaíd? ¿Cuál? ¿Quizá no es una Omar? ¿A lo mejor es una simple mortal?

Y Elena, agachada recogiendo pedazos de tocino, sonrió a través de las lágrimas, porque como mínimo una cosa le había salido bien en ese día atravesado. La desastrosa Criselda había entendido que Selene les ocultaba más cosas de las que creían y que Anaíd era una de ellas.

5. *El clan de la loba*

Anaíd despertó sobresaltada y abrió los ojos. Había oído un aullido de lobo, estaba segura. No pudo continuar durmiendo. Algo la empujó a levantarse, un desasosiego, o quizá la luz; había excesiva luz para ser de noche.

En efecto, abrió los postigos de la ventana y comprobó que la luna llena, majestuosa, coronaba las cumbres. La contempló acodada en el alféizar de la ventana. Hacía una temperatura algo bochornosa. Se relajó dejándose acariciar por los rayos lunares. Sin embargo, la noche, una noche primaveral, no hacía honor a ese firmamento despejado de nubes. El cielo parecía turbio. Desde que Selene desapareció la luz dejó de iluminar el día y matizar la noche con la misma intensidad. La cúpula terrestre parecía sucia sin ella.

«Un baño de luna, ¿te apetece?», la invitaba Selene algunas noches de verano, y juntas se tumbaban sobre el césped y se dejaban adormecer por la luz mortecina sonriendo con complicidad cuando a lo lejos, provenientes de las montañas, les llegaban los primeros aullidos del lobo. Aullaban a la luna, su amiga, y se comunicaban unos con otros. Y ellas bailaban al son de los aullidos. Aullidos de amor, de pasión, de añoranza, de melancolía.

Todo en esa noche le recordaba a Selene. ¿Dónde estaba? ¿Por qué no le decía nada? La añoraba tanto, tanto.

Otra vez sonó el aullido, largo, insistente, y mientras lo oía, Anaíd sintió cómo se le erizaba la piel de la nuca. Al poco rato, de una forma natural, del fondo de su garganta surgió también un aullido triste. Anaíd aulló y relató su pena a sus amigos los lobos, los amigos de Selene. Luego quedó inmóvil y se tapó la boca con la mano en un gesto espontáneo, con la sorpresa de quien acaba de cometer una travesura sin proponérselo. Pero no tuvo tiempo de reflexionar. La madre loba le respondió y Anaíd, más sorprendida todavía, comprendió el significado de su respuesta: *«Ellas se la han llevado, ellas la tienen, ellas son poderosas, pero vulnerables.»*

Se retiró de la ventana con las piernas temblorosas. Era absurdo, totalmente absurdo, pero había aullado y había entendido la respuesta de la loba. ¿Cómo sabía que era una loba? Lo sabía y punto. No, no tenía ni pies ni cabeza. Lobos y hombres no se comunicaban. No podían entenderse, pero ella la había entendido, aunque el mensaje fuera tan críptico. ¿Quiénes eran ellas? ¿Quiénes eran las que se habían llevado a su madre? ¿No había huido con Max?

Se cercioró de que sus brazos no se estuvieran volviendo peludos y se miró a hurtadillas en el espejo. No, no se estaba convirtiendo en una niña loba. Todo era tan extraño... Qué tontería, había sido simplemente una alucinación, pero necesitaba explicárselo a alguien que la convenciese de que no se estaba volviendo loca, como Selene. Sin dudarlo se dirigió a la habitación de su tía Criselda.

La cama estaba intacta, la habitación vacía y la ventana abierta. Anaíd se quedó atónita. El reloj marcaba las dos de la madrugada y en toda la casa no había rastro de tía Criselda. ¿Dónde se había metido? ¿Había desaparecido como Selene? ¿La había alcanzado un rayo como a Deméter? Eso último parecía improbable, el cielo estaba cuajado de estrellas opacas y la luna se mecía en el desfiladero.

Con ojos inquietos repasó todos los objetos de la habitación de tía Criselda a la búsqueda de una pista, de un indicio. Sobre la mesilla, junto a un libro, reposaba un tarro de crema abierto. Le atrajo su olor. Olía a Selene, era la misma crema que Selene utilizaba. Untó su dedo índice, aspiró el aroma a vainilla mezclado con efluvios de jazmín que le recordaba a Selene y, sin pensarlo dos veces, se frotó el rostro y las manos como le había visto hacer algunas noches. Aspiró una vez y otra y notó cómo la invadía poco a poco una agradable sensación.

Un ligero cosquilleo comenzó a ascenderle por las piernas y se sintió desfallecer, los miembros lasos, inertes, presos de una pereza terrible. Se dejó caer en la cama de tía Criselda y junto a ella, por efecto de su caída atolondrada, cayó el libro de la mesilla, abierto por una página al azar, o tal vez no fuese al azar, puesto que era una página arrugada y el libro tendía a abrirse siempre por ahí.

Un rayo de luna iluminó esa página e invitó a Anaíd a la lectura y Anaíd, prisionera de las casualidades que se alineaban en su camino mostrándole la dirección de sus pasos, leyó sin ton ni son, en una lengua extraña, pronunciando, ante su asombro, los sonidos, graves, exactos de las palabras que leía. Y a pesar de ignorar su significado, comprendió su sentido.

A medida que leía se sentía más y más segura de haber recitado esas palabras antes, de haberlas pronunciado en compañía de alguien y de saber perfectamente la cadencia y la melodía de cada una de ellas.

Notó un calor intenso que inundaba su cuerpo y hacía fluir su sangre por todas las arterias de sus miembros dormidos. El torrente sanguíneo latía en cada uno de los poros de su piel y la hacía sentir desbordante de vida, generosa de espacio. Una bruma nubló sus ojos y se adormeció notando cómo su cuerpo liviano, casi etéreo, se sumergía en la noche y flotaba a merced del viento.

El claro del bosque, cruzado por un arroyo y flanqueado por la ladera este de la montaña, estaba inusualmente visitado esa noche de luna llena. Cuatro mujeres habían formado un círculo y, tras entonar unos cánticos, habían bailado juntas una danza. Luego, la de mayor edad dispuso las velas en los cinco puntos que cortaban el círculo, propiciando la fuerza geométrica del pentágono, y las prendió.

Criselda, regordeta y desprovista de encanto, soltó el largo cabello que llevaba recogido en un moño, alzó su rostro hacia la luna y sus ojos resplandecieron y embellecieron sus facciones. Las otras tres oficiantes, imitando el gesto de su anfitriona, soltaron sus cabellos, elevaron sus miradas a la luna, se tomaron de la mano y aullaron al unísono, en el lenguaje de las lobas, su clan.

Estaban llamando a Selene. La desaparecida.

Al cabo de unos minutos les llegó una respuesta. Alguien respondía a su llamada, pero no era Selene. Su aullido era musical e impreciso. Se extrañaron, en su valle no había ningún otro miembro del clan de la loba. Sin embargo no tuvieron ocasión de verbalizar su extrañeza. Al cabo de muy poco escucharon nítidamente, algunas por primera vez, la respuesta de la madre loba: *«Ellas se la han llevado, ellas la tienen, ellas son poderosas, pero vulnerables.»*

Elena, Gaya, Criselda y Karen se dejaron caer al suelo víctimas del agotamiento psíquico y de un cierto desánimo. Ninguna fue capaz de expresar las dudas y el miedo que sentían por el rapto de Selene. Criselda menos que ninguna. Todas sabían que la fuerza telepática que habían desencadenado bastaba para que Selene las oyese y les respondiese, a no ser que Selene misma se protegiese de sus llamadas. Elena lanzó la pregunta a Criselda:

—¿Y bien? ¿Qué podemos hacer con Selene?

Elena, la intuitiva, había cazado en más de una ocasión las dilaciones de Criselda en confesarles sus dudas.

—Estoy sobre la pista, pero necesito más tiempo.

Criselda sabía que no podría silenciar sus sospechas mucho más tiempo.

Todas callaron sumidas en sus propios pensamientos y le concedieron implícitamente el tiempo que pedía.

Criselda aprovechó para solucionar su otra preocupación.

—Mientras tanto, ¿quién se hace cargo de Anaíd y su aprendizaje?

Criselda no tenía la más mínima intención de solicitar ese honor a pesar de ser el familiar más cercano.

—¿Aprendizaje? —preguntó Karen—. Eso quiere decir que pretendéis iniciarla.

Criselda se secó la frente perlada de sudor. Se hallaba en el centro del círculo de tiza, las velas comenzaban a titilar y la fuerza iba disminuyendo.

—Eso habíamos dicho Elena y yo. Ya tiene catorce años.

Karen había venido de muy lejos y tenía las ideas muy claras.

—Yo he sido su médico y os puedo asegurar que la niña no tiene la más mínima intuición ni aptitudes, a pesar de ser la hija de Selene.

Gaya, indignada, la interrumpió:

—Por mucho que lo insinúes, Selene no es la elegida.

Karen le dirigió una mirada implacable.

—No lo insinúo, lo afirmo. Selene es la elegida de la profecía.

Criselda reorientó el tema.

—No estamos poniendo en duda la profecía ni considerando que Selene sea o no la elegida, estamos hablando de Anaíd y de su futuro.

—Y su presente —puntualizó Elena—. Y os rogaría que os dieseis prisa, porque a las tres acostumbra a dejar de surtir efecto mi hechizo de sueño y si mi marido descubre que no estoy se va a armar una buena.

Karen se quedó perpleja.

—¿No lo sabe?

—¿Cómo va a saberlo?

—Si yo tuviera marido, se lo diría.

—¿Ah, sí? ¿A cuántos novios se lo has dicho?

Karen se quedó cortada y Elena remachó el clavo.

—Prueba, díselo y tu novio te durará lo que me dura a mí un flan con nata.

Criselda aprovechó el desconcierto de Karen para encararse con ella.

—Tu diagnóstico como médico es que Anaíd no tiene capacidades...

—Exacto —afirmó Karen—. Aunque estoy dispuesta a hacerme cargo de ella. Sé que Selene haría lo mismo por una hija mía.

Gaya y Criselda respiraron tranquilas. Karen se había pronunciado como candidata para ocuparse de la pequeña, no les tocaría quedarse con ella.

—Pues ya estamos de acuerdo. Podemos irnos —concluyó Gaya resolutiva.

Pero Elena se negó.

—No estoy de acuerdo con Karen. Tenemos que iniciar a Anaíd. Esa niña esconde un gran potencial.

—Su inteligencia no tiene nada que ver con su poder —protestó Karen ofendida—. Y recuerda que soy médico.

—Su médico, su profesora..., ¡las expertas en Anaíd! Buena jugada, Gaya, hacer venir a la pobre Karen desde Tanzania para vengarte de Selene. Muy propio de ti —gesticuló Elena picada con Gaya.

—Yo no la hice venir —protestó Gaya.

—¿No fuiste tú? —preguntó Karen sorprendida, dirigiéndose a Elena.

—¿Yo? —exclamó Elena sujetándose el enorme vientre—. Sabes que no puedo hacer llamadas embarazada.

Karen necesitaba una explicación a su viaje precipitado.

—¿Quién me llamó entonces? Sentí la llamada claramente y regresé, por eso estoy aquí.

Nadie contestó y Karen se sintió confundida. Elena se encaró con Criselda.

—¿Y tú qué opinas, Criselda?

Criselda dudó. Apenas conocía a Anaíd, pero negar la posibilidad de iniciarla le parecía una traición a su hermana muerta.

—Todas las mujeres de la familia Tsinoulis hemos sido iniciadas de niñas. No ha habido ninguna que no mostrase condiciones, a no ser que...

Miró a Elena. La duda sobre el origen de Anaíd y la probabilidad de que no fuera hija de Selene no la había abandonado. Sólo así podría explicarse su falta de aptitudes.

Gaya lanzó una patada al suelo.

—Lo sabía, barres para tu propia casa, tu propio linaje. Deméter muerta, Selene desaparecida, Criselda enviada para mandarnos, y al final pretenderéis que nos mande la niña.

Criselda, que ya estaba hasta las narices de la beligerancia de Gaya, no calló a su provocación.

—No me obligues a proferir un conjuro de obediencia.

Gaya se revolvió como una leona panza arriba.

—No sabes hacerlo porque las Tsinoulis sois humo. Ni Selene es la elegida, ni Anaíd sirve ni servirá. Lo tengo muy claro, tan claro como que esto es mi mano y esto es mi pie.

Nada más acabar de pronunciar esas palabras vio con asombro que a su alrededor se había hecho el silencio y que todos los rostros se elevaban al cielo. Las tres mujeres tenían los ojos desorbitados, la boca abierta. Gaya siguió la trayectoria de las miradas y contempló, por encima de sus cabezas, la silueta de Anaíd suspendida entre las ramas de los robles, buscando un hueco para descender suavemente y posarse en el claro, en el centro exacto del círculo del *coven*. Gaya tragó saliva. Era el vuelo más perfecto que había presenciado en su vida, una maniobra admirable.

Anaíd rozó el suelo con los pies, abrió los ojos, las miró a las cuatro y exclamó con un asombro que a Criselda le pareció auténtico:

—¿Cómo... cómo he llegado hasta aquí?

Gaya fue la única que respondió:

—¡No me lo creo! No me creo ni una palabra del numerito que habéis montado. Esto es cosa de Criselda. Lo tenía preparado.

Anaíd no comprendió la indignación de Gaya, se sentía mareada y fuera de lugar. Tía Criselda le tomó la mano.

—Anaíd, bonita, ¿no lo habías hecho antes?

Anaíd recordaba vagamente su sueño. Había volado en sueños, pero ¿cómo demonios había aparecido en el claro del bosque?

—¿El qué?

—Pues esto que has hecho ahora, volar hasta aquí.

—¿Volar? ¿Quieres decir que he...?

Karen le acarició la mejilla.

—¿Seguro que Selene o Deméter no te enseñaron a hacerlo?

Anaíd negó con la cabeza. Se sentía absolutamente desconcertada y escuchaba a las cuatro mujeres sin comprenderlas. No entendía nada.

Elena sonrió complacida. Había ganado su apuesta.

—¿Lo veis?

Gaya se negaba a admitirlo.

—Es imposible, me costó seis años... Imposible.

Karen tampoco podía creerlo.

—¿Y de dónde sacaste el ungüento?

Anaíd hizo memoria, eso sí que lo recordaba con claridad.

—Me unté con la crema de tía Criselda. Se dejó el tarro sobre su mesilla.

—¿Y el conjuro? —preguntó Criselda atolondrada.

—¿Qué conjuro?

—Dijiste unas palabras en voz alta, ¿no?

—Leí un libro que cayó en mis manos.

Gaya saltó de nuevo indignada.

—¡Y un melón con patas! Di la verdad, Selene te inició en la brujería desde que ibas al parvulario.

Y eso sí que fue como una bofetada. Anaíd balbuceó incrédula.

—La..., ¿la brujería?

—No te hagas la tonta, eres tan bruja como yo, como ellas y como lo fueron tu abuela y tu madre.

Y entonces muchas piezas que permanecían sueltas en el puzle de Anaíd cobraron forma y significado, pero la palabra «brujería» le sonaba muy fuerte. Criselda la sostuvo a tiempo. Anaíd se estaba poniendo pálida y se sujetaba al brazo de su tía para no caer. La sinceridad de la mirada de horror de los azules ojos de la niña no parecía en absoluto producto del fingimiento.

—¿Una... bruja?

Nadie lo negó. Anaíd se dirigió a su maestra:

—¿Has dicho que soy una... bruja?

Gaya se ratificó sin palabras, pero Anaíd ladeó la cabeza una vez y otra.

—No es cierto..., es una broma... —murmuró la niña.

Cuatro pares de ojos la contemplaron sin negar ni confirmar que se tratase de ninguna broma. Anaíd las miró una a una, echó una ojeada a su alrededor percibiendo la fuerza del círculo mágico que formaban y... lo asimiló.

No era ninguna broma.

Era una bruja.

Luego, se desplomó en los brazos de su tía.

PROFECÍA DE OMA

Y yo os digo que llegará el día en que la elegida pondrá fin a las disputas entre hermanas.

El hada de los cielos peinará su cabellera plateada para recibirla.
La luna llorará una lágrima para presentar su ofrenda.
Padre e hijo danzarán juntos en la morada del agua.
Los siete dioses en fila saludarán su entronización.

Y se iniciará la guerra
cruel y encarnizada.
La guerra de las brujas.

Suyo será el triunfo,
suyo será el cetro,
suyo será el dolor,
suya la sangre
y la voluntad.

6. *La leyenda de Od y Om*

En el albor de los tiempos O, la madre bruja, reinaba entre todas las tribus con la ayuda de la magia, imponiendo la paz a los guerreros, bendiciendo los frutos de la tierra y propiciando su unión con el fuego, el agua y el aire.

O era respetada por los hombres y los animales y su reinado era justo.

O era sabia y conocía los secretos que le permitían sanar a los enfermos y adivinar lo que aún no había acontecido.

O se comunicaba con los espíritus de los muertos, con los animales y las plantas del bosque.

O vivía en armonía con la naturaleza y con los hombres y era amada por todos.

O era fértil y tuvo dos hijas muy bellas, Od y Om, a quienes transmitió su saber.

Om quiso aprender de su madre el poder curativo de las plantas y las raíces. Y a fuerza de paliar el sufrimiento de los mortales se familiarizó con la muerte y comprendió su piedad.

Od quiso aprender de su madre el arte de comunicarse con los espíritus del más allá. Y a fuerza de escuchar los lamentos de los muertos en pena, los que nunca hallaron la paz, concibió su miedo a morir.

Om amaba la vida puesto que no temía morir.

Od temía a la vida puesto que anhelaba vivir siempre.

Om fue fructífera y tuvo una hija, Omi, pero Od no quiso pasar por el trance del dolor del parto y se la robó una noche mientras Om dormía.

Od llevó a la pequeña ante su madre O para que la reconociera como suya, con el nombre de Odi.

O, que no quería que sus hijas se enfrentaran, aceptó la farsa con todo el dolor de su corazón puesto que Om era más generosa que su hermana y Od prometió criar y cuidar a Odi como hija suya.

Om estuvo triste un tiempo por la pérdida de Omi, pero pronto concibió otra niña, Oma, y perdonó la ofensa de Od.

Oma y Odi jugaron juntas, juntas aprendieron lo que sus madres les enseñaron y se intercambiaron sus conocimientos. Oma, gracias a Odi, se inició en las artes adivinatorias y aprendió a hablar con los espíritus. Odi, gracias a Oma, jugó con las pociones y los brebajes y aprendió el poder de las plantas, las raíces y las piedras.

Oma descubrió un día que los muertos habían confiado a Od el secreto de la inmortalidad si consumía la sangre sacrificada de los recién nacidos y de la niña que se transforma en mujer, y Oma, asustada, se lo explicó a su madre Om.

Om desconfió de la zalamería de su hermana y espió sus planes. Así supo que Od planeaba sacrificar a su hija Oma —en su paso a mujer— para beber su sangre y acceder a la inmortalidad.

Ése era el secreto que finalmente Od había usurpado a los muertos.

Om se sintió llena de indignación contra su hermana Od y la maldijo, maldijo la hija que le dio para que fuese suya y maldijo la tierra que habitaba su hermana. Luego tomó a la joven Oma y, sin despedirse siquiera de su madre O para no apenarla, huyó lejos y se refugió en una cueva.

Mientras Om permaneció dentro de la cueva, escondida con su hija, la tierra dejó de fructificar. La nieve la cubrió con su manto, helando las cosechas, secando las hojas en los árboles y trayendo el hambre y el frío a la casa de Od.

O se sentía cansada y deseaba transmitir el mando a una de sus hijas, pero ambas se hallaban enfrentadas, por ello no quiso ceder su cetro de poder a ninguna.

Mientras tanto, los guerreros de las tribus, que deseaban la guerra y debían acatar la paz que O imponía, supieron que la madre bruja era vieja, que su poder se debilitaba, y la acusaron del hambre, del frío y del primer invierno que había azotado sus vidas.

Los guerreros se reunieron secretamente y decidieron que había llegado el tiempo de los hombres. Los hombres desbancarían por fin la sabiduría y la magia de las mujeres y retornarían el poder a las armas y a la fuerza.

Y Od, resentida con su vieja madre que se negaba a concederle el poder del mando, se alió con los hombres guerreros y junto a ellos urdió un complot para apartar a O de su reinado.

O fue destronada, pero los hombres, unidos por las armas, decidieron que en su lugar no se sentara Od, sino un mago sinuoso, Shh, un hombre que usó la fuerza y usurpó el saber y el conocimiento de la madre bruja gracias al favor de Od.

Od, rabiosa por no reinar, exigió a Shh que desposase a su hija Odi y le entregase a todos los hijos e hijas que engendrasen. Ése era el tributo que exigía.

O lloró y lloró y su llanto tibio acabó por fundir la nieve y permitir que de la tierra tornasen a asomar los brotes de la vida.

Ése fue el momento en que Om salió de la cueva con su hija Oma convertida en mujer y ése fue el momento en el que de nuevo reinó la abundancia, calentó el sol, reverdecieron las plantas, los animales se reprodujeron y los frutos maduraron. La naturaleza se resarció de su largo letargo.

Pero Shh, con el beneplácito de Od, transformó las ceremonias de renacimiento y de vida en ceremonias de guerra y muerte oficiadas por Od. Todos los hijos varones de Odi fueron sacrificados al nacer y su sangre fue consumida por Od. Todos excepto uno, el primogénito, destinado a reinar. Las hijas, las muchas hijas que concibió Odi, las Odish, fueron educadas por Od en el miedo a la muerte, el odio a los hombres y a sus primas hermanas, las Omar.

Od les enseñó el secreto de la inmortalidad y las obligó a jurar su fidelidad y su misión de apropiarse de las hijas adolescentes de Oma para servirse del poder de su sangre.

Y Om, viendo a su alrededor tanto odio y tristeza, decidió que el castigo que merecía el reinado de su hermana sería de nuevo el invierno, el frío y el hambre.

O murió de pena y de tristeza maldiciendo a su hija Od. Antes de su muerte, sin embargo, lanzó su cetro de poder a las entrañas de la tierra, para que nadie lo poseyese, y escribió con su propia sangre la profecía de la bruja del cabello rojo que pondría fin a la guerra de las brujas hermanas.

Odi murió de dolor tras haber sufrido la muerte de tantos hijos y haber desgastado su cuerpo con tantos nacimientos. Ella, también con su propia sangre, escribió los últimos versículos que alertaban sobre la traición de la elegida, puesto que había sufrido la traición de sus propias hijas, las Odish.

Om murió rodeada de sus hijas y nietas y las alentó para vivir con la esperanza de la llegada de la bruja del cabello rojo que las vengaría a ellas y a sus descendientes.

Unas y otras soñaron con el cetro de poder que O escondió en las entrañas de la tierra, pero que nunca hallaron.

Tras la muerte de O, las mujeres de la tierra fueron apartadas de los Consejos, de las Ceremonias, de los Templos, de los lugares públicos y hasta del lecho de los enfermos. Los guerreros recluyeron a las mujeres en las casas, las privaron de la música, de la danza, del conocimiento de los libros y del saber de la naturaleza; les prohibieron acercarse a las armas bajo pena de muerte y las obligaron a cubrir su cuerpo y su cabeza por considerarlas impuras. Se las vilipendió y castigó públicamente cuando no acataban las órdenes de los hombres y se dictó un edicto para perseguir a las que practicaran la magia y se opusiesen a la voluntad de Shh.

También las hijas de Odi, las Odish, sufrieron el desprecio, la reclusión y la persecución de su propio padre y su hermano. Y por eso las Odish envenenaron a su padre Shh y luego engañaron a su hermano enviándolo a la muerte a manos de otro guerrero ambicioso.

Y así se sucedió una guerra tras otra, una traición tras otra, una persecución tras otra.

Oma y sus muchas hijas, que fueron llamadas Omar, continuaron ocultas aplicando calladamente sus artes curativas y mitigando el dolor de los que sufrían. Se refugiaron en los bosques, en las cuevas, en los valles junto a los arroyos y en los cruces de los caminos, donde recogían cuantos regalos les brindaba la naturaleza. Las Omar preparaban pociones y remedios para los dolores del cuerpo y aplicaban la fuerza de su mente y sus hechizos benéficos para aplacar los sufrimientos del espíritu. Acostumbradas a la persecución, se ocultaban durante el día y se reunían por la noche en los claros del bosque, donde celebraban sus ceremonias con las danzas y los cantos que les habían sido prohibidos. Se acogieron al poder de la luna, la que rige el ciclo femenino, fructifica la siembra y ordena las mareas, y prometieron ayudarse las unas a las otras sirviéndose de la telepatía y la lengua antigua para protegerse de la envidia de las Odish y del recelo de los hombres.

Las hijas de Oma fundaron las tribus Omar y a su vez sus nietas escogieron su clan entre los animales que pueblan la tierra. Aprendieron de sus tótems, su sabiduría, sus virtudes, su lengua y su espíritu. Las muchas biznietas de Om fundaron los clanes de las gallinas, las liebres, las osas, las lobas, las águilas, las orcas, las serpientes, las focas, las ratas y muchos más, se vincularon a sus linajes familiares y se dispersaron por el mundo. Allá donde llegaron fueron bien acogidas, puesto que dispensaban amor y sabiduría. Algunas fueron pitonisas, oráculos, músicas, poetisas, comadronas, herboristas o curanderas. Todas fueron fértiles, sabias y sensuales, y transmitieron su saber de madres a hijas ocultando su verdadera naturaleza a sus esposos y amantes para preservarse.

En los tiempos oscuros de persecuciones y ejecuciones, muchas perecieron en el fuego, pero otras, las que quedaron, suspiraban para que un día no muy lejano se cumpliera la profecía de O y llegara la elegida, la bruja del cabello rojo, la que acabaría con las Odish y pondría fin a la guerra de las brujas.

El tiempo, se decían estudiando las constelaciones, estaba cerca.

7. *La revelación*

Anaíd no podía dar crédito.

—¿Selene es la elegida de la profecía?

Criselda le sonrió con orgullo mientras saboreaba un bombón de praliné de la caja que trajo Anaíd. Era delicioso.

—Las estrellas así lo han confirmado, el cometa anunció su próxima llegada, el meteorito cayó en el valle y la conjunción astral está a punto de consolidarse. Su cabello rojo y su poder son inconfundibles.

—Yo ya sabía que Selene era diferente, muy diferente...

—Yo soy la tía de la elegida y tú eres su hija. Es todo un honor pertenecer a su tribu, a su clan y a su linaje.

Anaíd recitó lo que acababa de aprender:

—Soy Anaíd, hija de Selene, nieta de Deméter, de la tribu escita, del clan de la loba, del linaje de las Tsinoulis.

Lo dijo en voz alta para creérselo. Todo era tan reciente que la incredulidad la dominaba veintitrés de las veinticuatro horas del día.

—Si tu madre te pudiese ver... —murmuró tía Criselda emocionada, pero enseguida un velo de tristeza nubló sus ojos.

Anaíd lo percibió.

—Entonces..., ¿Selene no huyó con Max?

—Probablemente Max no exista.

—Sí, sí que existe. Tengo su número de teléfono.

—¿Lo conoces?

—No. Selene no me habló de él.

Anaíd y Criselda se miraron sin atreverse a expresar sus dudas en voz alta. Anaíd se preguntaba los motivos que podían haber llevado a Selene a ocultarle a Max. ¿Y Max? ¿Sabría algo de ella?

—¿Dónde está Selene ahora? ¿Qué le pasará?

Criselda tomó aire, Anaíd era muy inteligente y le costaría engañarla, pero podía ocultar parte de sus emociones y confundirla. Nunca le diría a la niña que su tristeza provenía del miedo a la traición de Selene.

—No sabemos dónde está. Las Odish la han secuestrado.

Anaíd ya lo suponía y fue más lejos. Con vocecilla temerosa se atrevió a preguntar:

—¿La matarán?

Criselda tardó en responder a la pregunta directa de la niña. ¿Entendería lo que encerraba su respuesta?

—A ella no.

Anaíd cazó al vuelo la insinuación, aunque a medias. Estaba horrorizada.

—¿Quieres decir que ELLAS mataron a la abuela?

Criselda dejó caer una lágrima. En efecto, Deméter, la matriarca Tsinoulis defendió con uñas y dientes a Selene antes de permitir que cayese en manos de las Odish. Criselda conocía a su hermana. Era dura como un pedernal, era una roca. Vencer a la gran matriarca debía de haber supuesto un gran desgaste para las Odish, por eso abandonaron y repusieron sus fuerzas para atacar un año después.

—Eso las mantuvo alejadas un tiempo. Tu abuela era muy poderosa y su hechizo de protección permaneció largo tiempo.

Anaíd no dejaba de pensar ni de atar cabos.

—Pero entonces, al morir la abuela, si mi madre estaba en peligro, ¿por qué no huyó? ¿Por qué no se escondió?

Criselda comenzó a sudar. Anaíd se iba acercando a la pregunta sin respuesta. Intentaría desconcertarla.

—Selene era tan valiente que creía que las vencería, por eso no se amilanó.

—Pero...

Criselda estuvo a punto de formular un hechizo de silencio. No soportaba tantas preguntas, no tenía respuestas a las preguntas de Anaíd que se acercaban peligrosamente a la gran cuestión.

Anaíd volvió a la carga. ¡Maldita niña!

—Pero no era valentía... Mi madre cambió, mi madre llamaba la atención aposta, salía por Internet, por la radio, concedía entrevistas y... bebía y conducía borracha... En la escuela decían que se le iba la olla.

Criselda respiró aliviada.

—Tú lo has dicho. Selene se volvió un poco... loca.

Anaíd recordó las locuras de Selene, algunas deliciosas, otras desconcertantes, las más inquietantes.

—La muerte de la abuela la afectó mucho y ahora lo entiendo. A lo mejor yo también me hubiera vuelto loca.

Criselda se sorprendió. ¿Sabría Anaíd más de lo que suponía?

—¿Qué estás insinuando?

Anaíd, muy sabiamente, concluyó:

—¿Cómo puedes continuar viviendo con la culpa de saber que tu propia madre ha muerto por defenderte?

Criselda la habría besado de alegría. Esa niña era un tesoro. Ella solita, sin la ayuda de nadie, había encontrado el argumento que una bruja experimentada como ella llevaba más de quince días buscando.

A Selene la había vuelto loca la culpabilidad. ¡Claro! La excesiva responsabilidad de llevar sobre sus espaldas el destino de las Omar y la muerte de su propia madre. Y, naturalmente, se había sentido desorientada, perdida y asustada. Por eso se había comportado como una loca irresponsable a pesar de las advertencias de sus compañeras de *coven.*

Criselda recordó que cuando tuvo lugar la muerte de la matriarca y su multitudinario entierro, Selene aún se recogía el cabello bajo sus originales sombreros y se comportaba con una cierta discreción. Cierta, porque siempre fue apasionada e inmediata. Entonces, las posibilidades de que fuera la elegida sólo eran rumorologías. Casi nadie la conocía, casi nadie sabía de ella, Selene era solamente la hija de Deméter, la matriarca Tsinoulis, la gran bruja. Sin embargo todo apuntaba ya a que así fuese. Hacía bastantes años que el cometa anunció su llegada. El año de la muerte de Deméter había caído el meteorito lunar y ahora, tras la inquietante conjunción de Saturno y de Júpiter, estaba acercándose el momento en que los siete astros se alinearían, esa conjunción que los tratados identificaban como el inicio del reinado de la elegida. La profecía se estaba cumpliendo.

Anaíd interrumpió los pensamientos de Criselda.

—¿Sabes qué fue lo peor?

Criselda no lo sabía.

—Selene encontró el cuerpo de la abuela.

Criselda se llevó las manos a la boca para reprimir un grito. Selene no se lo había confesado. ¡Debió de ser terrible! Las Odish desfiguran a sus víctimas y las convierten en seres horrendos. Una vez, de niña, acudió de noche al cementerio con Deméter, desobedeciendo a los adultos y transgrediendo las normas. La escena que contemplaron no la olvidarían jamás. Las dos, tomadas de la mano, querían ver por última vez a Leda, su mejor amiga, la niña que no pudo llegar a ser mujer porque pereció desangrada a manos de las Odish antes de ser iniciada y antes de poder defenderse. Se escaparon de noche las dos, su hermana y ella, para besar a Leda. Su madre se lo había prohibido terminantemente, pero ellas no le hicieron caso y bajaron a la cripta donde descansaban los restos de Leda. ¡Ojalá nunca lo hubiesen hecho!

Leda era un monstruo.

Leda era un engendro.

Leda estaba sin cabello, hinchada, blanca, cubierta de pústulas, con las cuencas de los ojos vacías y las uñas de manos y pies arrancadas. Leda, la bonita Leda, se convirtió en el ser más horrible de todas sus pesadillas.

Nunca mientras viviese olvidaría a Leda.

Compadeció a Selene. En los casos de víctimas de las Odish las médicos forenses Omar acudían de lejos y se encargaban de buscar una explicación plausible para no despertar sospechas de la justicia. Así eludían las investigaciones policiales atribuyendo las muertes a caídas, atropellos, incendios, ahogamientos.

—A mí no me la dejaron ver —susurró Anaíd.

La pobre niña había descubierto demasiadas cosas juntas y no podía digerirlas.

—Las añoro tanto —murmuró a punto de llorar.

Criselda también las añoraba, eran su única familia. Sin poderse contener abrazó a Anaíd y Anaíd se refugió en su regazo, como un cachorrillo. Criselda le acarició suavemente la frente para borrar sus temores, sus angustias.

—¿Selene lo estará pasando muy mal?

—Es fuerte, es poderosa, sabe protegerse.

—Quiero buscar a mi madre.

—Antes tendrás que aprender muchas cosas.

—Las aprenderé, me iniciaré como bruja Omar y rescataré a Selene de las Odish. ¿Me ayudarás?

—Claro que sí.

—¿Empezamos ahora?

—Mañana, ahora duerme, duerme, pequeña, duerme y descansa.

Anaíd se arrebujó entre sus brazos e, inesperadamente, rodeó el cuello de la vieja Criselda y la besó en la mejilla.

—Te quiero, tía.

Criselda sintió un extraño cosquilleo en su piel. ¿Cuánto hacía que nadie la besaba? ¿Cuánto hacía que nadie musitaba «te quiero» a su oído?

Criselda, llena de melancolía por su lejana juventud en la que conoció el amor, acunó a su sobrina, la nieta de su hermana, y consideró que cambiar de opinión era de sabios. A lo mejor no entendía de niños, a lo mejor no sabía cocinar, a lo mejor no tenía paciencia, a lo mejor no servía, pero no la dejaría, no confiaría su educación a manos de otra bruja.

Se quedaría con Anaíd.

Era lo menos que podía hacer por las Tsinoulis.

Ver y no mirar, *escuchar* y no oír. Aprender a *leer* la naturaleza y la vida mediante la intuición.

Eso es lo que hacía Anaíd día y noche desde que tía Criselda se decidió a enseñarle los rudimentos del arte de la brujería. Hasta que no dominase los dos principios, no podría pronunciar conjuros ni servirse de su vara de abedul para encantamientos.

La vara la entusiasmaba, le daba seguridad y le encantaba voltearla en el aire concibiendo originales signos, como las bengalas luminosas que agitaba la noche del solsticio junto a la hoguera.

Fue a cortar su vara con tía Criselda junto al río y, antes de escoger la rama oportuna y probar su sintonía, tía Criselda le mostró la forma de pedir permiso al viejo abedul. Anaíd oyó claramente la respuesta del árbol ofreciéndole su colaboración y se dio cuenta de que tía Criselda, en cambio, no lo había oído. ¿Estaba sorda su tía? No se atrevió a decírselo porque también se dio cuenta de que cuando *escuchó* las protestas del escarabajo que se agarraba a la rama tía Criselda tampoco se enteró.

Continuó *escuchando* y efectivamente escuchó muchas cosas, demasiadas. El ruido, el horrible zumbido que un día apareció en su cabeza, se había ido transformando en signos auditivos, lenguajes simples, lenguajes animales que podía comprender sin dificultad. Comprendía al perro, al gato, al gorrión y a la hormiga. En un perímetro de cinco metros cuadrados era absolutamente impensable la cantidad de voces que confluían. No obstante, prefirió mantener sus descubrimientos en absoluto silencio, por si acaso se había adelantado a sus lecciones, por si acaso, como le sucedía en la escuela, aprendía demasiado deprisa y debía morderse la lengua. Ya tenía práctica en ese tipo de tretas. Sabía simular perfectamente la estupidez.

Veía también muchos signos que antes le pasaban inadvertidos. Veía mensajes en la forma de las nubes, la dirección del viento, el vuelo de los pájaros y las arrugas de su sábana. Aprendió a *leer* lo que veía sirviéndose de sus propias intuiciones, en lugar de reprimirlas, y a interpretar algunos sueños y algunas premoniciones con la ayuda de su tía.

Tía Criselda la felicitó por sus progresos el día que

Anaíd leyó correctamente el poso de su taza de té que vaticinaba una sorpresa inesperada y que se produjo unos minutos después, cuando el cartero les hizo entrega de un paquete postal que tía Criselda, emocionada, abrió con manos nerviosas y del que surgió un asustado gatito. El paquete provenía de su amiga Leonora, que la felicitaba por su cumpleaños y le regalaba el gatito, hijo de la gata Amanda que tía Criselda le regaló a ella años atrás.

Anaíd lo acarició, le habló en un arrullo y tuvo la satisfacción de obtener una respuesta en maullidos que supo interpretar: *«Quiero a mi mamá.»*

A Anaíd se le partió el corazón. Ella y el gatito tenían más puntos en común de los que podían tener una niña y un gato. Los habían separado de sus madres y estaban a merced de tía Criselda. Anaíd se erigió en protectora del nuevo inquilino de la casa y lo primero que hizo fue ponerle un nombre.

—Se llamará Apolo.

—¿Apolo?

—¿A que es guapo? Como Apolo.

Tía Criselda le permitió ocuparse de Apolo y, dicho sea de paso, se quitó un peso de encima. Si la niña le venía grande, no digamos la faena que suponía una cría llorona de gato que chupaba leche de un calcetín cada tres horas.

Anaíd tenía a Apolo, tenía su vara de abedul, sabía escuchar, ver, leer e interpretar, pero tía Criselda se negaba aún a enseñarle a utilizar ningún conjuro.

—La técnica te muestra el *cómo,* pero si no posees el *qué,* nunca serás capaz de lograrlo. El *qué* es tarea tuya. Significa amar a tu propio espíritu, poseer paz, equilibrio y autoestima.

Eso era lo que tía Criselda recitaba hasta la saciedad.

—¿Quieres decir que no estoy en paz?

—Eso lo sabrás tú sola, pero debes quererte mucho a ti misma. Debes hallar tu propio equilibrio.

—Gaya no tiene nada de eso.

—Precisamente por eso Gaya es una bruja tan mediocre. Su única virtud es la música. Cuando toca su flauta y compone sus melodías, encuentra lo que habitualmente le falta.

Anaíd no quería esperar, sentía dentro de ella una curiosidad insaciable y tenía ganas de ir más allá, más deprisa.

Pero tía Criselda, anormalmente plácida, se iba acomodando a una rutina apática que la invitaba a sentarse junto a la ventana y a contemplar anestesiada las mortecinas puestas de sol, cada vez más sucias y tristes, mientras comía bombones y bebía té. Anaíd sospechaba que los años comenzaban a gastarle malas jugadas. Tía Criselda cada día era más olvidadiza y desmemoriada. Algunas noches vagaba por la casa y en ocasiones preguntaba a Anaíd dónde se encontraba.

Anaíd, impaciente y deseosa de aprender, se ponía de los nervios al verla. ¡Sólo faltaba que su tía también enloqueciese!

Y decidió prescindir de Criselda. La fuerza que le salía a borbotones y que le confería una sensibilidad especial en las manos y en los ojos la llevó a explorar los rincones ocultos de la biblioteca de su madre y su abuela. Y buscando, buscando, encontró lo que quería.

No necesitaba a tía Criselda, ya tenía los libros de conjuros escritos en la lengua antigua, la lengua que Deméter le había enseñado y en la que pronunció el primer conjuro de su vida, el conjuro de vuelo del libro de Criselda mediante el cual había acudido al *coven*.

Sin que tía Criselda se enterara, se llevó los libros uno a uno hasta su cueva y allí, sola, con la única compañía de Apolo, aprendió a utilizarlos sin ayuda.

8. *La condesa*

Selene permanecía prisionera del mundo opaco.

En el mundo opaco, sin tiempo ni contrastes, se podía vivir eternamente en el olvido.

Espejo del mundo real, negativo de sus bosques, sus lagos, sus cuevas y sus recodos ignotos, todo en el mundo opaco transcurría absurdamente idéntico a sí mismo, igual al antes y al después.

Tan sólo el movimiento tenue del curso de los ríos, la inclinación caprichosa de las copas de los robles y el cambio en la ordenación de las cumbres contribuían a confundir el recuerdo para acabar instalando la convicción de que los recuerdos no tenían lugar ni cabida en ese mundo extraño sin horas, minutos ni colores.

Selene vagaba por sus bosques y se dejaba adormecer, sin escucharlas, por las vocecillas burlonas de los trentis, esos hombrecillos diminutos y liantes. Era inmune a sus mentiras y a sus engaños e impermeable al canto de las anjanas. Las anjanas, esas bellísimas doncellas que peinaban eternamente sus cabellos, ya no la subyugaban con sus dulces voces y sus leyendas de amor que narraban una y otra vez sin aburrirse jamás. Ya no se quedaba embobada contemplando el reflejo de sus siluetas en las aguas.

Nunca supo el tiempo que permaneció en el mundo opaco hasta que la condesa la recibió. Sólo supo que era el lugar adecuado para el olvido y la locura, y a punto estuvo de sucumbir a su encanto.

Cuando Salma la acompañó a través de las profundas galerías que socavaban la tierra, formando abruptas salas naturales pobladas de estalactitas y estalagmitas, Selene se atrevió a hablar y a desbloquear los sentidos que trentis y anjanas habían estado pugnando por robarle. Se trataba de eso, de superar las pruebas que le iban imponiendo. Resistió a las privaciones y había resistido a la nada. ¿Qué más cabría esperar?

La condesa la esperaba sentada en la oscuridad. Selene percibió la inmensa fuerza de su poder al penetrar en la galería. En efecto, Salma la saludó, manteniéndose distante, y presentó a Selene.

—Condesa, aquí tenéis a Selene.

La voz imperiosa no admitía dilaciones. Era una voz acostumbrada al mando.

—Acércate, Selene —ordenó la condesa.

Selene así lo hizo y un tacto frío manoseó su piel buscando un resquicio por el que colarse en su conciencia. Horrorizada, Selene notó cómo algo sinuoso penetraba en su cuerpo aprovechando el aire que inhalaba. Experimentó el mismo asco que le hubiera producido una inmensa cucaracha reptando por su boca e introduciéndose viva por su garganta para luego pasearse dentro de ella y hurgar en sus entrañas con sus patas. Selene luchó contra la repugnancia y el miedo utilizando, esta vez sí, un conjuro. Bloqueó sus sentidos y alzó un muro de protección resistiendo estoicamente la minuciosa exploración a la que fue sometida. La tortura finalizó cuando el tentáculo de la condesa salió por un orificio de su nariz.

—Bienvenida, Selene, la elegida.

La voz de la condesa era metálica y falta de calor humano. ¿Y su rostro?, se preguntó Selene, pero lamentablemente la condesa no se dejaba ver, permanecía oculta en las sombras.

Selene, a pesar de su indudable inferioridad, mantuvo la cabeza bien alta.

—Aquí estoy, condesa, en el lugar de donde ninguna Omar ha regresado nunca.

Salma rió con su risa hueca y señaló a Selene encantada de ponerla en evidencia.

—Tenía miedo de venir, de conoceros.

Selene sintió la curiosidad de la condesa instalándose en sus cabellos, en los poros de su piel. Ahora husmeaba su cuerpo como un perro. Selene no se amedrentó.

—Salma tiene razón. ¿Acaso no se os conoce por el nombre de «la condesa sangrienta»?

La condesa suspiró.

—Eso fue hace mucho tiempo.

—Cuatrocientos años —musitó Selene—. Según las crónicas, en vuestro castillo húngaro degollasteis a más de seiscientas muchachas.

—Seiscientas doce. Todas doncellas. Su sangre me permitió resistir hasta nuestros días.

Selene se estremeció.

—¿Y desde entonces no habéis regresado al mundo?

—Te estaba esperando.

Selene se inquietó.

—¿A mí?

—He estado reponiendo fuerzas y estudiando los astros y las profecías. Por eso hemos podido adelantarnos a las Omar. Por eso hemos estado alertas a todas las señales, desde el cometa.

—Eso fue hace mucho tiempo —protestó Selene palideciendo.

—Exacto, hace casi quince años, cuando tú rechazaste a las Omar y huiste. ¿Fue entonces también cuando descubriste que eras la elegida?

Selene entornó los ojos. Recordaba el tiempo oscuro de las revelaciones.

—Descubrí cuál era mi destino. Hasta entonces había creído que las profecías sólo eran paparruchas.

—No escogemos nuestro destino, Selene, el destino nos elige y no podemos eludirlo.

Selene se mantuvo callada. La condesa estaba en lo cierto.

—¿Así pues sabéis de mis relaciones con... una Odish? ¿Os informó ella?

—Nos llegaron rumores, pero no era suficiente para estar seguras. Fue necesario el meteorito.

—El meteorito lunar —apuntó Selene—. Creí que habría pasado inadvertido.

—Para las Omar tal vez, pero nosotras sabíamos que la caída del meteorito, poco antes de la conjunción, indicaría el lugar exacto donde la elegida se manifestaría. Y fue en el valle de Urt. Resultó sencillo. Tu linaje, tu fuerza, tu cabello y sobre todo tu historia te señalaban.

Selene reprimió una lágrima.

—Hace un año, cuando murió Deméter.

—¿No te pondrás sentimental? —se burló Salma.

Selene se alzó sobre la sombra.

—¡Era mi madre! ¡La matasteis!

Salma rió con ganas.

—Los sentimientos de las Omar. Ya los irás perdiendo, acaban por olvidarse, como los años o las arrugas.

La condesa permanecía en silencio observando a Selene.

—No te comprendo, Selene, tu madre y tú os peleasteis. Desde tu huida y tu traición a las Omar, nunca te perdonó.

Selene asintió.

—Pero era mi madre. Debo respeto a su memoria.

Salma no pudo contenerse:

—Qué estupidez.

La condesa la reprimió:

—Calla, Salma, calla y escucha a la elegida. Tal vez por la falta de sentimientos no seamos capaces de perdurar, tal vez debamos aprender una última lección para la supervivencia. ¿Cuántas quedamos? Pocas y enemistadas. La elegida nos guiará y quizá en el camino que nos proponga deberemos deshacernos de prejuicios... Los sentimientos... A lo mejor ése será nuestro nuevo reto. ¿Es así, Selene?

Selene había escuchado a la condesa sin parpadear.

—No sé cuál es vuestro camino, ni creo que coincida con el mío. Me habéis buscado insistentemente y me habéis puesto a prueba: primero las vejaciones y las privaciones, luego la locura del mundo opaco. Estoy aquí, he superado las pruebas, pero aún no sé qué queréis ofrecerme ni qué queréis pedirme.

La condesa atronó la estancia con su voz.

—¿Qué le has hecho, Salma?

Salma dio un paso atrás.

—Probé con el calabozo, incomunicación y privaciones. Lo superó satisfactoriamente. Y luego la abandoné en el mundo opaco y no enloqueció.

—¡Estúpida!

Salma la señaló con el dedo.

—Tenía que hacerlo antes de traerla aquí. No es nadie, es tan sólo un vehículo. Debemos considerarla una prisionera, si no, acabará por dominarnos ella a nosotras.

—¿Y qué propones? ¿Eliminarla quizá? —replicó la condesa indignada.

Salma se permitió la duda.

—¿Por qué no? Sería una tercera vía. Los planetas aún no se han alineado completamente. La profecía todavía no se ha cumplido. Si nos adelantamos a ella...

—Recuerda que Júpiter y Saturno han reinado juntos en el cielo...

Selene rompió su silencio y dio un paso hacia Salma mirándola con lástima.

—No puedes hacerme nada, no puedes siquiera amenazarme.

—¿Ah, no?

Selene se permitió mirarla por encima del hombro.

—Pregunta a la condesa. Estáis en mis manos. Sin mí, su regreso sería improbable, por no decir imposible. Sólo yo le permitiré recuperar sus fuerzas... y eso mismo te sucederá a ti y a las otras.

Salma, furiosa, lanzó un conjuro rápido, apenas una tímida letanía, pero Selene cerró sus ojos, extendió las palmas con rabia y lo rechazó. La magia de Salma rebotó contra las paredes de la galería y hundió una columna. Salma se quedó atónita.

—Tu magia es poderosa, muy poderosa. ¿Quién te enseñó a luchar con una Odish? —inquirió la condesa.

—Deméter.

—¿Y...?

Selene respondió a duras penas. Para qué negarlo.

—Una Odish...

La condesa intervino tajante.

—¿Qué quieres?

Selene se impuso en toda su altivez.

—No lo sé, yo no os buscaba..., aunque sé lo que no quiero.

—Dime.

Selene sintió cómo le temblaban las piernas. Por más que se escudara en retóricas confusas, tenía que tener claro y presente el motivo por el que había aceptado emprender aquel viaje. Y sin embargo, se resistía a dar el último paso.

—Si Deméter me oyese, se avergonzaría de mí.

—Pero está muerta.

—Deméter me educó en la austeridad y el sacrificio, pero yo... era más ambiciosa..., por eso me escapé de su lado.

—Lo sabemos. Sabemos que eras inquieta, que no te conformabas, que rompiste con las Omar y les retiraste el saludo...

—Pero regresé junto a Deméter.

—Con el rabo entre las piernas —puntualizó la condesa—. Sin poder materializar tu sueño. ¿Cuál era tu sueño, Selene? ¿La fama? ¿El amor eterno? ¿El poder? ¿La riqueza? ¿La aventura?

Selene suspiró por los sueños que se le escurrieron de las manos en esos años.

—Tuve tantos...

Selene dudaba, las palabras pugnaban por salir a borbotones, pero el pudor le impedía pronunciarlas. La condesa advirtió su lucha y la ayudó.

—¿Y bien? Sospecho que quieres ser rica, muy rica.

—Yo no he dicho eso.

—Observo tu sortija, conozco tus debilidades, tus deudas...

Selene se llevó la mano al pecho y acarició su sortija de oro. De niña ansiaba poseer diamantes para engarzarlos en sus dedos, aletear las manos y brillar con luz propia como una estrella. ¿Por qué negarlo?

—No amo el dinero.

—¿No?

—Quiero ser lo suficientemente rica para no pensar nunca más en el dinero. Olvidarme del dinero para siempre. Librarme de su maldición.

—...Puedes tener mucho más...

Selene no quiso escucharla.

—Bella ya lo soy, los hombres me adoran.

—Pero un día dejarás de serlo.

—Ahora no me preocupa, me preocupa tener que trabajar, pelear por unas monedas, tener que calcular el precio de un restaurante, un coche o unos zapatos.

—¿Sólo eso? ¿Quieres dinero?

—Con dinero podría viajar y visitar los lugares más hermosos de la tierra, saborear los platos más exquisitos en los mejores restaurantes, poseer fincas, palacios, coches, vestir con los mejores modistos, acudir a fiestas, conocer a celebridades... ¿Qué más puedes ofrecerme?

La condesa habló lentamente, insistiendo en cada una de las palabras que ofrecía a Selene.

—La belleza eterna, la juventud eterna, la vida eterna. Te ofrezco la inmortalidad.

Selene se contuvo. Era absurdo no reconocer que conocía la naturaleza de la oferta.

—He estado pensando en ello. En realidad he pensado mucho desde que murió Deméter.

—¿Y...?

Selene se mordió los labios.

—No sé si estoy dispuesta a pagar el precio de vivir eternamente.

Salma se mostró despectiva.

—Rechaza la sangre.

Selene se revolvió.

—Rechazo matar.

—No puedes aspirar a la inmortalidad y no mancharte las manos.

La condesa se revolvió en su rincón de sombras y Salma calló.

—Bien, Salma, me has entendido sin necesidad de recordarte que no hay nada escrito sobre el camino que deberemos seguir una vez la elegida asuma el cetro de poder.

—¡El cetro de poder no existe! —negó Salma con pasión.

Selene abrió los ojos.

—¿El cetro de poder? ¿Os referís al cetro de O?

La condesa recitó su salmodia:

—Y O lanzó su cetro de poder a las entrañas de la tierra, para que nadie lo poseyese, y escribió con su propia sangre la profecía de la bruja del cabello rojo que pondría fin a la guerra de las brujas hermanas.

Salma y Selene se miraron atónitas.

Selene suspiró.

—Y quien posea el cetro de poder dictará los destinos de las Odish y las Omar y reinará como la madre O.

La condesa carraspeó.

—Eso, eso es... el cetro de poder.

—¿Dónde está? ¿Lo tenéis vosotras? —preguntó Selene.

—Está escrito en la profecía de Trébora que saldrá de las entrañas de la tierra y acudirá a ti —dijo la condesa—. Él te buscará.

Selene dio un paso adelante y contempló sus manos desnudas, las imaginó refulgiendo de luz, brillando en la oscuridad con la fuerza de mil diamantes.

—¿Lo rechazarás? —inquirió la condesa—. ¿Rechazarás el cetro de poder cuando acuda a ti?

Selene aspiró el aire enrarecido de la cueva. Necesitaba

llenarse los pulmones y respirar la incertidumbre. Pero sabía que debía tomar decisiones. No podía dilatar más la elección de su propio camino.

Selene se imbuyó de la idea y se dejó seducir por ella. El cetro de poder la convertiría en reina. Reinaría en un trono de oro incrustado de zafiros y sus largos dedos deslumbrarían como mariposas de luz vestidos de diamantes tallados.

Un escalofrío de placer le acarició la nuca, la idea le agradaba tanto que una sonrisa fue instalándose en su expresión marmórea, la máscara que tan bien sabía interpretar.

—En ese caso, si el cetro de poder existe y la profecía me reserva la capacidad de empuñarlo... —Selene miró retadoramente hacia las sombras donde se ocultaba la condesa—, lo haré.

LIBRO DE ROSEBUTH

El secreto del amor bien pocas lo saben.

Sentirá una sed eterna,
sentirá un hambre insaciable,
pero desconocerá que el amor
funde y derrite
y alimenta y sacia
la fuerza monstruosa del mal
que habita en las profundidades
de su corazón de elegida.

9. *La sospecha*

Elena, dando rienda suelta a su sueño e imaginando que Anaíd era su hija y la heredera de sus poderes, profirió el conjuro en la lengua antigua.

Anaíd lo tradujo por algo así como: «*Cíñete a su cintura, oprime su vientre y esconde sus senos.*»

Anaíd sintió un calor súbito en su cuerpo que le oprimió el tronco, como una faja, pero al poco se fue aflojando, aflojando, y desapareció. En su lugar sólo le quedó un leve enrojecimiento de la piel a la altura del ombligo.

Elena la examinó preocupada.

—¿No sientes una opresión que no te deja respirar?

Anaíd lo negó.

—No. Ha desaparecido.

—Es lo mismo que me ha ocurrido a mí —exclamó Criselda, que hasta ese momento se había mantenido en un discreto segundo plano sin intervenir.

Criselda se había quitado un peso de encima, creía que le fallaba la memoria o, peor aún, la habilidad. Lo cierto es que se sentía anormalmente cansada y olvidadiza y llevaba mucho tiempo intentando conjurar un escudo protector para Anaíd sin ningún resultado. Se dirigió a Karen, que en su calidad de médico era la experta.

—¿Quieres probarlo tú?

Pero Karen estaba tan intrigada como Elena y Criselda.

—Todo ha sido correcto, pero parece como si Anaíd lo rechazara. Si no fuera porque sé que no puede hacerlo, diría que ella misma expulsa el escudo.

—¿Yo? —exclamó Anaíd, un poco harta.

No le gustaba que le probasen ropa y todavía le gustaba menos ser una especie de banco de pruebas de madres frustradas que pretendían recordar antiguos conjuros de adolescencia con ella como conejillo de indias.

Karen examinó minuciosamente a Anaíd. Revisó su ropa, sus cabellos y se detuvo en las minúsculas lágrimas negras que colgaban de su cuello.

—Quizá sea culpa de este talismán. ¿De dónde lo has sacado?

Anaid lo tomó con afecto y lo besó.

—Lo tallé yo misma, en recuerdo de Deméter.

Karen parecía intrigada.

—Pero... esta piedra. Fijaos. ¿Quién te la dio?

Todas se acercaron y Anaíd dio las explicaciones pertinentes. Se sentía orgullosa de su hallazgo.

—Es un meteorito. Lo encontré en el bosque, cerca de...

Calló. Iba a decir cerca de la cueva, pero nadie, ni siquiera su madre, conocía su existencia. Rectificó a tiempo.

—Cerca del arroyo. ¿Os gusta?

—¿Cómo sabes que es un meteorito? —intervino desconfiada Gaya.

—Me lo dijo la abuela —respondió humildemente Anaíd, que tratándose de Gaya procuraba no llevarle la contraria ni incomodarla; al fin y al cabo era su profesora.

—Si lo dijo Deméter será cierto. Anda, quítatelo. Probaremos el conjuro sin la piedra —resolvió Elena—. ¿Quieres hacerlo tú, Gaya?

Elena también procuraba contentar a Gaya y mantener

la paz dentro del reducido *coven,* pero desafortunadamente Gaya no tuvo el menor éxito. El conjuro rebotaba en el cuerpo de Anaíd como una pelota contra una pared.

—¿No estará bajo la protección de un sortilegio más potente? ¿Un anillo de protección radial tal vez? —lanzó Gaya.

Karen repasó con sumo cuidado el espacio circundante del aura de Anaíd con la palma de su mano.

—No —respondió, pero no dejó libre a la niña—. Espera un momento, ahora que me fijo..., has crecido y has engordado mucho.

—Cinco kilos y nueve centímetros... —confirmó Anaíd.

—¿Y por qué no me lo has dicho?

Anaíd se encogió de hombros.

—Tía Criselda está enfadada porque he aumentado dos tallas.

Criselda lo confirmó. Había refunfuñado cada vez que Anaíd, desolada, le mostraba la ropa inservible. Anaíd era una ruina.

Karen lo celebró.

—Ojalá Selene pudiera verte. Estaba tan preocupada... Pero yo sabía que cualquier día pegabas el estirón.

Anaíd calló.

—¿No estás contenta? —inquirió Karen extrañada.

—Sí, aunque me siento un poco rara y tropiezo bastante —dijo señalando sus piernas y sus brazos desmañados—. Y tampoco entiendo por qué empecé a crecer cuando dejé de tomar la medicina.

Anaíd lo dijo con un cierto reproche en el tono. Y ciertamente se sentía engañada. Cuatro años bebiendo aquel asqueroso brebaje con la fe ciega de conseguir lo imposible y una vez lo dejaba de tomar enfermaba, pero luego... crecía.

Criselda se llevó una mano a la boca asombrada. No había reparado en la coincidencia.

Pero fue Karen quien la asombró más si cabe con su respuesta.

—¿Qué medicina?

—El jarabe y la poción que Selene me daba. Tía Criselda me los tiró a la basura y tú no estabas para reponerlos —aclaró Anaíd.

—¿Te refieres a la poción del cabello? —se encalló Karen sin asumir el equívoco.

Criselda estuvo a punto de caer de la silla y cruzó una rápida mirada de entendimiento con Elena. Sus peores suposiciones se confirmaban.

Afortunadamente, Anaíd no estaba atenta y no pudo interferir los gestos que hicieron Criselda y Elena a Karen para hacerla callar.

Anaíd no dio importancia al apuro de Karen y su tía. Estaba preocupada por otro motivo. Había confiado en aquella reunión para plantear el tema que la preocupaba. Compuso su mejor sonrisa y se dirigió a las cuatro brujas:

—Os quería pedir a todas un favor especial.

Las cuatro mujeres se la quedaron mirando. Tía Criselda cogió un bombón para asimilar mejor la sorpresa. ¿Por dónde saldría Anaíd?

—Os pido permiso para adelantar mi iniciación. Tía Criselda me ha enseñado muchas cosas, pero yo querría aprender más rápido.

—¿Por qué? ¿A qué vienen esas prisas? —se extrañó Karen.

—Quiero encontrar a mi madre.

—¿Y cómo piensas encontrarla? —continuó Karen con cariño.

Anaíd meditó la respuesta.

—Sé que está viva, lo noto.

—La intuición no basta. A veces te confunde. ¿Qué pruebas tienes? —la interrogó Elena.

—Ahora que tía Criselda me ha enseñado a escuchar, puedo... escucharla.

Hasta tía Criselda quedó desconcertada.

—No me lo habías dicho.

Anaíd calló que no le había dicho ni eso ni muchas otras cosas. Si su tía supiera todos los conjuros que había aprendido y las voces de los animales que era capaz de comprender e imitar, a buen seguro le daba un patatús.

Elena miró a su alrededor.

—¿Alguien ha escuchado a Selene hasta el momento?

Todas lo negaron. Elena aprobó con un gesto.

—No está mal. Es más de lo que nosotras podemos hacer.

Gaya era sumamente reticente.

—Y supongamos que te concedemos el honor de iniciarte pronto, aumentas tu poder telepático y llegas hasta tu madre. ¿Qué harás entonces?

Anaíd no dudó ni un instante.

—Ayudarla a escapar.

—¿De las Odish?

—Pues claro.

Gaya chasqueó la lengua.

—¿Con qué armas?

Anaíd se sintió ofendida, pero no se arredró, sacó su vara de abedul de su bolsillo. ¿Por qué la trataban como a una niña boba? ¿No se daban cuenta de que podía aprender mucho más deprisa de lo que ellas suponían?

Y con altanería, balanceó su vara de abedul una vez, dos, marcó una ese en el espacio vacío y detuvo una mosca en pleno vuelo. La mosca quedó suspendida en el aire hasta que Anaíd marcó con su vara el recorrido inverso que había trazado unos segundos antes. La pobre mosca, aturdida del susto, continuó con su vuelo y Anaíd pudo entender perfectamente su comentario: «*Malditas brujas*».

Gaya le dirigió una mirada oblicua, Karen y Elena miraron a Criselda y Criselda palideció.

—¿Cómo lo has aprendido?

Criselda estaba en falso. Ella era la responsable de Anaíd y no podía permitir que su alumna aprendiese conjuros sin su consentimiento.

Pero Anaíd, en lugar de disfrazar su desobediencia, hizo alarde de ella:

—Yo sola. Y puedo aprender muchas más cosas.

Criselda titubeó.

—A su debido tiempo.

—¡No hay tiempo! —protestó Anaíd.

—El tiempo no es cosa tuya —le advirtió Gaya.

—¿Ah, no? Pues estáis muy equivocadas. Yo soy la única que puede llegar hasta Selene y soy la única que puede ayudarla.

—¿Tú?

Anaíd se delató. Estaba muy alterada.

—He leído las profecías y he encontrado el libro de Rosebuth. Sé leer en la lengua antigua y Rosebuth considera que sólo el amor verdadero podrá arrancar a la elegida de las Odish. ¿Quién quiere a Selene? ¿Quién daría su vida por Selene como hizo Deméter? Ella lo intentó.

Anaíd, retadoramente, paseó su mirada entre las cuatro mujeres que, a pesar de mantener los ojos en ella, no se manifestaron. Estaban atónitas.

Anaíd se señaló a sí misma.

—¡Yo soy la única que la quiero de verdad! Vosotras no la queréis, vosotras no la estáis ayudando, ni siquiera la buscáis. ¿Os creéis que no me he dado cuenta?

Elena intervino:

—Basta, Anaíd. Eso no estaba incluido en tu petición.

Criselda hizo un gran esfuerzo para que su voz sonara autoritaria. Anaíd la había desbordado completamente.

—Vete..., vete a dar un paseo y tranquilízate.

Anaíd recogió a Apolo y salió como una tromba de su casa.

Dudó entre irse a pasear al bosque o refugiarse en la cueva. Pero no hizo ni una cosa ni otra. Una agradable sorpresa se cruzó en su camino. La señora Olav en persona al volante de su magnífico 4 × 4 se detuvo a su lado, tocó la bocina, abrió la portezuela del asiento del copiloto y, con una sonrisa encantadora, la invitó a subir a bordo.

Anaíd suspiró aliviada. Era justo lo que necesitaba, una buena amiga, una amiga que la escucharía y le levantaría los ánimos.

Por un momento Anaíd pensó, intuitivamente, que tal vez las cuatro mujeres estuviesen decidiendo su destino y que lo que le convendría sería espiar su conversación. Pero la intuición le duró sólo un instante.

Criselda, con manos temblorosas, se sirvió un té bien caliente. Removió lentamente el azucarillo y tras un largo sorbo observó detenidamente el poso de su taza. No hacía falta ser muy ducha en adivinaciones. El futuro le deparaba grandes complicaciones y las complicaciones, sus complicaciones, no habían hecho más que comenzar.

Las cuatro mujeres compartían el mismo estado de ánimo de Criselda. Ninguna se decidía a hablar. Anaíd había puesto sobre la mesa demasiadas cuestiones candentes y se enfrentaban a un grave dilema.

Anaíd las había acusado de posponer la búsqueda de Selene.

Todas sabían que era cierto.

Criselda, la responsable de las pesquisas, había distraído una y otra vez las conclusiones de sus averiguaciones. No obstante, había llegado el momento. Un momento delicado, puesto que tampoco podían permitir que Anaíd, una niña sin iniciar, les perdiera el respeto y desobedeciese sus órdenes.

Criselda se llevó un bombón a la boca. Elena tomó otro y se decidió a romper el hielo.

—Y bien, Criselda... ¿Tienes algo que decirnos sobre Selene? ¿Qué has averiguado?

Criselda dejó la taza de té sobre la mesilla. Las evidencias se habían ido acumulando, cada vez había más pruebas en contra de la inocencia de Selene, no podía defender lo indefendible por más tiempo. Criselda se puso en pie, no sabía permanecer sentada, y con la cabeza gacha y voz queda, comenzó a hablar.

—Querría equivocarme, me gustaría no haber llegado a las conclusiones a las que he llegado, pero tengo la sospecha de que Selene no ha sido víctima de ningún secuestro.

Todas contuvieron la respiración. Criselda continuó hablando con voz grave.

—Selene no se defendió del supuesto ataque de las Odish. No hubo lucha ni resistencia. Selene no dejó ninguna pista, ningún hilo para que la siguiéramos y rompió inmediatamente cualquier contacto telepático. Selene no profirió ningún conjuro protector de su casa como hizo su madre. Selene destruyó pruebas de sus contactos anteriores con las Odish de los que la tribu tenía conocimiento y ella misma u otra persona regresó a la casa e intentó camuflar su desaparición como una huida por amor.

Todas callaron expectantes. Criselda no se atrevía a

continuar y, hecha un manojo de nervios, estiró un hilo de lana de su deshilachado jersey.

—Tengo casi, casi la certeza de que Selene abrió la ventana a las Strigas y voló con ellas por propia voluntad.

La confesión sólo pilló desprevenida a Karen.

—¿Selene, una traidora?

Se hizo el silencio y todas dejaron volar su imaginación a la búsqueda de evidencias. Había muchas, demasiadas. Gaya fue la primera en ponerlas una tras otra en fila.

—¿No os acordáis de lo discreta y obediente que era Selene cuando vivía Deméter? ¿Y lo imprudente y atrevida que se volvió cuando murió? Está clarísimo. No pudo entregarse a las Odish antes porque su madre se lo impidió. La protección que conjuró la matriarca Tsinoulis fue poderosa y perduró hasta un año después de su muerte, pero el conjuro perdía fuerza. Selene lo ignoraba con sus continuas provocaciones. Cada vez que bebía, cada vez que se metía en un lío... ¿Recordáis las discusiones? ¿Recordáis sus desplantes? Y sus risas cuando la advertíamos... Se burló de nosotras. Ya había pactado con las Odish y únicamente esperaba el momento oportuno para huir con ellas.

Criselda bajó la cabeza avergonzada, no diría nada sobre sus deudas, sobre sus compras desaforadas, sobre la hipoteca de la casa. Quizá Gaya estuviera en lo cierto, pero aún había más, mucho más. Tal vez no haría falta exponerlo todo con tanta crudeza.

Por su parte, Karen, la gran amiga de Selene, se resistía a asimilarlo.

—Es absurdo. De acuerdo que era imprudente y apasionada, algo egoísta también, pero siempre fue una Omar, hija de la jefa de un clan, oficiante de *coven,* madre de una Omar.

Elena sacó a la luz el aspecto más delicado de la dudosa actuación de Selene.

—Impidió a Anaíd desarrollar sus poderes.

—Querrás decir que no la inició en su debido momento —corrigió Karen.

—No —intervino Criselda con todo el dolor de su corazón—. La medicina que Selene le preparaba era un potente bloqueador. Hasta hoy creía que tú misma se la habías proporcionado por algún motivo.

—¿Quieres decir que Selene administraba una poción a Anaíd que bloqueaba sus poderes? —Karen, pensando rápidamente, enseguida comenzó a reaccionar y a cambiar su óptica—. ¡Y de ahí su retraso en el crecimiento!

Elena afirmó.

—Desde que dejó de tomar la poción, Anaíd se ha convertido en una verdadera bomba de relojería.

—Ya lo ha sido siempre —puntualizó Gaya, que no podía desvincular a Anaíd de su madre.

Criselda aprovechó para manifestar su preocupación.

—No controla sus poderes, le han surgido demasiado de golpe, necesita ayuda y contención. Igual que su crecimiento aumenta a razón de talla por mes.

Karen, a pesar de aceptar la evidencia, no podía admitir los motivos.

—Pero ¿por qué? ¿Por qué Selene bloqueó los poderes de su propia hija?

La respuesta era tan evidente que Elena no tuvo más que recoger la sugerencia que flotaba en la mente de todas las presentes.

—Para no verse obligada a luchar contra ella.

Karen suspiró.

—Entonces la preservó. Preservó a Anaíd.

Gaya lanzó una carga de profundidad:

—O se preservó ella de su hija.

Elena ordenó las confusas ideas que había ido elaborando durante los últimos días.

—Escuchad. Selene siempre supo que era la elegida. Su madre, la matriarca Tsinoulis, también, y por ello lo mantuvo en secreto y la preparó concienzudamente para su papel de salvadora de las Omar. Pero la naturaleza frágil y apasionada de Selene no pudo resistir las tentaciones de las Odish; sabéis que ofrecen mucho, ofrecen placeres eternos, juventud eterna, riquezas, poder infinito. Todas la conocíais. A diferencia de su madre, Selene era volátil, caprichosa, poco sensata. En su vida hay un episodio oscuro del que evitaban hablar ella y Deméter. Selene estuvo desaparecida durante algún tiempo... Estoy segura de que Selene pactó con las Odish su cetro y urdió su traición hace mucho, mucho tiempo. A lo mejor Criselda sabe más cosas del pasado de Selene.

Criselda se vio obligada a hablar.

—Deméter siempre calló sobre ese tiempo en que Selene desapareció. Pero la hizo sufrir. Sé que Deméter ocultó algo, algo muy desagradable. No puedo daros detalles, mi hermana era orgullosa y no quiso llorar en mi hombro.

Karen se hizo eco del sentir colectivo.

—Eso es muy grave.

—Mucho —ratificó Elena—, y debemos elevar una propuesta a las tribus. Tienen los ojos puestos en nosotras y en nuestro informe.

—No sabemos nada de las tribus.

—Ahora que lo dices...

—Eso también comienza a ser preocupante.

—Debe de ser una medida de seguridad.

—O de aislamiento preventivo.

Criselda agradeció que su hermana estuviera muerta. Le ahorraba ese episodio tan doloroso.

—Las pruebas que tenemos, pues, ¿son suficientes para considerar a Selene sospechosa de traición?

Todas afirmaron. Criselda las miró una a una.

—¿Hay alguna de nosotras que la defienda?

Todas callaron.

—En ese caso, si Selene es la elegida, cosa de la cual también estamos seguras...

—Yo no —se apresuró a objetar Gaya.

Criselda rectificó:

—Todas, excepto Gaya, creemos que Selene, la elegida, ha optado por abandonar la mortalidad de las Omar y acogerse a la inmortalidad de las Odish. La profecía anuncia que la elegida será tentada y unas u otras perecerán de su mano.

Criselda las miró a todas. Estaban sin aliento.

—La profecía de Odi ya lo advertía y se está cumpliendo. Selene ha sido tentada..., y si prospera..., se convertirá en la Odish más poderosa que haya existido jamás y acabará con las Omar.

Las palabras de Criselda resonaron como un mazazo en todas las cabezas.

—¿Estamos a tiempo de intentar rescatarla de su propia flaqueza?

Gaya pidió la palabra.

—No. Ya no. Selene es un gran peligro para nosotras, nos conoce y conoce todas nuestras debilidades. No podemos arriesgarnos. Tenemos que destruir a Selene para que ella no nos destruya a nosotras.

Criselda sintió un nudo en la garganta cada vez más y más amargo. Ni la dulzura del chocolate lograba disolverlo.

—Anaíd nos habló del libro de Rosebuth. No lo recordaba, pero es cierto que Rosebuth consideraba que sólo alguien que amase a la elegida podría hacerla retornar a su tribu. ¿Quién mejor que Anaíd?

Karen se horrorizó.

—Es sólo una niña, no tiene recursos, ni fuerza, ni poder suficiente. Si fuera cierto que Selene es una... una Odish..., destruiría a su hija.

Y Karen rompió en un sollozo, incapaz de soportar la imagen de su amiga asesinando a su propia hija. No le cabía en la cabeza, no se ajustaba a sus esquemas y sin embargo...

Elena objetó:

—Pero antes de que eso sucediese una de nosotras lo impediría, porque Anaíd no estaría sola. ¿Criselda? ¿Qué dices a eso?

Elena le estaba ofreciendo la oportunidad de dar una esperanza a Selene y Criselda se aferró a esa posibilidad como a un clavo ardiente.

—Anaíd es intuitiva y fuerte, pero emocionalmente es frágil. Su fuerza reside en su amor por su madre. Si sospechase lo que sucedería en el caso de que Selene fuera una Odish...

Elena comprendió a Criselda.

—Anaíd debería emprender esta misión engañada. Tendríamos que mentirle, es la única forma de preservar su inocencia.

Gaya hurgó en la herida.

—No hace falta mentir a nadie, ni arriesgar nada. Acabemos con ella.

Criselda se resistía.

—En el caso de que Selene fuese una de ellas y atacase a su hija en lugar de ceder a su amor..., nosotras sí que deberíamos..., deberíamos...

No tuvo valor para proferir la palabra.

—Destruirla —la ayudó Karen con gran dolor.

—Sería nuestra obligación —ratificó Elena.

—Antes de que sea demasiado poderosa —concluyó Karen.

Criselda temía el paso siguiente. Le tocaba darlo a ella.

—¿Quién se ocupará de la tarea? ¿Quién acompañará a Anaíd y destruirá a Selene en el peor de los casos?

Todas las miradas recayeron en ella.

Criselda supo que no podía eludir esa responsabilidad. Su deber moral para con la memoria de su hermana Deméter y el honor del linaje Tsinoulis la obligaban.

Criselda aceptó, aunque el éxito o el fracaso de su misión no dependía de ella.

Dependía de una niña.

Anaíd.

10. *El primer embrujo*

—¿Y bien? —preguntó la señora Olav al subir Anaíd de nuevo al coche.

—Muy mal —murmuró Anaíd dando un portazo—. No sabe nada de ella y no se ha creído que yo fuese su hija. Selene no le habló de mí.

—¿Y eso te molesta?

Anaíd explotó.

—¿Cómo no me va a molestar? Mi madre me oculta que tiene un novio estúpido llamado Max y a ese Max le oculta que tiene una hija.

—¿Por qué es estúpido Max?

Anaíd ocultó la cara entre las manos.

—Me ha dicho que... no nos parecíamos.

—¿Y eso te ofende?

—Pues claro.

La señora Olav sonrió con cariño.

—No te comprende nadie.

—¿Cómo lo sabe?

—Yo también tuve tu edad.

Anaíd suspiró. Ese tipo de respuesta era el que le hubiera dado Selene.

Selene, la gran mentirosa.

¿Realmente Selene era tal y como ella la recordaba? ¿O se la había inventado?

Anaíd siempre había querido creer que tenía una madre joven, cariñosa, divertida y juguetona que se comportaba con ella como una hermana mayor, pero había otra Selene que peleaba con Deméter a voz en grito, desaparecía días y días sin dejar siquiera una nota, compraba compulsivamente, se miraba al espejo enamorada de su propia imagen y... tenía amantes ocultos a los que a su vez les ocultaba a su propia hija.

¿Quién era Selene?

El Land Rover tomó la carretera principal saliendo de Jaca.

Anaíd no quería pensar en Selene ni en Max. Se le había ocurrido de repente la idea de visitarlo, de conocerlo, de salir de dudas sobre si Selene había huido con él o era una patraña. Llamó por teléfono y le pidió una cita. Así de simple. La señora Olav la acompañó hasta el bar donde quedaron y la esperó en el coche la media hora que duró el encuentro. Max estaba interesado en tener noticias de Selene, pero no le había gustado nada la idea de que tuviera una hija. La coincidencia era que había recibido un telegrama el mismo día que Anaíd. Selene le decía que se marchaba lejos, muy lejos y que no la buscase.

Anaíd estaba nerviosa.

A ese encuentro extraño se sumaba que hacía tan sólo unas horas había plantado cara a su tía y a las amigas de su madre indignada por su apatía y por su falta de interés en hallar a Selene.

—¡Y ellas no tienen la menor intención de encontrar a mi madre!

—Es posible.

—No les importa, les da lo mismo que esté viva o muerta, les da lo mismo...

—Es natural, Anaíd, no la quieren como tú.

—¡Ya se lo he dicho!

—¿Eso les has dicho?

—Están apáticas, como si no les importase nada, como si viviesen en una burbuja. Ninguna ha intentado ponerse en contacto con Max para saber si Selene había tenido contacto con él. Y en cambio ha sido bien sencillo, ¿no?

—¡Cuidado! —gritó la señora Olav.

Aceleró el vehículo y embistió un obstáculo. Anaíd salió despedida contra el cristal delantero. Con el enfado y las prisas, había olvidado abrocharse el cinturón.

Se palpó la frente algo atontada, le estaba saliendo un enorme chichón. La señora Olav sujetaba firmemente el volante y se disculpó.

—Lo siento, se me cruzó un conejo y no tuve más remedio que atropellarlo.

Anaíd, ya fuese por el golpe, por el conejo o por el disgusto que arrastraba, se echó a llorar. Enseguida la señora Olav puso el intermitente y aparcó el coche en el arcén.

—Vamos, vamos, no ha sido nada.

Y la atrajo hacia su pecho pasando sus suaves manos por su sien.

—¿Sólo lloras por esto? —inquirió masajeando la zona dolorida.

—No —admitió Anaíd.

—Claro, se mezcla todo, lo de tu madre, lo de Max, lo de esa fiesta...

—¿Qué fiesta?

—La fiesta de esa chica, Marion, de la que me hablaste. La que nunca te invita.

Anaíd pareció sorprendida. No pensaba en ello, pero era cierto que la fiesta de Marion estaba ahí, flotando en el aire y molestándola a intervalos como un mosquito zumbón.

—No me extraña, es muy guapa —reconoció Anaíd con un hipido.

—¿Y quieres decir que tú no lo eres? Mírate bien al espejo. Eres preciosa. El azul de tus ojos debe de ser la envidia de todas las chicas de tu clase.

—¡Qué va! —confesó Anaíd—. Ni me miran. No saben que existo.

La señora Olav chasqueó la lengua.

—Pues ya es hora de que te miren. ¿No te parece?

—¿Cómo?

—Esa chica, Marion, puede que sea muy guapa, pero tú eres más lista.

—¿Y de qué me sirve ser más lista?

—Piensa y lo averiguarás.

La señora Olav tenía la virtud de hacer sentir bien a Anaíd y lograr que superara sus complejos. A su lado todo resultaba fácil.

—¿Una pulsera y una hamburguesa te devolverán el buen humor?

Anaíd se estremeció de dicha y se limpió las últimas lágrimas con el dorso de la mano. ¿Cómo sabía la señora Olav que Selene la llevaba a escondidas de Deméter a comer en un *burger* y le regalaba pulseras de bisutería?

Posiblemente se lo había confesado ella misma.

Al mirarse en el retrovisor para arreglarse el cabello se quedó asombrada. El chichón había desaparecido y... estaba francamente guapa.

La hamburguesa estaba riquísima, la pulsera le quedaba de maravilla y desde que la señora Olav le hablara de sus ojos y su inteligencia Anaíd había recuperado la autoestima.

Y también había vuelto a recordar el espinoso tema del

cumpleaños de Marion aunque, afortunadamente, desde otra perspectiva.

La fiesta de cumpleaños de Marion coincidía con el solsticio de verano y era la fiesta más famosa de Urt. Desde hacía unas semanas, en la escuela no se hablaba de otra cosa, porque Marion, para dar emoción al asunto, invitaba a sus amigos de uno en uno, de forma que el elegido y la elegida, ¡buuuf!, respiraban cuando se acercaba a ellos y les susurraba su cita al oído.

Claro que los que no tenían la suerte de gozar del favor de Marion lo pasaban fatal hasta el último momento, suspirando cada vez que se acercaba la coqueta Marion, para que se inclinara levemente sobre ellos y les proporcionase la llave de la felicidad.

Anaíd, que había confiado ingenuamente en ser invitada durante los últimos cuatro años, había esperado inútilmente por si acaso las dos variables que habían transformado su vida —la desaparición de su madre y su nuevo sujetador— hacían cambiar de opinión a Marion. Pero no había sido así.

¿Continuaría permitiendo que Marion la ignorara?

Se despidió de la señora Olav y le agradeció con un beso su apoyo. De buena gana hubiera continuado en su compañía en lugar de regresar junto a la desastrosa Criselda. Seguro que no tendría la cena preparada ni recordaría que a los catorce años se acostumbra a tener hambre tres o cuatro veces al día.

Tía Criselda la esperaba en el sillón de la sala. Comía bombones con la mirada extraviada, y ni siquiera le preguntó de dónde venía. No, no merecía la pena hablarle de Max. Le daba igual.

—Anaíd, siéntate, por favor.

La obedeció sin rechistar. En el tono grave en que su tía formuló la petición se escondía algo más trascendente que una regañina.

—Anaíd, en el *coven* hemos aceptado tu ofrecimiento para buscar a tu madre y rescatarla —le comunicó solemnemente.

—¿Es una broma? —fue lo único que Anaíd consiguió balbucear.

—Si Rosebuth no se equivoca, probablemente seas la única que puede llegar hasta Selene y darle la fuerza que necesita para vencer a las Odish.

¿Así de fácil? ¿Así de simple? Anaíd no pudo dormir en toda la noche. Tantas vueltas dio en la cama que se le ocurrieron mil formas disparatadas de buscar a Selene y mil barbaridades para luchar contra las Odish. Pero todo lo que concebía adquiría un tinte grotesco, irreal, parecido al trazo grueso con que su madre dibujaba sus personajes de cómic.

Intentaba pensar en Selene con la seriedad que se merecía el asunto, pero otras cosas la distraían de la enorme responsabilidad que le había caído encima.

Si era una bruja Omar capaz de llegar hasta el mismo infierno para arrancar a su madre de las garras de las poderosas Odish..., ¿por qué tenía que aguantar el desprecio de Marion? ¿Por qué no podía ir a la fiesta de Marion como todos sus compañeros?

Y se propuso seriamente conseguirlo.

Al fin y al cabo era una bruja.

Y no era tan fea.

Y era lista.

Se escabulló al salir de clase hasta su cueva y allí buscó y buscó hasta que halló entre los libros de Deméter y Selene un conjuro de seducción que le iba como anillo al dedo para sus propósitos.

Se diferenciaba algo del filtro de amor. No era un bebedizo, no alteraba la sangre y no aceleraba el ritmo cardíaco ni la respiración. Era un conjuro simpático, por contacto y proximidad. Con un simple toque de vara y las palabras correctas, desvanecería la invisibilidad que la ocultaba a los ojos de Marion y conseguiría que la mirase y la descubriese.

A la mañana siguiente, en clase, procuró sentarse lo más cerca posible de Marion. Roberta accedió al cambio de asiento por un paquete de chicles, y así Anaíd consiguió colocarse en el pupitre justo detrás de su víctima. Cuando estuvo segura de que nadie la veía, sacó rápidamente su vara de abedul de la mochila y la escondió bajo el libro de Sociales. Había esperado a la clase de Corbarán, el profesor de Sociales que no se enteraba de nada. Y mientras Corbarán charlaba y charlaba —sin importarle si alguien le escuchaba o no—, Anaíd pronunció su conjuro con los labios entornados dirigiendo su vara hacia Marion, sentada delante de ella, y rozándole levemente los cabellos.

¡Estupendo! Marion había reaccionado al contacto ladeando la cabeza. Al cabo de un rato, alzó su mano y se rascó distraída.

Anaíd contuvo la respiración. Surtía efecto. Marion se daba por aludida y respondía a la seducción. Ahora sentía un cosquilleo leve, de ahí el gesto de rascarse. Le seguiría un impulso, giraría la cabeza y la descubriría. Luego, recordaría su nombre, le sonreiría y la invitaría a su fiesta.

Todo sucedería tal y como el conjuro vaticinaba.

Anaíd esperó un minuto, dos, tres —que se le hicieron eternos— y luego... efectivamente Marion se giró y la descubrió. Pero no sonrió. Se rió. Se rió con ganas, como si estuviese viendo una película de risa o escuchando un chiste muy gracioso. Se rió de Anaíd en sus narices. Y dijo algo así como:

—Vaya, vaya, a la enana sabelotodo le han crecido las tetas y le han salido granos.

Anaíd se quedó muerta. Muerta es poco. La chanza de Marion y su cachondeo se oyeron hasta la torre de los vigías —eso le pareció a Anaíd— y fue coreada por todos los pelotas de la clase, por los cuervos del torreón y por los turistas que descendían el río en *rafting*. El mundo entero fue testigo de la AFRENTA DE MARION.

El primero en reírse, sin embargo, fue Roc, el hijo de Elena y el novio del momento de Marion. Eso Anaíd también lo oyó y se lo apuntó.

Anaíd aguantó el tipo como pudo hasta que, sin pedir permiso siquiera a Corbarán —total, no se enteraba—, salió de clase corriendo y se metió en el baño para llorar a gusto.

Y llorando, llorando y mirándose al espejo descubrió que, en efecto, le había salido un minúsculo grano en la nariz. Fue entonces cuando decidió vengarse. Peor de lo que estaba no podía quedar. Ni ella ni su prestigio ni su honor.

Salió del baño con la cabeza bien alta y su plan decidido. Acababa de sonar la campana y todos habían salido al recreo a estirar las piernas, darle a la lengua y comer el bocata. Claro que Marion y Roc acostumbraban a comerse el bocata en la terraza del bar de la plaza con una Coca-Cola en la mano y su pandilla alrededor. Y allí fue hacia donde Anaíd, con la cabeza bien alta y su vara escondida bajo la manga de su camiseta, se dirigió.

A lo mejor Anaíd habría cambiado de opinión si Marion simplemente la hubiese ignorado como siempre había hecho, pero su propio conjuro había conseguido centrar la atención de Marion en su persona, como si fuese un imán irresistible. En cuanto Anaíd apareció, Marion percibió su presencia, giró la cabeza, clavó sus ojos en ella y volvió a la carga.

—Mirad quién viene, la pequeña Anaíd. ¿Te pedimos un biberón o prefieres una papilla?

Anaíd se acercó a Marion.

—¿No dijiste que tenía granos?

—Oh, sí, claro... Si ya eres una *teenager*.

Y ahí fue donde Anaíd arriesgó el todo por el todo. Deslizando su vara sin que se notara por debajo de su manga, se tocó su grano de la nariz y luego rozó levemente la cara de Marion.

—Aunque el mío no tiene ni punto de comparación con los tuyos. ¿Cuántos granos tienes, Marion? ¿Una docena? ¿Dos docenas? ¿Tres docenas?

Y a medida que Anaíd iba profiriendo cifras, la cara y el cuello de Marion iban perdiendo la tersura y se iban cubriendo de espinillas infectadas.

A su alrededor resonaron los gritos y Anaíd, envalentonada, arriesgó más de lo que se había propuesto.

—¡Jo! Tu novio tampoco se queda atrás —dijo rozando la cara de Roc, que al instante también se cubrió de acné.

Marion no se vio. Pero vio el efecto que su cara causaba en los demás y dio un grito al ver el aspecto de Roc.

—¡Qué asco! —gritó Marion.

E inmediatamente se dio cuenta de que la misma pinta debía de tener ella, puesto que los que estaban a su lado retiraban la silla y arrugaban la nariz. Se palpó la cara con incredulidad y, al notar las horrorosas protuberancias, se tapó el rostro con las dos manos, escondiéndose avergonzada, y chilló muy fuerte:

—¡Bruja, más que bruja!

Sólo entonces Anaíd se dio cuenta de lo que había hecho.

Y lo malo era que desconocía el antídoto de su conjuro.
Dio media vuelta y salió huyendo.

Criselda no podía dar crédito a lo que oía en boca de Elena. Anaíd no sólo la había desobedecido ensayando conjuros sin su consentimiento, sino que —peor imposible— había proferido un conjuro de venganza públicamente y había sido acusada de bruja.

La mataría de un disgusto.

—¿Te has vuelto loca? —le gritó Criselda.

Anaíd había aguantado el chaparrón estoicamente, aunque por dentro estaba hecha papilla. Era un desastre.

—¿Te das cuenta de que nos estás poniendo en peligro a todas? ¿A ti la primera?

Elena no había perdido los nervios como Criselda, pero estaba preocupada.

—Los conjuros de venganza son impropios de una Omar.

—Están terminantemente prohibidos. ¿Quién te enseñó a formularlos? —la interrogó Criselda, ya repuesta del susto inicial.

Anaíd no lo sabía. Le había salido de dentro y le había funcionado.

—Yo sólo quería que Marion me invitara a su fiesta —se defendió Anaíd.

—¿Cómo? ¿Llenándola de granos?

—No, primero formulé un conjuro de seducción para que Marion se fijara en mí, pero se fijó tanto que me insultó delante de todos.

Criselda y Elena, simultáneamente, se llevaron las manos a la cabeza.

—¡Oh, no!

Anaíd se dio cuenta de que la equivocación venía desde el principio.

—¿Qué hice mal?

—Todo.

—No tienes dos dedos de frente.

—¿A quién se le ocurre suplir un sentimiento con un conjuro?

—Ninguna bruja puede conseguir amistad o amor con un elixir ni con un conjuro.

—Eso es propio de las Odish.

—¿Quién te lo enseñó?

Anaíd se había ido achicando, achicando, hasta quedar hecha un ovillo. Entonces comenzó a sollozar. Le dolía ese aluvión de acusaciones que Elena y Criselda vomitaban sobre ella. Nunca las había visto tan indignadas. Lo hacía todo mal, fatal, y no servía ni para chica, ni para bruja.

Anaíd se regodeaba en sus lágrimas. Se había convertido en una llorona impenitente. El crecimiento conllevaba unas enormes ganas de comer y unas terribles ganas de llorar.

Elena y Criselda callaron y se sentaron junto a ella en silencio. Criselda pasó la mano por su frente y Elena le acarició el cabello. Poco a poco fueron consolando su desespero hasta que cesaron los hipidos.

Anaíd se sorbió los mocos, se frotó los ojos y se secó las mejillas dispuesta a continuar escuchando a sus mayores.

Elena y Criselda retomaron su sermón procurando infundirle un tono amable y didáctico.

—Todo tu poder y tu magia deben estar al servicio del bien común, nunca del bien privado. ¿Lo tendrás presente?

—Una bruja Omar nunca formula conjuros para su propio provecho.

—Has cometido dos infracciones gravísimas.

—Tres.

—Un montón.

—Pero equivocarse también enseña.

—Las brujas Omar somos humanas y mortales que convivimos con los humanos y no nos podemos servir de la magia para conseguir el amor, ni la amistad, ni el respeto ni el poder... ni la riqueza.

—Si una Omar se sirve de la ilusión o la maldición para sus propios fines o su propia venganza, es expulsada del clan y de la tribu y privada de sus poderes.

—¿Lo entiendes?

—Anaíd..., nuestro poder tiene que ser limitado.

—Cocinamos, trabajamos, compramos... Imagina que no hiciésemos ningún esfuerzo para todo eso.

Anaíd iba asintiendo con movimientos de su cabeza y repitiendo sí, sí, sí. Finalmente no pudo más y, con un último sollozo, algo teatral, hizo la pregunta que la torturaba:

—¿Me estáis diciendo que soy mala?

Elena y Criselda se miraron un poco sorprendidas. Ninguna de las dos había educado a ninguna joven bruja. A lo mejor lo que le había sucedido a Anaíd, su exceso de confianza, su uso incorrecto del poder, les pasaba a todas las muchachas.

Criselda optó por quitar hierro al asunto.

—Anda, vete a dormir y mañana será otro día.

Elena le recordó:

—Y mañana no comentes nada en la escuela. No me ha quedado otro remedio que invitar a Roc, a Marion y a sus amigos a una poción de olvido. Todo lo que ha sucedido en las últimas veinticuatro horas se ha borrado de sus cabezas. Lo siento por los que hayan estudiado para el examen de música.

Anaíd se emocionó.

—¿Una poción de olvido? ¡Es fantástico! Así podría...

—¡No! —gritaron al unísono Elena y Criselda.

Anaíd se echó atrás y calló.

Tía Criselda añadió:

—En el próximo *coven* tendrás que pedir perdón por tu desobediencia. Puede que se te imponga algún castigo.

Anaíd calló. No le apetecía en absoluto pedir perdón a Gaya, pero tendría que hacerlo.

Besó a tía Criselda y a Elena y se fue cabizbaja hacia su habitación. En cuanto hubo desaparecido de su vista, las dos mujeres se miraron preocupadas. No les hacía falta explicitar con palabras todo lo que les rondaba por la cabeza.

—Aún no está preparada.

—¿Lo estará algún día?

—¿Y si nos hemos equivocado?

—A lo mejor Deméter y Selene tenían una razón de peso para no iniciar a Anaíd en la brujería.

—¿Y si Anaíd fuera peligrosa?

Estas y otras preguntas pasaron veloces de la cabeza de Criselda a la de Elena y viceversa.

Estando cerca Anaíd no se atrevían a hablar de ella en voz alta. Comenzaban a sospechar que sus poderes no eran ni mucho menos los que la niña había confesado.

11. Los espíritus obedientes

Anaíd se metió en la cama deprimida. Si se había levantado de buena mañana creyendo ser la persona más poderosa del mundo, capaz de conseguir lo que quisiese por las buenas o por las malas, ahora en cambio estaba convencida de que era la chica más miserable, egoísta y sinvergüenza que poblaba el planeta Tierra.

Dio mil vueltas sin conseguir pegar ojo. Ahuecó la almohada de plumas, probó a conciliar el sueño recostada del lado derecho, cambió al lado izquierdo, probó a taparse, pero al sentir calor se retiró la colcha y se destapó un brazo, luego un pie, el otro, y volvió a sentir frío de nuevo. Se hartó definitivamente, encendió la luz y saltó de la cama.

Ya no estaba deprimida. Estaba enfadada, enfadadísima con el mundo entero. Su vida era una verdadera porquería y todo avanzaba al revés, hacia atrás. Lo cual quería decir que hacía una semana era mucho más desgraciada que hacía un mes y así paulatinamente.

Sobre el *kilim* turco, junto a su cama, estaba sentada la alucinación del caballero con yelmo y armadura, que se echó a un lado para que Anaíd, con el impulso que llevaba, no le pisase.

La dama de las cortinas esbozó una sonrisa burlona por el susto que se había pegado el caballero.

Anaíd no se inmutó. Las dos alucinaciones formaban parte de su imaginario, eran invenciones suyas que habían surgido desde que tenía poderes. Ni la asustaban ni la incomodaban. Acudían algunas noches, en silencio, y tomaban posesión de sus dominios preferidos. El caballero, recostado en su alfombra de algodón de vivos colores, y la dama, medio oculta tras las cortinas. Con los primeros rayos del sol desaparecían.

Esa noche, sin embargo, Anaíd necesitaba pelea, fuese consigo misma o con alguien.

Primero lo intentó consigo misma. Se miró al espejo y se sacó la lengua. No se gustaba nada, nada, nada. Era un engendro. A medio camino entre una niña esmirriada y una joven granuda. Preferir por preferir, se prefería antes de crecer. Antes era una enana. Pero ahora, ¿en qué se había convertido? Ahora era un monstruo. Una bruja capaz de detener una mosca en pleno vuelo, hablar con los lobos, cubrir una bonita cara de granos pestilentes y preferir que la invitasen a una fiesta de cumpleaños antes que pensar en su madre y en la mejor forma de ayudarla.

Era una rencorosa que no perdonaba que su madre no hablase de ella a su novio.

Era una vengativa porque le dolía el engaño de Selene de ocultarle sus amoríos con Max.

Lo cierto era que le escocía la regañina de sus mayores y estaba muerta de miedo ante la empresa que ella misma había propuesto. Había dado un paso adelante sin saber hacia dónde tendría que continuar. Se había ofrecido a buscar a Selene y rescatarla de las manos de las Odish a la brava, por chulería. Pero...

¿Cómo sabría dónde estaba Selene?

¿Y si la encontraba qué haría?

¿Y si Selene no quería ser encontrada?

¿Y si los conjuros no le funcionaban y los que le salían estaban prohibidos por las Omar?

Por eso se había ido por la tangente soñando en ser invitada a la fiesta de Marion.

Puro escapismo.

¿Cómo había podido ser tan superficial?

¿Cómo había podido tener deseos de ir a una fiesta superficial, con gente superficial, cuando su madre estaba prisionera, probablemente estaba siendo torturada y ella, solamente ella, la quería lo suficiente como para sacarla del atolladero y salvarla?

La única explicación posible es que era una chica superficial, sin sentimientos y muerta de miedo. Además de fea, claro.

—¡Cobarde! —se insultó Anaíd delante del espejo.

Y en el mismo espejo vio reflejada la silueta de la dama que, a sus espaldas, se reía por debajo de la nariz. Anaíd no pudo aguantarse.

—¿De qué te ríes? —le espetó.

Esperaba que no dijese nada y continuase riéndose. Era más que evidente que se reía de ella. Anaíd era tan desgraciada que hasta sus propias pesadillas se reían de ella en sus narices, como Marion, como Roc y su pandilla. Pero la dama la sorprendió señalando al caballero y gritando gozosa:

—Me río de él. ¡Él es el cobarde!

El caballero se sonrojó, pero no respondió. Anaíd se desconcertó.

—¿Ah sí? ¿Y por qué es un cobarde?

—¿Me lo preguntas a mí? —sondeó la dama.

—Sí, a ti.

La dama dio un respingo, encantada de poder explicarse.

—Ahí donde lo ves, dejó plantado a su ejército en el desfiladero, dio media vuelta y salió corriendo.

Anaíd no se esperaba una acusación tan fundamentada. ¿Con quién estaba hablando?

—¿Qué ejército?

—El del conde Ataúlfo, que intentó defender el valle ante la acometida de las huestes de al-Mansur.

Anaíd se estaba quedando muy sorprendida. En la escuela de Urt había estudiado ese episodio negro de la historia de los valles. Cuando el malvado al-Mansur-Bi-Llāh penetró a sangre y fuego por el desfiladero arrasando las aldeas y los pueblos a su paso. Y todo por culpa del ejército cristiano que acudió a defenderlo pero que salió huyendo ante el empuje de las tropas sarracenas y la visión de sus afiladas cimitarras.

¿Le estaba tomando el pelo su propia alucinación?

Anaíd se dirigió al caballero, que parecía especialmente cariacontecido, pero que no decía esta boca es mía.

—¿Es verdad lo que dice esa dama?

El caballero levantó cautelosamente la cabeza y miró a Anaíd.

—¿Te diriges a mí?

—Sí.

—Oh, hermosa niña, cuánto te agradezco que me hagas el honor de interpelarme. No sabes cuánto deseaba poder hablar y acabar así con el mutismo de mil diecisiete años. Aburre, sinceramente aburre.

—¿Es cierto lo que ha dicho la dama?

El caballero compungido afirmó con la cabeza.

—Desgraciadamente sí. Mi padre el vizconde me metió en un buen brete dándome el mando tan joven y sin experiencia. Al primer alarido del ejército sarraceno se me heló la sangre en las venas. Debí de salir corriendo y no recuerdo nada más hasta que caí muerto.

Ahí Anaíd sí que se quedó boquiabierta.

—¿Te mataron?

—En efecto, bella niña, la cobardía no me libró de la muerte. Una flecha perdida me sacó de este mundo y la maldición de mi padre me retuvo en él condenándome a vagar por la tierra que eché a perder.

Y con un gesto vago abarcó a su alrededor.

Anaíd le señaló incrédula.

—¿Entonces eres un... espíritu?

—Un espíritu errante, mi hermosa interlocutora. A quien tú puedes ayudar si te muestras generosa.

Anaíd no daba crédito.

—¿Yo?

—¿Puedo hablar?

Era la voz de la dama, un poco impaciente y un poco celosa del caballero que le había robado el protagonismo.

Anaíd le concedió la palabra.

—Mi dulce niña, tú nos puedes ver, tú nos puedes escuchar y tú nos puedes pedir. A cambio, naturalmente, estás obligada a darnos.

Anaíd computó rápidamente.

—Os puedo pedir ¿qué? Y estoy obligada a daros ¿qué?

La dama sonrió.

—Nos puedes pedir deseos imposibles, deseos que los humanos no pueden concebir. Deseos que sólo los muertos pueden hacer realidad.

Anaíd no comprendía.

—¿Sois brujos?

La bella dama negó.

—Simplemente viajamos por el mundo de los espíritus y conocemos todos los rincones que les están vedados a los vivos. No hay secreto que nos pase inadvertido... Lo sabemos todo. Estamos enterados de dónde ocultáis vuestras riquezas, qué secretos escondéis, qué crímenes habéis cometido, qué mentiras pronunciáis y a quién amáis. Podemos susurrar en el oído de un vivo para convencerlo de que su propia voz le guía y podemos crear remordimientos para minar su moral. Podemos desencadenar muchas tempestades.

Anaíd comenzaba a comprender.

—Y si yo os pidiera algo y me lo concedieseis, ¿qué os tendría que dar a cambio?

El caballero se adelantó.

—¡La libertad!

—¿Qué libertad? —preguntó Anaíd sorprendida—. ¿No sois libres?

La dama chasqueó la lengua.

—Estamos condenados a vagar. Queremos descansar, descansar eternamente. Ya hemos pagado nuestras culpas.

Anaíd no podía creer que estuviese platicando con dos almas en pena, sobre todo la dama, tan hermosa y alegre.

—¿Qué culpa arrastras tú?

—La traición. Traicioné a mi amor. Le prometí que le esperaría y cuando regresó de las cruzadas me encontró casada con el barón. Me mató, claro, y me maldijo, por eso estoy aquí.

Anaíd se indignó.

—O sea que además de matarte encima te condenó.

La dama puntualizó:

—Él también vaga por haberme matado.

—Pues que se fastidie —exclamó Anaíd con sinceridad.

En ese caso le pareció una condena muy justa. Menuda cara, matar a alguien por una promesa.

La dama suspiró.

—Ay, bella niña, resulta muy cansado llevar a cuestas tantos lustros, decenios, centurias y milenios de inactividad. El caballero cobarde y yo, la dama traidora, deseamos tanto poder descansar...

Anaíd se iba convenciendo de que los dos espíritus no formaban parte de su bagaje imaginativo ni eran ninguna pesadilla. Tenía ante sí a dos pobres fantasmas dispuestos a complacerla a cambio de que ella les librase de sus cadenas.

¿A qué esperaba?

Le habían dicho que lo sabían todo, todo.

¡Fantástico! Precisamente lo que ella necesitaba era información.

Se hizo la interesante.

—Pues, estoy dispuesta a entrar en tratos con vosotros si me ayudáis.

Consiguió lo que pretendía. Expectación total. Los dos bebieron de sus palabras.

—¿Y bien?

—Nos tienes dispuestos a escucharte y a complacerte.

—¿Sabéis lo que es una bruja Odish?

—Naturalmente.

—Nos comunicamos con las brujas Odish.

—Tú eres una bruja Odish.

Anaíd interrumpió a la dama, indignada.

—¿Cómo se te ocurre decir que soy una Odish?

—Perdona, bella niña, yo creía...

—Soy una bruja Omar, de la tribu escita, del clan de la loba, hija de Selene, nieta de Deméter.

El caballero y la dama se miraron consternados por haberla hecho enfadar.

—Como tú digas, hermosa niña, hija de Selene.

—Nieta de Deméter.

—Te pedimos disculpas por haber creído que eras una bruja Odish.

—Aceptamos tu condición de Omar, hija de Selene.

—Nieta de Deméter —repitió de nuevo el caballero como entonando una letanía.

—A callar, basta ya de peloteo —les cortó Anaíd, mosqueada por el exceso de sumisión que tenía un no sé qué de chirigota.

Observó sorprendida que, tras su orden tajante, los dos espíritus callaron en el acto sin ninguna intención de continuar hablando. Entonces recordó que no podían dirigirse a ella si ella no los interpelaba. ¿Era sólo la primera vez? ¿O siempre necesitaban su permiso para hablar? Eran espíritus obedientes, pero no muy inteligentes. ¡Confundirla a ella con una Odish!

—¿Tan fea soy para que me confundáis con una Odish?

—¿Nos preguntas, hermosa niña?

—Sí, contestadme.

El caballero se lanzó:

—Por lo que parece, no conoces a demasiadas brujas Odish. Te puedo asegurar que son tan hermosas que el sol a su lado palidece.

Anaíd se quedó patidifusa.

—Entonces, ¿no son viejas, arrugadas, con verrugas en la nariz y pelos en la barbilla?

La dama se echó a reír como una loca.

—¡Que me muero, que me muero otra vez de la risa!

Anaíd se mosqueó. Quizá fuera una descripción de cuento de niños, pero... ¿qué otra referencia tenía? Y ahora que pensaba en ello, ni tía Criselda ni ninguna de las brujas de su *coven* le había descrito jamás a una Odish.

El caballero se permitió una aclaración.

—Si me permitís, hermosa niña, eso no es más que una fantasía popular. Las Odish son los seres más poderosos, ambiciosos y narcisistas entre los que pueblan la tierra. Adoran la juventud, la inmortalidad y la belleza.

Anaíd se sintió un poco idiota. El caballero tenía toda la razón. ¿Habría algún ser superior tan estúpido como para cargar con un cuerpo viejo y desagradable para toda la eternidad?

Si lo miraba desde ese punto de vista, los espíritus le habían echado un piropo confundiéndola con una Odish. Aunque... tendría que desconfiar un poquito.

—Perdonad, aún soy muy joven y no he visto nunca a una bruja Odish.

La dama sonrió por debajo de la nariz. Ese gesto no le gustaba nada a Anaíd.

—¿De qué te ríes? ¿Todo lo que digo te hace gracia?

—No, mi señora, pero creo que sí que conoces a alguna Odish.

Anaíd palideció.

—¿Quién?

La dama, esta vez, negó con la cabeza.

—Lo siento, pero esa información nos podría resultar peligrosa. Las Odish no desean que hablemos de ellas. Ni siquiera entre las mismas Odish.

De lo cual, Anaíd dedujo que los espíritus eran servidores de las Odish. Tendría que ir con pies de plomo con esos dos.

—Pues no hay trato.

Anaíd vio que, a pesar de su firmeza, ninguno de los dos espíritus replicaba, regateaba ni ofrecía nada a cambio. Decididamente eran obedientes.

O sea que optó por ceder ella misma. En realidad lo que quería saber era otra cosa.

—Está bien, no hablemos de las Odish. Os haré otra pregunta.

Los espíritus sonrieron esperanzados, con ganas de ayudarla y, claro está, ayudarse.

—¿Dónde está Selene, mi madre?

El caballero y la dama se miraron de nuevo y se entristecieron.

—Hermosa niña, sabes que está con las Odish.

—Claro que lo sé, pero ¿dónde?

El caballero carraspeó.

—Nos debemos a la discreción, mi señora. Podemos ser castigados por nuestra indiscreción.

—Dadme una pista, algo.

Los espíritus intercambiaron un gesto de connivencia, aunque parecían asustados.

—¿Nos prometes que nos liberarás?

Anaíd no lo pensó dos veces.

—Os lo prometo.

—¿Y nos prometes que no dirás a nadie de dónde procede tu información?

—Prometido.

El caballero musitó con voz queda y algo ronca:

—Donde las aguas relentecen su curso y los mortales pierden pie, las cavernas unen los mundos. Selene te hablará, pero no te será permitido verla.

—Su reflejo sólo te será retornado a través de las aguas —añadió la dama.

Anaíd hizo sus propias deducciones.

—¿Os referís a la laguna negra? ¿Es eso?

Pero ante su estupor, el caballero y la dama fingieron gran asombro.

—No sabemos de qué hablas, bella niña.

—¿Cómo que no? Pero si acabáis de decirme...

—¿Nosotros? —exclamó la dama.

—Te confundes, bella niña. ¡No hemos dicho nada!

Anaíd se molestó.

—Pero bueno, ¿a qué viene negar que habéis hablado?

—Es que no hemos hablado.
—Ha sido pura sugestión tuya.
—O tal vez un sueño.
—Pero yo os he oído.
—Sí que lo sentimos, hermosa niña.
—Hija de Selene.
—Nieta de Deméter.
Anaíd se mosqueó definitivamente.
—¡Por mí podéis iros a la porra!
Y ante el asombro de Anaíd, los dos espíritus desaparecieron.
Anaíd no quiso llamarlos de nuevo. Estaba claro que o bien se arrepentían de haber hablado, o bien formaba parte de su manera mentirosa de no vivir. Al día siguiente iría a la laguna negra.
Y mientras intentaba conciliar el sueño, le venía a la cabeza una y otra vez una pregunta tonta. Ese tipo de preguntas tontas que distraen de las preguntas serias sin respuesta, pero que no dejan dormir.
¿Existía la porra?

PROFECÍA DE TRÉBORA

Oro noble de sabias palabras labrado,
destinado a las manos que aún no han nacido,
triste exiliado del mundo por la madre O.

Ella así lo quiso.
Ella así lo decidió.
Permanecerás oculto en las profundidades de la tierra,
hasta que los cielos refuljan y los astros inicien su camino.
Entonces, sólo entonces, la tierra te escupirá de sus entrañas,
acudirás obediente a su mano blanca
y la ungirás de rojo.

Fuego y sangre, inseparables,
en el cetro de poder de la madre O.
Fuego y sangre para la elegida que poseerá el cetro.
Sangre y fuego para la elegida que será poseída por el cetro.

El cetro de O gobernará a las descendientes de O.

12. El camino hacia Selene

Anaíd se calzó sus botas, se caló su gorra y cargó su mochila. Metió dentro un poco de pan y queso, unas naranjas, un puñado de frutos secos y un botellín de agua. La excursión hasta la laguna le llevaría un par de horas, pero no sabía cuánto tiempo debería permanecer allí hasta conseguir comunicarse con Selene.

Su abuela Deméter le había enseñado que cualquier precaución es poca. La montaña atrapa a los que se atreven demasiado. La prudencia debe ser la mejor consejera del que osa desafiarla y los que no saben o no quieren leer sus avisos acaban pagando con su vida. Deméter los señalaba cuando aparecían en Urt con sus enormes mochilones y sus miradas extraviadas. Eran chalados temerarios, obcecados en coronar las cimas, y acababan por volverse ciegos, sordos y locos. Les acometía la locura de las cumbres y en su empeño perdían dedos, manos, pies y la vida. Deméter le había narrado historias de montañeros congelados, atrapados en la nieve, alcanzados por los rayos, perdidos, despeñados y devorados por los lobos. Si Deméter hubiera estado viva, le hubiera obligado a incluir en su equipo unas cerillas, una cuerda, un mosquetón, una brújula, una capelina, un cohete y un jersey. Pero Anaíd tuvo que cargar con un objeto que no estaba previsto.

—¡Ayyy! —gritó asustada a punto de salir de casa.

Una bola peluda había saltado sobre su espalda y se agarraba firmemente a su mochila con las uñas. Era Apolo, el cachorrillo juguetón, que no estaba dispuesto a quedarse sin la compañía de Anaíd y había saltado sobre ella desde el perchero del recibidor.

—Muy mal, Apolo —le riñó Anaíd—. No puedes venir. Baja.

Sin embargo Apolo se hizo el sordo.

—Miauuuu, miau, miiiiiiaaaaú —pronunció con un excelente acento Anaíd en la lengua de Apolo.

Y Apolo levantó sus pequeñas orejitas, sin poder creerse que su dueña le hubiese reñido en su propia lengua, y disculpó su comportamiento atolondrado.

—Miau, miieu.

Anaíd aceptó sus disculpas con una sonrisa y una caricia en la nuca. Ella no estaba tan sorprendida como el gatito; a menudo tenía que reprimirse para no gorjear como un gorrión, balar como una oveja, cloquear como una gallina o rebuznar como un asno. La madrugada anterior, sin ir más lejos, respondió al gallo de doña Engracia con dos quiquiriquís rotundos para obligarle a callar por escandaloso. Y hasta tía Criselda se quejó de buena mañana del gallo que la había despertado, sin saber que había sido su sobrina. Anaíd no se atrevía a comentar con tía Criselda su capacidad de comprender a los animales y su recién estrenada habilidad de hablar como ellos. Escuchando, como era su obligación, se había dado cuenta de que ninguna de las otras brujas los comprendían. Exceptuando el aullido de los lobos, su propio clan era incapaz de descodificar siquiera los simples ladridos de un perro.

Lo malo fue que Anaíd acabó por enternecerse con los lamentos de Apolo precisamente por comprenderlo. No quería quedarse solo, no quería que tía Criselda le riñera. Con un suspiro lo introdujo en su mochila y puntualizó con maullidos:

—Puedes venir porque eres pequeño y apenas pesas, pero en cuanto engordes se acabó.

Y emprendió la marcha pensando que era un buen augurio. Ahora que interpretaba los signos del mundo que la rodeaba, se daba cuenta de que los azares nunca eran fortuitos. Le vendría bien la compañía de Apolo. La haría sentir menos sola.

Por desgracia apenas se fiaba de nadie. Había optado por mentir a tía Criselda, dejándola creer que iba de excursión con la escuela, y en la escuela mintió a Gaya, insinuándole que tía Criselda la necesitaba.

Intuía algo extraño en el comportamiento de Criselda. VEÍA signos que la inducían a pensar que Criselda no la ayudaría en su propósito de comunicarse con Selene y que posiblemente lo entorpecería. Tampoco se fiaba plenamente de Elena ni Karen, y por lo que respectaba a Gaya, comenzaba a dudar hasta de su lealtad al clan y a la tribu.

Por un momento, sólo un instante, una duda fugaz la molestó.

¿Podía ser Gaya una Odish?

Cruzó el puente y ascendió lentamente por el atajo que serpenteaba la ladera este del monte y conducía hasta los puertos. A medida que subía por la escarpada pendiente y dejaba el valle a sus pies, confirmaba que esa luz tenue que últimamente había entristecido las mañanas de primavera y que había atribuido a una neblina persistente era muy, muy extraña.

Desde que su madre desapareció, desde que llegó tía Criselda, Anaíd había ido percibiendo cambios en el paisaje circundante. En ocasiones le faltaba el aire, lo sentía pesado y enrarecido, ausente de frescura. En otras percibía la luz matinal algo turbia, privada de contrastes y tamizada de gris. Desde el bosque, desde la cueva, desde el pueblo carecía de perspectiva, pero ahora hubiera jurado que el valle estaba prisionero en una ilusión irreal, fantasmagórica. No era ningún fenómeno natural.

Continuó adelante sintiendo una inquietud cada vez mayor. Se acercaba a algún lugar peligroso, inconveniente, y no quiso mirar atrás. Estaba a punto de llegar al puerto que comunicaba los valles, una antigua ruta de contrabando que los lugareños hacían a lomo de mula. Apolo, desde la mochila, comenzó a maullar. Tenía miedo. Anaíd también. Hasta que ya en lo alto no pudo seguir. Era imposible franquear el paso, algo le impedía mover las piernas. Los pies eran plomo y estaban tan firmemente sujetos a la tierra que no podía levantarlos. Le faltaba el aire, se le nublaba la vista y sentía deseos de dar media vuelta y salir huyendo ladera abajo dejándose caer, rodando como una piedra. A punto estuvo de obedecer a su primer impulso, pero la imagen de Selene la retuvo en su lugar.

Para seguir adelante y avanzar en su camino necesitaba una fuerza de la que carecía. Toda su voluntad la empleaba en vencer el vértigo que la impelía a dejarse caer. No podía ceder a su flaqueza, necesitaba un empujón, un convencimiento de que podía vencer ese obstáculo.

Fue la abeja quien le solventó el problema.

Efectivamente, la abeja revoloteó junto a la cabeza de Anaíd y continuó adelante con su zumbido superando el escollo sin vacilar. Anaíd comprendió perfectamente el significado del mensaje de la abeja. Se comunicaba con sus compañeras y les anunciaba su llegada a la colmena. No había ningún peligro.

Era exactamente lo que Anaíd necesitaba, convencerse de que su miedo era infundado y que sólo con coraje llegaría hasta donde se lo propusiese.

Así pues, cerró los puños, apretó los dientes, levantó un pie, alzó una pierna y dio un paso; luego otro, y otro. Sus pasos eran cada vez más resueltos, cada vez más potentes. Avanzaba pensando en Selene, en el cabello de Selene, en la risa de Selene, en las manos de Selene, y eso la hacía sentirse viva y fuerte. Pronto, los pasos se fueron transformando en ágiles zancadas que desembocaron en una carrera apresurada.

Anaíd corrió, corrió, y sintió cómo rompía la barrera. Primero notó un objeto duro, frío, igual que una niebla espesa de la consistencia del hielo del lago al congelarse. Chocó contra ella y sintió un crujido. Fue como topar con un cristal, pero no se arredró y con la cabeza gacha, como los toros al embestir, sintió cómo a su alrededor se resquebrajaba algo. Eso la animó a continuar adelante sin amilanarse, pero al dar el último paso sintió una fuerte punzada en la pierna izquierda, dio un salto y cayó al suelo aturdida por el dolor.

¡Lo había conseguido! Fuese lo que fuese esa muralla que había franqueado, ahora sentía la frescura del aire primaveral sobre el rostro, el intenso aroma de los brezos en flor y la luz cálida del sol sin tamices ni filtros. La barrera que le impedía el paso se había derrumbado con el choque de su cuerpo. ¿Era un conjuro? Estaba casi segura de que se trataba de un conjuro de su propio clan para protegerla. Y ahora ella lo había destruido.

Pero lo había hecho por una buena causa, para comunicarse con Selene. Intentó sonreír e infundirse ánimos. Apolo asomó por la mochila, la saludó con un maullido afectuoso y Anaíd lo acarició con ternura. No estaba sola, habían pasado los dos. Tan sólo tenía una duda. ¿Había resquebrajado la muralla o simplemente había abierto un boquete?

Se puso en pie para comprobarlo, pero al hacerlo cayó aullando de dolor. ¡La pierna! Era como si una alambrada de púas le hubiese arrancado un pedazo de carne.

Se remangó el pantalón con cuidado y, ante su sorpresa, descubrió que no tenía ninguna herida. La piel estaba intacta, no sangraba ni había señal alguna del hiriente cuchillo que había imaginado que laceraba su carne. ¿Era sugestión? Hizo un segundo intento para ponerse en pie, pero la pierna dolorida apenas la sostenía. Se mordió los labios para distraer el intensísimo dolor. Necesitaba hacer algo, calmarse, se sentía desesperar y, si no le ponía remedio, se desmayaría.

Deméter había explicado tiempo atrás a Anaíd que la lucidez es un estado de gracia que acontece únicamente en los momentos de más peligro. El cuerpo envía las señales de alarma al cerebro y activa todas las conexiones neuronales. La vista, el oído, el olfato y el tacto se agudizan hasta niveles insospechados.

A Anaíd debió de sucederle eso, o bien tenía una rara cualidad que le permitía activar sus sentidos cuando realmente lo deseaba y lo necesitaba. El caso es que olió las setas enterradas bajo la hojarasca que circundaba el roble. Se arrastró sirviéndose de los brazos y las desenterró. Su olfato y su vista no la habían traicionado. Escogió las setas que Deméter le había enseñado a utilizar para mitigar dolores y traspasar los estados de conciencia.

Los efectos dependían de las cantidades que se ingiriesen, así que Anaíd lamió la caperuza punteada de la seta y, a través de la saliva, la anestesia se extendió rápidamente por todo su cuerpo produciéndole un cosquilleo muy agradable. Lamió de nuevo con precaución y masajeó repetidamente su pierna musitando una letanía que había oído recitar a su abuela. La pierna herida respondió a la medicina y a sus manos. Al cabo de unos minutos, el dolor desapareció completamente.

Guardó la seta en su mochila tras prohibirle a Apolo que la probara y se dispuso a continuar.

Miró atrás. Nada le hacía suponer que no pudiera regresar por donde había venido. Miró su reloj. Le quedaba todavía una hora de camino hasta la laguna. ¿Sería prudente continuar adelante? ¿Se estaba comportando como esos montañeros locos que, a pesar del viento del norte preñado de malos augurios, continuaban impasibles su ascensión y morían atrapados en las cimas?

Escuchó su voz y se dejó aconsejar por su instinto. La barrera que había conseguido romper no constituía ninguna señal que le brindara la montaña. Era una señal de brujería, obra de la magia. Se estaba acercando a Selene y lo único que cabía era continuar adelante.

Llegó a la laguna negra cuando el sol estaba muy alto. Su marcha había sido más lenta y costosa de lo que había previsto. Se sentía exhausta y hambrienta, pero satisfecha, y se sentó a la vera de los juncos, en una roca desde donde divisaba el panorama.

La laguna era sombría y sus aguas muy oscuras por efecto del fango y la vegetación. En ese recodo del valle que conducía a los lagos, el agua del río entorpecía su marcha y se dispersaba en mil meandros tortuosos que invadían todos los rincones. A su paso, la esponjosa tierra se convertía en lodo y el lodo se alimentaba de incautos que quedaban apresados en sus zarpas. Anaíd no sería una de ellos. Se guardaría bien de aventurarse en el terreno pantanoso.

Sujetó a Apolo y sacó su bocadillo y el botellín de agua. Necesitaba reponer fuerzas para enfrentarse a la tarea que se había propuesto.

Comió lentamente, saboreando cada bocado. Se dejó adormecer por el viento y escuchó el arrullo de los juncos. A lo lejos, rebotando en las escarpadas laderas de la cumbre, se oía el grito del águila disponiéndose a atrapar a su presa. Casi sin darse cuenta, Anaíd le respondió.

¡Vaya! Cada vez hacía cosas más raras.

¿Se estaba convirtiendo en un bicho raro?

A medida que se zambullía en la brujería, se daba cuenta de que sí.

Había sido una niña rara, estaba comenzando a ser un chica rara y, sin duda, era una bruja rara.

Resolvió no pensar en ello. Había comido, había descansado y había llegado el momento de intentar comunicarse con Selene. ¿Cómo? Y al guardar el papel arrugado de su bocadillo en la mochila, halló la seta.

¿Era casualidad? Criselda le había enseñado que las casualidades no existen. Los objetos, las personas o las circunstancias que nos salen al encuentro se cruzan en nuestro camino por alguna razón. Lo importante es comprender cuál es el motivo y saber hacer el uso adecuado. LEER el mundo era una tarea compleja. La seta la estaba esperando a ella. Fue a parar a su mochila por alguna razón y ahora, al hallarla, le estaba diciendo algo. Le decía: «Aquí me tienes, cómeme».

¡Claro! La seta era la linterna que iluminaría el camino para encontrar a Selene. Ya no se trataba de lamer cautamente, sino de ingerirla.

Anaíd mordisqueó un trocito y dejó pasar un tiempo prudencial, un tiempo suspendido en el tiempo que alteró su conciencia, la dotó de una mirada diferente y le infundió el valor que necesitaba para adentrarse en los peligros de la laguna.

ERA ELLA,
PERO NO ERA ELLA.

Anaíd se puso en pie, tomó su vara de abedul y advirtió a Apolo con un par de maullidos contundentes que no la siguiese. Se puso en marcha cautelosamente tanteando el terreno con su vara de abedul extendida ante ella. Debía buscar el lugar donde, según los espíritus, se comunicaban los dos mundos.

Avanzaba de roca en roca, lentamente, muy lentamente, despojándose del oído, de la vista y del tacto. Actuaba por instinto, siguiendo la guía de su vara que se agitaba en una u otra dirección y la arrastraba tras ella. Hasta que la vara se detuvo y le indicó el punto exacto donde debía permanecer.

Anaíd canturreó una tonada antigua y golpeó rítmicamente con su vara una y otra vez. En ese tránsito, se desprendió de su propio cuerpo y se volcó en sus recuerdos, en las imágenes de Selene, en la voz de Selene, en el rojo intenso del color de los cabellos de Selene, en la blancura de su risa, en la fuerza de su abrazo. Anaíd la llamó, gritó una y otra vez su nombre y deseó ardientemente verla, tocarla, oírla. Se sentía cerca de ella.

Y de pronto... la caída.

Anaíd percibió que bajo sus pies sólo se hallaba el vacío.

Anaíd cayó, cayó, cayó.

Cada vez más deprisa, cada vez más vertiginosamente, rodeada de oscuridad y silencio.

Caía en picado por un abismo sin fondo. La angustia la atenazaba y paralizaba su cuerpo.

Y cayó, cayó, cayó durante un tiempo que se le hizo eterno, y mientras se hundía en la nada, insegura y pequeña, tanteó el vacío, desesperada, buscando algún lugar al que sujetarse.

A punto ya de perder la esperanza, oyó un maullido a su lado. ¡Apolo! Apolo la había desobedecido y caía con ella. ¡Oh, no! ¡Apolo!

Anaíd se olvidó de sí misma y la fuerza que la había abandonado regresó a ella permitiéndole alcanzar a Apolo. Fue fácil. En el momento en que pensó en el gatito y extendió sus brazos para detenerlo, sintió cómo la velocidad de su caída se amortiguaba.

Su miedo.

Había perdido el miedo al recuperar a Apolo. ¡Era eso! ¡El miedo la hacía caer al abismo!

Abrazó el cuerpecillo tembloroso de Apolo y lo tranquilizó meciéndolo entre sus brazos.

Y comprendió que el encuentro dependía de su determinación.

Ahora no sentía miedo. Deseaba ver a Selene. No temía la incertidumbre ni la oscuridad, no temía el vacío ni la nada. Extendió su mano con firmeza y la llamó de nuevo.

Allí estaba, efectivamente, una mano a la que sujetarse.

Se asió a ella y quedó suspendida en el vacío. Anaíd contuvo la respiración cuando identificó la mano que había frenado su caída. Era suave y fría, pero era la mano de Selene. La reconocía por su olor, aunque el tacto y la pulsión habían cambiado: era una mano nerviosa y temblorosa que a cada instante pugnaba por retirarse. No lo hizo porque el deseo de Anaíd de que permaneciese ahí era tan fuerte, tan poderoso, que hasta la mano de Selene la obedeció.

Finalmente Selene habló. Su voz sonaba tan temblo-

sa e insegura como su mano y el espacio que habitaba. La oscuridad impregnaba su voz y la privaba de la alegría y la frescura que Anaíd recordaba.

—No vengas, Anaíd, no me busques. Aléjate, Anaíd, no te acerques más.

La fuerza de la voz triste y la mano temblorosa pudieron más que la voluntad de Anaíd y la arrancaron de aquel cobijo, rechazándola y lanzándola lejos, muy lejos del pozo de oscuridad.

El maullido de Apolo le partió el corazón. Apolo caía pozo abajo sin que Anaíd, catapultada hacia la luz, pudiese hacer nada para rescatarlo.

Luego, el mundo se fundió y Anaíd perdió la conciencia.

Despertó horas después, dolorida y asustada. Alguien le ofrecía agua y le acariciaba el rostro.

—Mamá —musitó aún entre sueños.

Pero al abrir los ojos vio que no estaba en la laguna. Estaba en la fuente, junto al camino, y las manos que la acariciaban eran las de la señora Olav.

—Por fin. ¿Cómo te encuentras, bonita?

Anaíd no pudo responder de inmediato. La sacudió un escalofrío y le vino a la memoria la mano que la había acariciado horas antes. Era fría, glacial, era la mano de su madre, pero estaba falta de amor. Apretó los puños hasta clavarse las uñas y hacerse sangrar. Su madre no la quería, la había rechazado. Selene la había echado de su lado y le había prohibido acercarse.

—¿Tienes frío? Anda, tápate.

Y la cubrió con una manta que sacó de su todoterreno. Anaíd agradeció su calor y, protegida por la manta y por la presencia de la señora Olav, se abandonó a la conmoción del encuentro. Sollozó, primero débilmente.

—Llora, llora, bonita, llorar ayuda.

Anaíd no se hizo rogar. Se dejó acunar en los brazos de la señora Olav, agitada por un llanto cada vez más intenso, más dramático. Lloraba porque su madre la había echado de su lado, porque había perdido a su gato, porque se sentía sola y pequeña en un mundo que siempre había creído seguro pero que ahora se le aparecía poblado de trampas y peligros. Lloraba porque no era justo que todo le saliese mal. Que primero muriese su abuela, que luego desapareciese su madre y ahora que la tierra se tragase a su gato. Lloraba porque era fea, porque nadie la quería y siempre se equivocaba.

Cuando ya hubo llorado suficiente por todas las desgracias pasadas y futuras que podrían acontecerle, comenzó a sentirse descansada.

—Gracias —y agradeció así a la señora Olav todo su cariño.

Era justo lo que necesitaba. Necesitaba unos brazos cálidos y vivos donde refugiarse para fundir el hielo que había impregnado su corazón.

La señora Olav le respondió con una sonrisa encantadora.

—¿Tienes hambre?

Y de pronto Anaíd se percató de que había anochecido y de que su tía la estaría buscando.

—¡Tengo que volver a casa!

Se puso en pie y sorprendentemente la pierna no le dolió. La señora Olav intentó detenerla.

—Espera, a lo mejor te has roto algo, debiste de caer por el torrente; déjame que lo compruebe.

Y mientras la señora Olav la obligaba a mover sus articulaciones una a una, Anaíd notó que tenía la ropa mojada, desgarrada, y el cuerpo lleno de magulladuras.

—Estás bien, ha sido un milagro. Ven, te llevaré a tu casa. Tengo el coche aquí.

Bendita señora Olav. Discreta, cariñosa y prudente.

—¿Cómo me ha encontrado?

—Habíamos quedado en vernos esta tarde, ¿recuerdas?

Anaíd lo había olvidado completamente.

—Lo siento.

—En el pueblo me dijeron que te habían visto dirigirte sola hacia la laguna a primera hora de la mañana. Al ver que no regresabas, me asusté y vine a buscarte. Estabas inconsciente junto a la pista.

Anaíd tenía ganas de explicárselo todo, pero se contuvo. La señora Olav la ayudó a subir al vehículo.

—¿Quieres explicarme algo?

Anaíd negó con la cabeza. No sabría por dónde empezar.

—¿Y esas lágrimas?

—Mi gato, caímos juntos.

—Pobrecilla. Te regalaré otro.

—A lo mejor está perdido en la montaña.

—¿Quieres que vengamos a buscarlo mañana?

Anaíd sonrió esperanzada.

—¿Lo haría?

—Pues claro, con el Land Rover es un momento. Mañana es sábado y no tienes escuela. Te pasaré a buscar después de desayunar y podemos comer juntas en los lagos.

Anaíd sintió cómo se le ensanchaba el corazón de dicha.

—No traigas comida. Ya me encargo yo del *picnic.*

Tía Criselda era acogedora, pero sólo eso. Anaíd en sus brazos sentía una dulzura tibia, pero no un apoyo como el que le daba la señora Olav.

Cristine Olav le transmitía la seguridad y el afecto que Anaíd necesitaba.

13. *¿Quién es la señora Olav?*

Anaíd abrió la puerta de casa tarareando una canción. La señora Olav la había *abrazado de verdad,* la había *comprendido de verdad* y había conseguido hacerle olvidar completamente la terrible desolación que la había invadido después de que su madre la rechazase.

Pero su paz se evaporó al encontrarse con la mirada adusta de cuatro mujeres angustiadas que la cogieron en volandas, la metieron en la sala, la arrinconaron contra la pared y cerraron tras ellas puertas, postigos y ventanas a cal y canto.

Luego irrumpieron en miles de preguntas sin orden ni concierto. Anaíd apenas podía distinguir sus voces superpuestas.

—¿Qué te ha hecho?

—¿Desde cuándo?

—¿Qué le has explicado?

—¿Qué te ha prometido?

—¿Qué te ha pedido?

—¿Qué nombre te ha dado?

Anaíd se tapó los oídos. Todas hablaban a la vez, excitadas, enfadadas, alarmadísimas. Anaíd pensó que se referían a su aventura.

—He conseguido hablar con ella, pero me ha rechazado.

—¡Si acabas de bajar de su coche!

Anaíd no comprendía nada.

—¿De quién habláis?

Criselda levantó la voz por encima de las demás:

—¡¡¡De Cristine Olav!!!

Anaíd se indignó.

—¿Me habéis estado espiando?

—¡Ojalá! —exclamó Karen.

Anaíd se sintió morir. Lo único que le aportaba felicidad, su amistad con Cristine, ahora resultaba que no era del agrado de su tía ni de las amigas de su tía.

—Fíjate, mi pobre niña, está magullada. ¿Y esa ropa?

—Me caí yo sola, ella no estaba. Me comuniqué con Selene y...

Sin embargo en ese momento a nadie le interesaba Selene.

—¿Cómo te encontró?

—Sabemos que os habéis estado viendo.

—¡Todo el pueblo lo sabía menos nosotras!

—¡Has bajado de su coche!

Anaíd se encendió.

—Pues aunque no os guste la señora Olav, yo pienso continuar viéndola, tengo derecho a escoger a mis amigas, tengo derecho a...

—¡Es una Odish, niña tonta! —la interrumpió Gaya.

Anaíd se calló en seco. Su alegato a favor de sus derechos —que tan bien le estaba saliendo— se le quedó balbuceante, colgando de la lengua.

No, no podía ser. Era absurdo que la señora Olav fuese una Odish. Karen le cogió las manos y leyó su pensamiento.

—Anaíd, ya sé que ahora no nos crees ni una palabra, pero aunque te parezca ridículo, recuerda sólo si te ha regalado algo.

Anaíd mostró inconscientemente la pulsera de bisutería que le había regalado una semana antes.

—Quítatela —le ordenó Elena— y déjala ahí encima —le señaló una mesa.

Anaíd dudó. Se negaba a aceptar lo que decían. No, la señora Olav la quería, la señora Olav la protegía, la señora Olav la abrazaba porque era cálida y afectuosa. No, no podía ser una Odish. No obstante se quitó su pulsera.

Una vez la hubo dejado sobre la mesa, Elena colocó las manos extendidas encima y recitó una letanía con los ojos entornados. Sus manos temblaban como un sensor mientras se acercaban despacio, muy despacio a la pulsera, hasta que en un momento determinado se paralizaron como si hubieran topado con un obstáculo. Elena dejó escapar un levísimo grito y mostró la palma de las manos quemadas. Anaíd se horrorizó. Criselda, Karen y Gaya acudieron junto a Elena y extendieron sus manos pronunciando la misma salmodia. Poco a poco los cuatro pares de manos fueron acercándose a la pulsera y venciendo el embrujo que antes había quemado a Elena. Anaíd notaba asombrada la inmensa fuerza que ejercían las cuatro. Sin dudarlo, aproximó sus propias manos a las otras y concentró su voluntad en vencer esa resistencia que ahora palpaba como un acero ardiente, similar y al mismo tiempo opuesto al que había salvado esa mañana en el paso de la laguna. Un segundo después, la resistencia caía y el sortilegio se diluía en la nada.

—Gracias —suspiró Elena, agotada.

Anaíd se abstuvo de comentarios. Tenía un gusto agrio en la lengua. Saboreaba la acritud del desencanto.

—¿Por qué decís tan seguras que es una Odish?

—Las Omar ya iniciadas y adultas podemos distinguir a las Odish nada más verlas.

—¿Y las niñas y las jóvenes no?

—No. Por eso necesitáis el escudo protector. No sólo no podéis defenderos, sino que no podéis ni distinguirlas.

—¿Y cómo se distinguen?

—Por su olor.

—Por el sonido de su voz.

—Por la mirada.

—Ya lo irás aprendiendo.

—Son inconfundibles.

—No hay ninguna duda.

Entonces... ¿era cierto? ¿La señora Olav pretendía desangrarla? ¿La señora Olav la atraía con subterfugios para poseer su fuerza? ¿Quería servirse de su juventud para alimentar su belleza y su piel tersa?

No.

No podía aceptarlo sin más. Hacía apenas unos minutos creía que la felicidad residía en apoyar la cabeza en su pecho y dejarse adormecer por el arrullo de su voz.

¿Había estado en peligro?

Cristine era sinónimo de cariño. No la temía, al revés. La fascinaba. Hubiese sido su víctima sin rechistar, se hubiese ofrecido estúpidamente al sacrificio.

¿Era así como actuaban las Odish?

Entonces... había sido víctima de un engaño. Y necesitaba tiempo para asimilarlo, para resituar sus afectos y encajar el golpe.

Karen no la dejó relajarse.

—¿Algo más, Anaíd?

—Haz memoria.

—¿Has comido estando con ella? ¿Te invitó a probar algo que llevase preparado?

Anaíd sonrió nerviosa.

—No, siempre hemos merendado en la granja de Rosa.

En eso había sido muy prudente. Deméter le enseñó de niña a no aceptar jamás dulces, golosinas ni comida. Había aceptado la pulsera, pero rechazó unas peras confitadas al vino que la señora Olav había comprado para ella. Y de pronto se acordó.

—¡Los bombones! Ella me regaló los bombones, pero a mí no me gustan y los dejé por ahí.

Criselda palideció y se llevó las manos al estómago.

—Me los comí todos yo.

Elena la corrigió.

—Todos no. Yo me zampé un par.

Karen y Gaya respiraron tranquilas. Eran poco golosas.

Tía Criselda, muy alterada, intentó olvidar los bombones y continuó insistiendo.

—¿Siempre habéis estado en sitios públicos? ¿Nunca te ha propuesto ir las dos solas al bosque, a los lagos o a algún otro lugar aislado?

Anaíd negó.

—Mañana teníamos que ir a los lagos.

Criselda se tiraba de los pelos.

—¡Qué tonta he sido! Dejarla salir sin escudo. Sin vigilancia. Ha sido culpa mía. Y esos bombones...

Anaíd también se sentía avergonzada. Ella había ocultado esa amistad. ¿Por qué? ¿Se lo sugirió la misma señora Olav? Pues claro, exactamente como le había sugerido actuar por su cuenta hechizando a Marion y como le había sugerido enemistarse con su tía por causa de su madre. ¿Era ésa su táctica? ¿Sembrar cizaña?

—Mañana me pasará a buscar temprano.

Tía Criselda la abrazó.

—Mañana tú y yo estaremos muy lejos.

Karen hizo la pregunta fatídica con tal gravedad que hasta a Anaíd se le puso la carne de gallina.

—Dime, Anaíd, en tus sueños, mejor dicho, en tus pesadillas, ¿has soñado con un estilete que se clavaba en tu corazón y que te producía un dolor agudo, intenso, muy hondo?

Criselda se adelantó y negó con la cabeza:

—Ni una gota de sangre en su ropa. De eso me hubiera dado cuenta.

Anaíd también lo negó, pero Karen no quería perder un instante.

—Desnúdate, quiero revisarte centímetro a centímetro. Tu aspecto no me gusta nada.

Anaíd se quitó la camiseta, los pantalones y entonces fue ella la que gritó señalándose el sujetador.

—¡Me lo regaló ella!

De nuevo las cuatro mujeres se negaron a tocarlo.

—Quítatelo y déjalo en el suelo.

Anaíd, temblorosa, lo dejó caer.

—Lo compró en la mercería de Eduardo —aclaró, si bien en ese momento ni ella misma lo creía.

Gaya lo examinó prudentemente.

—No tiene marca y nunca había visto este diseño. Demasiado original para que lo tenga Eduardo.

—¿Sentiste alguna vez el deseo de tener un sujetador así? —sondeó Criselda.

—Piensa, seguro que viste un modelo parecido que te gustó. Seguro.

—Las Odish pueden reproducir nuestros deseos.

—¿Cómo? —preguntó Anaíd asustada.

—Se sirven de los muertos, de los espíritus que lo saben todo.

Anaíd cayó en la cuenta de que una noche en su habitación ojeó una revista de moda en la que salía un modelo parecido. Cerró los ojos y reprodujo la escena. Ella estaba recostada en la cama y pensaba en Selene. Entonces, en la revista, vio la ropa interior que lucía una modelo joven y pensó que, si se lo hubiera pedido, Selene se lo hubiera regalado. Estaba sola, pero... en el *kilim* se sentaba indolentemente el caballero cobarde, y tras las cortinas sonreía burlona la dama traidora.

Eso quería decir que el caballero y la dama la espiaban y podían leer sus pensamientos o... interpretar sus deseos. ¡Miserables!

—Sí —contestó con un punto de enfado en la voz—. Soñé con un sujetador muy parecido.

—Me lo imaginaba.

Dicho esto, Criselda sacó su vara de fresno y la agitó en el aire probando varias fórmulas para anular el embrujo.

Mientras Criselda y Gaya ensayaban diferentes sortilegios, Karen se ocupó de Anaíd, revisó su pecho, su tórax y pasó la yema de su dedo índice por su piel para detectar cualquier protuberancia, cualquier herida aunque fuese insignificante a simple vista. Si bien las piernas y los brazos estaban plagados de rasguños y moratones, el pecho estaba intacto. Localizó una picadura de mosquito, pero ningún orificio por el que hubieran podido extraer la sangre del corazón.

—Hemos llegado a tiempo —respiró aliviada Karen—. ¿Por dónde te caíste?

Anaíd fue sincera.

—No lo sé.

En ese instante Criselda y Gaya dieron con el sortilegio. De la prenda comenzó a salir un humo espeso que provocó una escandalosa tos en las dos mujeres, se taparon la nariz con un pañuelo y aventaron el humo con las manos. En el extremo de la vara de Criselda humeaba un sujetador blanco y anodino. El que la señora Olav había comprado a Eduardo. El diseño, el estampado, era pura ilusión óptica.

Y entonces Anaíd fue quien ató cabos.

—¡El escudo protector!

—¡Claro! —ratificó Elena—. No fallaron nuestros conjuros. Simplemente llevabas puesto ese sujetador.

Criselda, sin ni siquiera limpiarse la cara tiznada de humo, dirigió su vara de fresno a Anaíd.

—Respira hondo y no te muevas, Anaíd.

Y recitó el conjuro.

Anaíd sintió una opresión y un calor intenso en su pecho que le oprimía las costillas. Creyó que la opresión disminuiría al cabo de unos segundos, pero fue en aumento, hasta que sintió que no podía tomar aire y se vio forzada a estirar el cuello en busca de oxígeno.

Karen intervino.

—¿Pero qué has hecho, Criselda? Se está ahogando.

Y movió su vara de encina aflojando el escudo. Por poco rato. Gaya quiso rematar la jugada remachando el conjuro.

Anaíd notó un tirón brusco y una opresión bastante molesta en el pecho.

—Esto es horrible. Aflojádmelo un poco.

—De ninguna manera —se negó Gaya—. Y mucho menos en tu caso.

—Gaya tiene razón. Todas hemos pasado por ello y sabemos que arrastrar el escudo es muy pesado.

—Y muy molesto, pero es necesario.

—Por favor —suplicó Anaíd—. No lo soporto.

—Te acostumbrarás —susurró Karen.

—Como a tantas cosas que nos ocurren a las mujeres.

—Y a las brujas.

Karen se acercó al teléfono.

—Voy a reservar una habitación para el balneario del valle con un nombre falso. Mañana saldréis tú y Criselda, y os quedaréis escondidas allí hasta que la señora Olav haya desaparecido.

Anaíd se sintió aprisionada y prisionera.

—No puede ser. Tengo que encontrar a Selene. Hoy me he comunicado con ella, debemos ayudarla.

—Olvídate de Selene.

—Estás en peligro y tendrás que esconderte.

—No podrás hablar con nadie.

—No podrás salir sola.

—No podrás usar tu magia sin nuestro consentimiento.

La chica ya tenía bastante. Acusó la guerra de nervios y se hundió. Se echó a llorar pataleando de rabia y de dolor.

—¡No quiero!... ¡Quitadme esta coraza!... ¡No quiero ser una bruja!

Tía Criselda se enterneció.

—Lo mismo que dije yo cuando mi madre conjuró mi escudo.

Elena se acarició su vientre.

—Y yo.

Karen reprimió una lagrimilla al reconocerse en el gesto de rabia de Anaíd.

—Y yo.

Gaya, la última, sonrió con una sonrisa pícara:

—Yo también me rebelé.

Anaíd las miró a todas atónita, sin saber a ciencia cierta si debía echarse a llorar o a reír.

Anaíd esperó a que Criselda se hubiese dormido para escapar a la cueva y allí recoger sus libros antiguos de brujería. Hizo una elección prudente. No podía llevárselos todos. Pero aún le quedaban tantas cosas por aprender y por experimentar... Sin poderlo remediar, ojeó con morbosidad unas ilustraciones que se había prohibido a sí misma volver a contemplar. Eran bocetos a color de niñas Omar desangradas por las Odish. Niñas desfiguradas, niñas con el horror impreso en el rostro, niñas con úlceras purulentas, blancas, sin sangre, sin cabello y con el cuerpo horriblemente deformado. Se obligó a mirarlas y a pensar que la señora Olav pretendía hacer eso con ella, y entonces el escudo que la oprimía y que apenas la dejaba respirar no le resultó tan opresivo. Al contrario, su textura sólida y su peso le transmitieron seguridad. Justo lo que necesitaba para pensar a solas, sin injerencias extrañas y sin espías.

Había estado reflexionando sobre los espíritus y había deducido que disponían de movilidad limitada. Ni la dama ni el caballero podían seguirla por el bosque ni entrar en su cueva. Probablemente moraban en los lugares donde vivieron, donde murieron o donde se hizo efectiva su condena. Eso le daba un respiro.

Había tomado una decisión y las imágenes de los libros reafirmaron su necesidad de actuar con total cautela y ocultar sus planes a todos.

Regresó envalentonada. No era nada fácil llevar a cabo lo que se había propuesto, pero era la única solución.

Procurando no hacer ruido entró de puntillas en su habitación, sacó su bolsa de deportes y metió cuantas cosas se le ocurrieron que le podrían hacer falta. Añadió su documentación, los libros, y entre ellos introdujo un sobre que extrajo de un cajón de la cómoda. Por último, se agenció una buena cantidad de dinero en metálico que ella misma había sacado de la cartilla de Selene y esperó impaciente, sentada ante su escritorio, mirando su reloj a hurtadillas, mordisqueando una galleta de chocolate y escribiendo una carta de despedida.

Era más de medianoche cuando aparecieron. Primero el caballero con gesto contrito, y unos minutos más tarde, la dama burlona. Anaíd fingió que no le importaba su presencia y continuó saboreando su galleta y escribiendo. La dama se sonrió por debajo de la nariz y la miró desafiante. Sabía que Anaíd le concedería la palabra y así fue.

—¿Te parece divertido?

—¿Te diriges a mí, hermosa niña?

—¿A quién si no?

La dama se lanzó al ruedo gesticulando.

—Piénsalo bien antes de escapar.

—¿Cómo sabes que me estoy escapando? —preguntó haciéndose la ingenua Anaíd.

—Es evidente. Estás vestida, tienes la maleta hecha, miras el reloj continuamente y estás escribiendo una nota.

Anaíd aún tenía tiempo, así que se permitió vacilar a la dama. Se lo tenía merecido por chivata.

—Se me ocurre que tú te escapabas muchas noches de tu marido el barón.

La dama rió sin ni pizca de resentimiento.

—Qué tiempos aquéllos. Era joven y apasionada —suspiró—. Y cómo pesan los siglos.

El caballero pidió la palabra antes de que la dama comenzase una interminable narración sobre sus aventuras amorosas.

—¿Puedo?

—Habla, caballero cobarde —le concedió Anaíd con sorna.

—Creo, bella joven, que te equivocas.

Anaíd se chupó los dedos pringados de chocolate.

—¿En qué?

—En escapar de esas amables damas que tanto te protegen y que desean tu bien.

—¿Te refieres a la señora Olav?

El caballero y la dama se miraron con un gesto trágico.

—Sabes bien que nos referimos a tu tía y sus amigas.

—O sea que queréis que me marche de buena mañana con tía Criselda al balneario que ha reservado Karen. Que me encierre con tía Criselda en una reserva de la tercera edad y que me pudra entre aguas sulfurosas el resto de mi vida —les preguntó Anaíd con los brazos en jarras.

—Es lo más sensato, hermosa niña. Con tu tía y el escudo estarás protegida.

—Pues no me da la gana. No pienso ir a ningún balneario, no quiero ver más a tía Criselda y tampoco pienso usar este horrible escudo —les retó Anaíd.

Los espíritus se miraron y la dama retomó la conversación en nombre del caballero.

—¿Y adónde vas a ir, si no es indiscreción?

—A París.

Los dos espíritus exclamaron asombrados:

—¿A París?

—Tengo una tía lejana allí, hablo francés y siempre he querido subir a la torre Eiffel. Mucho mejor que un aburrido balneario, ¿no os parece?

—¡Oh la la! —exclamó la dama.

—Placentero —calificó el caballero.

—Excitante —le corrigió la dama.

En ese momento las campanadas, lentas y graves, de la iglesia dieron las cuatro. Anaíd sintió que se le encogía el corazón al pensar que a lo mejor ésas eran las últimas campanadas que oía desde el reloj de Urt.

Nunca había salido de casa.

Nunca había viajado.

Ni siquiera tenía una maleta.

Se levantó con las piernas temblorosas y se despidió de los espíritus. Ya había cumplido una parte de su plan.

—Me tengo que ir —dijo recogiendo su bolsa del suelo.

—Un momento.

—No puedes irte todavía.

—¿Tanto me queréis?

El caballero suspiró.

—Estamos familiarizados contigo y tu ausencia nos producirá extrañeza.

Anaíd le miró asombrada. Su respuesta era franca, como su voz, y no había asomo de doblez en sus palabras.

—Pero se trata de otra cosa... Nos habías prometido la libertad —apostilló la dama.

Ésa era la pequeña venganza de Anaíd. Se llevó las manos a la cabeza, como aquel que recuerda algo engorroso.

—Ah, sí, es verdad. Cuando vuelva de París.

—¿Seguro? —preguntó esperanzada la dama.

—¿Nos das tu palabra? —suplicó el caballero.

—Tenéis mi palabra de que cuando regrese de París os liberaré —dicho lo cual apagó la luz, cerró la puerta de su habitación de puntillas y, procurando no hacer el menor ruido, se deslizó sigilosamente fuera de la casa.

Una vez en el pajar, el corazón le dio un vuelco. Una cosa era imaginar un plan y otra muy diferente era llevarlo a la práctica. ¿Sería capaz de conducir el coche de Selene?

Lo primero era ponerlo en marcha. Dio vuelta a la llave de contacto y pisó el pedal del gas, una vez, dos, el motor se ahogaba, no acababa de saltar la chispa del contacto... Tantos días sin funcionar. Otra vez, otra. ¡Por fin!

Anaíd, temblorosa y muy excitada, metió con cuidado la marcha atrás para salir del aparcamiento. El cambio chirrió, soltó el pedal del embrague y caló el coche. ¡Mierda! Con lo sencillo que parecía cuando esa maniobra la hacía Selene. Ella misma le había enseñado el mecanismo, pero algo no acababa de funcionar. ¡Las luces! ¿Cómo demonios se encendían? No, los intermitentes no. Ese botón, sí. ¡Oh no, la bocina! ¡Qué manazas! ¿Quién la habría oído? Tenía que salir rápido. Por fin.

Y el coche de Selene salió a la carretera y se fue alejando de la única casa que Anaíd había conocido.

Al volante, temblorosa y asustada, había de admitir que, exceptuando el percance de la bocina, su plan estaba funcionando a pedir de boca. Los había engañado a todos. A Elena, a Karen, a Gaya, a Criselda, a la señora Olav y a los espíritus.

Nadie, excepto ella, sabía adónde se dirigía ni con qué intenciones.

14. *Los sueños y los deseos*

Las manos blancas de largos dedos agruparon las fichas sobre el tapete verde formando una enorme montaña.

—Al 26 negro —ordenó la joven del vestido fucsia al atribulado *croupier.*

—¿Todo? —quiso cerciorarse con voz temblorosa el empleado, contemplando el inmenso montón de fichas.

—Todo —ratificó la joven, sentándose con parsimonia junto a su compañera pelirroja.

El *croupier* pulsó el timbre de la dirección. Sudaba a mares, se encontraba en un aprieto y necesitaba testigos de lo que estaba sucediendo. Esperaba que el director llegase pronto, la mirada de la señorita del vestido color fucsia le producía miedo, ésa era la palabra, un miedo atroz.

—¿A qué espera?

No era impaciencia; a pesar de haberse jugado una verdadera fortuna apuesta tras apuesta, la joven no se mostraba inquieta en absoluto. En ningún momento había dado señales de nerviosismo.

—Hay un pequeño... problema, tenemos que esperar al director.

—¿Qué tipo de problema? —inquirió con frialdad la señorita.

—Su apuesta es tan alta que debe estar presente la dirección.

El *croupier* hubiera preferido que el aspecto de la jugadora fuese desastroso, que sus modales ofendiesen el buen gusto, que su comportamiento infringiese las reglas, pero nada de eso sucedía. Al contrario, la joven del vestido fucsia y su silenciosa y bella amiga pelirroja eran correctas, educadas, hermosas y elegantes.

—¿Cuál es el problema? —preguntó otra voz, masculina y grave, al oído del *croupier*.

El empleado respiró aliviado. El director estaba ante él con su esmoquin impoluto y su sonrisa profesional emergente. Por fin, por fin podría liberarse de responsabilidades y transferirlas a un superior.

—Lo han ganado todo —susurró refiriéndose a las dos jugadoras.

Hablaban en sordina sin perder la compostura y sonriendo. Cualquier observador hubiera deducido que mantenían una charla amistosa y absolutamente insustancial.

—Pues se les ha acabado la racha. Ya sabes lo que tienes que hacer.

El *croupier* se secó la frente perlada de pequeñísimas gotas de sudor con un pañuelo de lino.

—Ya lo he hecho. He frenado manualmente.

—¿Y bien?

—No ha funcionado.

El director comprobó a hurtadillas el enorme montón de fichas que se acumulaban en el lugar de las dos jugadoras.

—¿Cuántas veces no ha funcionado?

—Ninguna. O sea unas cinco veces.

—¿Se ha atascado el mecanismo?

El *croupier* se retiró la pajarita con un dedo para que se filtrara un poco de aire fresco. Se ahogaba.

—No, y eso es lo más sorprendente. Hace una hora han

ido al bar a tomar una copa. He accionado el freno manual con tres apuestas diferentes y ha funcionado.

El director comenzó a sentirse molesto.

—¿Me estás diciendo que esas encantadoras señoritas consiguen ganar siempre a pesar de que la ruleta juegue a nuestro favor?

—Así es.

—¿Dónde está la trampa?

—No lo sé, señor, no puedo saberlo. Hace falta fijarse mucho. ¿Quiere probarlo usted?

—Desde luego. Aparta.

El director se sentó en el lugar del empleado y dirigió una galante sonrisa a las dos damas. Una espléndida pareja. La morena y la pelirroja. Sin duda la pelirroja resultaba mucho más espectacular, pero la morena era deliciosamente sensual con ese cutis de porcelana y esas manos delicadas.

—Cuando ustedes digan, señoras.

La pelirroja de ojos verdes levantó la vista, tenía la mirada brillante y las pupilas dilatadas como los aficionados que bordean el vértigo de la apuesta límite. No parecía una profesional, pero dio la señal para iniciar el juego con un leve movimiento de cabeza y en su gesto se leía la convicción de quien ya saborea el triunfo de antemano.

La ruleta comenzó a girar y a girar enloquecida. Se había formado un corro de curiosos. El director lamentó que hubiese corrido la voz tan deprisa, hubiera preferido discreción. Y disimuladamente accionó el pedal en la posición que consideró más cercana al 26 negro para dar más emoción a la jugada. Lo dejaría en el 24 negro.

Al percibir la progresiva desaceleración de la ruleta, se hizo un silencio espeso en la sala. Todos los ojos se mantenían pendientes de la pequeña bola que, sorteando obstáculos, saltó impertérrita hasta colocarse en la casilla del... 26 negro.

El director palideció y asistió con los ojos desorbitados a las últimas vueltas agónicas de la ruleta al tiempo que los mirones de aquella sala de lujosas lámparas y cálidas moquetas prorrumpían en gritos, y las dos mujeres se abrazaban celebrando su victoria.

El director sumó mentalmente la cantidad requerida. No había dinero suficiente en caja para pagarla y posiblemente, tras liquidarla, el casino no estaría en condiciones de continuar abriendo sus puertas. Eso significaba el despido y... el fin de su carrera.

Selene bebía una copa de champán francés recostada en el *jacuzzi* de la *suite* del mejor hotel de Montecarlo.

El agua que cubría la bañera de porcelana de Sevres estaba burbujeante de espuma, como el delicioso champán que degustaba lentamente, muy frío, sintiendo el chisporroteo fugaz de su sabor afrutado en los poros de la lengua.

—¿Cuántos millones? —preguntó deletreando la palabra *millón* con placer.

—Casi cinco —le respondió Salma desde la habitación contigua, despojada ya de su vestido fucsia y saboreando unos canapés de *foie* con indolencia —cuatro millones setecientos treinta y dos mil euros.

—Y son... ¿míos? —Selene entornó los párpados.

—Tuyos.

Selene estuvo a punto de desvanecerse.

—¿Y puedo hacer lo que quiera con ese dinero?

Salma se rió como acostumbraba a reír, con el sonido hueco de una cacerola descascarillada. Sin alegría.

—Pues claro..., y puedes ganar ese dinero siempre que se te antoje. Las Odish no te expulsaremos de la comunidad ni te impondremos ningún castigo por usar tu magia para fines personales. Ésa es la diferencia. Una de las muchas diferencias que irás descubriendo.

Selene estiró sus largas piernas y las observó con detenimiento.

—¿Quieres decir que podría, podría...?

—Dilo.

—Utilizar un conjuro de ilusión para enamorar a un hombre.

—Naturalmente, pero resulta mucho más efectivo un filtro de amor.

Selene sopló sobre la espuma de jabón que se había formado en el dorso de su mano. Diminutas pompas alzaron el vuelo y se dispersaron por el baño. Suspiró soñadora.

—¿Y me amaría?

—Con locura. Se rendiría a tus pies, te adoraría, se mataría por ti.

Selene rechazó la idea moviendo su cabeza y agitando su cabello rojo.

—No, no me convence.

—¿No quieres probarlo?

La pelirroja lo pensó un momento.

—No sé... Yo no podría enamorarme de alguien a quien hubiese manipulado con un filtro.

—¡Claro que no! ¿Quién habla de enamorarse? Enamorarse es humillante, vergonzoso, es perder la cabeza y el control...

—¿Las Odish no os enamoráis?

—Nos divertimos. ¿Quieres divertirte?

—...Tal vez. Pero no hoy. Hoy quiero disfrutar de mi dinero. Comprar, invertir, soñar... Déjame degustar esta sensación que nunca he tenido.

—¿Qué quieres comprar?

—Mi hipoteca. La hipoteca de mi casa de Urt. Quiero cancelar la deuda y... querría comprar una casa junto al mar con muchas tierras.

—¿Dónde?

Selene dejó la copa vacía en el suelo. Estaba alegre, optimista, la estancia olía a riqueza e indolencia. Sobre el mármol de Carrara del lavamanos una cesta de violetas secas difundía su aroma por el baño de mosaicos romanos con motivos mitológicos. Las toallas eran tan suaves al tacto como la seda, las sábanas de lino eran frescas y olían a lavanda, y sólo tenía que pulsar un botón para pedir cuantos manjares se le antojasen.

—El Mediterráneo, Roma, Nápoles, Sicilia... Estuve en Sicilia no hace mucho. Esas playas tan hermosas, Siracusa, Taormina, Agrigento. Tengo amigas..., tenía amigas. Una finca en la isla. Ése es mi sueño.

Salma se puso en pie, se vistió con un albornoz blanco y tomó el teléfono.

—¿Jack? Hola, soy yo. Sí, búscame una finca de unas quinientas hectáreas en Sicilia. Ya sabes, palacio o construcción de lujo con tierras cultivables. Exacto, en situación de hipoteca gravada o difícil de sostener. Me espero...

Salma paseó por la habitación a grandes zancadas mientras aguardaba la respuesta telefónica.

Selene, que atendía expectante a sus movimientos, también se puso en pie, algo mareada por el champán, y tomó un canapé de caviar de la bandeja que había sobre la mesa.

La voz de Salma enseguida la devolvió a la realidad.

—¿Sí? ¿Con vistas al mar? Estupendo. Estate atento. Muy atento a cualquier desastre que pueda acontecer y que les obligue a vender... ¿Cuál? Me temo que por esa zona hay plagas de langostas que provienen del continente. Todo podría suceder. De acuerdo. Ya sabes, compra al mejor precio. Hasta luego, Jack.

Selene se chupó los dedos incrédula.

—Eso que dices es improbable. ¿Cómo puedes predecir que la finca se pondrá a la venta?

Salma abrió el armario y comenzó a vestirse.

—Esta misma mañana una enorme y devastadora plaga de langostas arrasará los cultivos de esa bonita finca. No habrá más remedio que vender. ¿Comprendes?

Selene quedó atónita.

—¿Y tú convocarás la plaga?

Salma rió.

—Y tú me ayudarás.

—¿Yo?

—¿No es para ti? Pues colabora.

Selene se puso en pie.

—¿Dónde vamos?

—Primero a comprar ropa selecta, tenemos que renovar el vestuario y los complementos, un poco de Armani, Loewe, Dolce y Gabana... Bueno, ésos son mis preferidos. Luego buscaremos un lugar tranquilo para formular el conjuro a nuestras anchas y esta noche, si todo va bien, tu pequeño sueño, uno de los más fáciles de complacer..., estará satisfecho.

Selene no podía dar crédito.

—¿Así de sencillo?

—Lo has definido a la perfección. La vida de una Odish es... muy sencilla. Tienes todo lo que deseas.

TRATADO DE HÖLDER

No hay duda de que los siete dioses en fila de los que nos habla la profecía de Oma se refieren a una conjunción astral.

Los siete dioses en fila saludarán su entronización.

El Sol y la Luna, indiscutibles dioses del día y la noche, pareja eterna y amantes imposibles, son los primeros. Los cinco restantes serán pues los planetas más visibles, caprichosos y cambiantes de la esfera celeste. Júpiter el principal, dios de dioses; Marte el de color sangre en honor al dios de la guerra; Venus el más luminoso como el amor; Mercurio el más cercano al Sol, mensajero de dioses; y Saturno el más lento, el dios del tiempo.

Y así será la conjunción que anuncia O cuando Mercurio, Venus, Marte, Júpiter y Saturno acompañados del Sol y la Luna se alineen en una gran conjunción planetaria precedida poco tiempo antes por la danza de padre e hijo en el agua.

Recordemos el otro verso de la profecía sobre el que se han vertido ríos de tinta.
Padre e hijo danzarán juntos en la morada del agua.

Y a pesar de las críticas que suscitó la arriesgada suposición de Otero, me he propuesto desarrollar en las páginas siguientes la confirmación de su hipótesis, de que efectivamente se trata de la conjunción de Júpiter y Saturno en Piscis. Me remitiré igualmente a los cálculos de Kepler al respecto y a su acertada suposición de que ambos fenómenos se producirán en un intervalo temporal relativamente corto que reduce el campo de las probabilidades a muchas menos de las que se habían barajado.

El tiempo de la elegida está muy, muy próximo.

15. La huida

Querida tía Criselda:

Ya os he causado bastantes problemas y no quiero preocuparos más, por eso he decidido apañarme por mi cuenta y libraros de la responsabilidad de vigilarme. Buscad a mi madre, yo también lo haré.

Un beso.

Anaíd

Criselda arrugó la nota y la lanzó sobre la alfombrilla del coche de Karen pisoteándola con rabia.

—¡Cuidado! —gritó Karen dando un volantazo a la izquierda.

Había topado con algún obstáculo imprevisto, pero lo había franqueado. Atrás quedó un sonido de cristales resquebrajándose, pero ninguna de las dos mujeres se percató.

—Lo siento —se disculpó Karen.

Criselda, sentada en el lugar del copiloto, se había pegado con la cabeza en el cristal de la ventanilla y se palpaba la sien con gesto lastimoso.

—Me está bien empleado, por tonta —gimoteó.

Y Karen no se atrevió a desmentirla.

Hacía más o menos dos horas que Criselda, en camisón, lívida y descalza, había llamado a su puerta y le había mostrado la nota de Anaíd. Karen no se podía creer que una niña de catorce años decidiera desaparecer de la noche a la mañana y que además se largara conduciendo un coche. Pero así era. Anaíd les llevaba una ventaja de una media hora que no conseguían superar. Eso significaba que no bajaba de los cien por hora. ¡Qué locura!

—¿Falta mucho? —se impacientó Criselda.

—Estamos llegando a Huesca.

—¿Y estás segura de que se ha dirigido a la estación?

—¿Adónde, si no? —exclamó Karen—. No se arriesgará a conducir de día y, teniendo en cuenta que está a punto de amanecer y que el primer tren, el que sale para Madrid, pasa dentro de muy poco, lo más lógico es que haya trazado ese plan.

—¿Llegaremos a tiempo? —insistió Criselda.

—Será cuestión de saltar del coche y subirse al tren. Eso, si no se nos escapa en nuestras mismas narices.

—Déjamela a mí —gruñó Criselda dolorida por el chichón y ofendida con Anaíd.

—¿En camisón? ¿Descalza? ¿Y sin documentación? —objetó Karen.

Criselda se percató de su despiste. Con las prisas no se le había ocurrido ni siquiera coger su bolso. No llevaba nada encima.

—No hay otra solución que un conjuro de ilusión.

—¡Ah no, en mi coche no!

Pero Criselda ya estaba pronunciando las palabras y, unos segundos antes de que el Renault de Karen entrase en el recinto de la estación, vestía un elegante traje de chaqueta, calzaba unos zapatos de tacón impropios de su estilo y de su hombro colgaba un bolso que contenía todo lo necesario.

Karen, al verla, chasqueó la lengua.

—¿No has podido encontrar nada mejor?

—Lo siento, es lo primero que se me ha ocurrido.

—Que no te vean conmigo. No quiero que nos relacionen.

Criselda entendió que si sucedía algo, Karen, médico de la comarca y conocida por todos, estaría en apuros y debería cambiar de residencia. Los conjuros de ilusión estaban vetados por los problemas que conllevaban, pues podían desvanecerse en cualquier momento y toda la ilusión que el conjuro había desarrollado, pura apariencia óptica, desaparecía. El esfuerzo que suponía para una Omar era tan arduo que la dejaba agotada durante unas horas y sin fuerzas para lanzar otro.

Karen advirtió a Criselda muy seriamente:

—Recuerda lo que le sucedió a Brunilda.

Por suerte Criselda no había creado la ilusión de un globo, como la chalada Brunilda, para contemplar la ciudad con su amante. La caída de la pobre desde una altura de más de tres mil metros era siempre tristemente recordada entre las Omar como el mejor ejemplo de la mala utilización de los conjuros de ilusión. Tan sencillo como que una golondrina descreída atravesó limpiamente el globo imaginario, y Brunilda y su acompañante se precipitaron en el vacío a doscientos kilómetros por hora.

Karen frenó en el aparcamiento de la estación, abrió la puerta del copiloto y señaló el coche de Selene, perfectamente aparcado. Su intuición había sido acertada.

—¡Corre! —murmuró.

Ya se oía el traqueteo del tren retumbando en las desiertas vías. Los pitidos del maquinista anunciando su entrada en la estación movieron a Criselda a actuar. Sin recordar sus tacones ni su estrecha falda, saltó del coche y corrió a grandes zancadas hacia el andén tras despedirse con un beso fugaz de Karen. Tuvo que detenerse un instante en la taquilla para comprar un billete a Madrid. Un instante precioso con sus minutos y segundos malgastados. Al llegar al andén sintió que el corazón se le salía por la boca al ver a través de los sucios cristales de la ventanilla de un vagón cómo una niña desgarbada se subía ágilmente a un asiento y colocaba una bolsa de deportes en el maletero. Era Anaíd, su pequeña Anaíd.

Criselda corrió y corrió, pero sus tacones la traicionaron; a tan sólo unos metros de alcanzar la puerta de la plataforma, trastabilló, perdió el equilibrio y cayó de bruces en medio del andén. Un viajero de mediana edad que había descendido del tren la auxilió inmediatamente, pero la mujer ni siquiera le agradeció que la ayudase a ponerse en pie. Ante su desolación, el tren había cerrado sus puertas e iniciaba lentamente su marcha.

En ese mismo instante, el monovolumen de Karen daba la vuelta de regreso a Urt. Poco podía hacer ya. Sería tarea de Criselda convencer a la niña para regresar a casa y bregar con ella. Karen, bostezando y soñando con un café en la próxima gasolinera, se preguntaba cómo era posible que una bruja tan sensata, equilibrada y prudente como Deméter hubiese tenido por hermana a la atolondrada Criselda. Aunque, pensándolo bien, la realidad era que Deméter estaba muerta, y en cambio... Criselda viva.

Karen notó a través de la ventanilla que el aire de la mañana tenía una textura más precisa y menos agobiante que los últimos días. Hasta la luz del sol parecía más clara y diáfana.

Últimamente tenía percepciones curiosas.

Concluyó que necesitaba un café bien cargado.

La señora Olav repiqueteaba con sus hermosos y gráciles dedos sobre la colcha floreada de Anaíd.

—¿A París? —preguntó con voz amable, como dudando de sus propias palabras.

—Eso dijo, bella señora —musitó con un deje de voz la dama sin atreverse a sonreír.

Cristine Olav atravesó con su mirada sombría al caballero.

—¿Tú también lo oíste?

—Naturalmente, sus palabras fueron claras.

La señora Olav se acercó a los postigos cerrados de la ventana y, poco a poco, gozando en ese movimiento lento, los fue entreabriendo.

—No, por favor —suplicó la dama tapándose la cara ante el débil resplandor del sol que se filtraba a través del resquicio.

La señora Olav no se detuvo y continuó jugueteando con los postigos.

—Hace un día tan hermoso..., el sol luce en todo su esplendor, merece la pena que lo contempléis conmigo, aunque sea la última vez.

—Mi señora, no seáis cruel.

—¿Cruel yo? —exclamó horrorizada la señora Olav abanicándose con la mano—. ¿Yo? Que quiero a esa niña como a mi propia hija y que por vuestra culpa la he perdido.

El caballero y la dama intercambiaron una mirada que fue rápidamente interceptada por la perspicaz intrusa.

—Mi querida niña es demasiado inteligente para deciros a vosotros adónde piensa ir, pero vosotros también sois lo suficientemente listos como para no creeros, después de tantos siglos de vanas promesas, todo lo que os cuentan.

Ni la dama ni el caballero se atrevieron a contradecirla. La señora Olav frunció la nariz.

—Claro está que no puedo confiar en una traidora ni en

un cobarde. Ése ha sido mi error. Alguien le indicó cómo comunicarse con Selene desde la laguna.

—¡Oh, no! ¡No fuimos nosotros!

—Esa niña es listísima.

La señora Olav suspiró profundamente.

—Debería haceros sufrir todo lo que yo sufro ahora por haber perdido a mi querida niña. Creo que sí, que será lo mejor.

—¿El qué, mi señora?

—Que desaparezca vuestra imagen y vague vuestro espíritu sin ojos y sin rostro. Estoy harta de veros.

El horror se dibujó en los dos espíritus y, durante unos instantes, el silencio precedió al leve movimiento de la mano de la señora Olav tanteando las persianas, hasta que la dama la retuvo con un grito.

—¡No! No es necesario. El caballero y yo os complaceremos para que dejéis de sufrir.

La señora Olav aplaudió alegremente y volvió a sentarse en la cama de Anaíd. Tomó una de sus muñecas y comenzó a peinar el apelmazado cabello rubio con suavidad.

—Os escucho.

El caballero se atusó los mostachos y se recolocó el yelmo.

—Tomó un sobre del cajón de la cómoda.

—Un sobre no es interesante en sí mismo. ¿Qué contenía el sobre? —le interrumpió la señora Olav.

—Un billete de avión.

—Me gusta. Estupendo. Continuad. ¿Adónde?

—A Catania.

—¿A Sicilia? ¿Una niña de catorce años compra un billete de avión sola para irse a Sicilia?

—Lo compró Selene.

—Vaya, vaya, cuántas cosas sabíais que no me habíais dicho.

—No creímos que fuera importante.

—Anaíd se negó a ir —aclaró la dama.

—¿A ir adónde? ¿A Catania?

—A Taormina, con Valeria y su hija Clodia.

La señora Olav desenredó con firmeza un nudo del cabello de la muñeca.

—¿A pasar unas vacaciones?

—Eso parecía.

La señora Olav estiró con rabia y arrancó la cabellera de la muñeca.

—Las cosas nunca son lo que parecen. ¿A que no?

El caballero y la dama comenzaron a temblar ante el ataque de ira que encendía a la bruja Odish.

—Por favor, tranquilizaos —rogó la dama—. La encontraréis.

La señora Olav se había levantado y se erguía alta y amenazadora ante los dos fantasmas, mientras éstos empequeñecían y empequeñecían hasta casi desaparecer.

—Hablabais con Anaíd y posiblemente pactabais a mis espaldas. Esperabais que Anaíd os diera la libertad, claro. Creísteis que por ser una niña era más ingenua, más confiada y más tonta que yo.

La señora Olav arrancó la cabeza de la muñeca calva de un golpe seco.

—Pero Anaíd os engañó. A vosotros y a mí. Esa niña no es lo que parece.

—Sin duda, nuestra señora.

—¡Ni yo tampoco! —dicho lo cual, se dirigió hacia la ventana y abrió los postigos de par en par.

El sol, en todo su esplendor matinal, celebró alegremente la entrada en la habitación. A su paso se oyó un gemido y los dos espíritus se esfumaron dejando tras ellos un hililo de humo.

La señora Olav lanzó la muñeca decapitada sobre la cama, abrió el armario de la niña, tomó un jersey y lo olfateó como un sabueso. No se equivocaba, era el último jersey que recordaba haber visto puesto a Anaíd. Claro, la niña no lo había cogido pensando que en Sicilia no le haría falta. El jersey olía a Anaíd, estaba impregnado de ella. Le serviría para sus fines.

La señora Olav guardó cuidadosamente el jersey en su bolso y luego desapareció de la casa con la misma rapidez y discreción con la que había aparecido una hora antes.

Anaíd lamentó no saber maquillarse ni pintarse los ojos como Selene. A lo mejor, si en lugar de aparentar catorce años hubiera sabido simular dieciocho, se hubiera ahorrado muchos problemas.

Seguramente el revisor del tren no le hubiera preguntado tantas veces su nombre y su destino, no se hubiera sentado a su lado ni le hubiera dado la lata con los videojuegos de su miniconsola.

Seguramente, en el autobús hacia el aeropuerto, aquella abuela bronceada y musculosa no la hubiera obligado a compartir su paquete de galletas, su bocadillo de queso, su zumo de frutas, sus cacahuetes vitamínicos y sus caramelos de fresa.

Seguramente, en la Terminal 1 del aeropuerto, el piloto de avión que la reprendió por ir sola no le hubiera sacado las fotos de las últimas vacaciones con sus hijos en el Caribe ni le hubiera hecho aprender un trabalenguas idiota.

Anaíd llegó a las oficinas de Air Italia del aeropuerto de Barajas aturullada de ruido y gente, suspirando por encontrarse con algún adulto antipático y a ser posible sin ninguna empatía por los niños. Un adulto que hiciese su trabajo y despachase un billete a una joven de catorce años sin interesarse por su apetito, su familia, ni sus notas.

¿Por qué existía la especie de los adultos protectores? ¿Por qué los adultos protectores se creían simpáticos, graciosos y estaban convencidos de que todos los chicos tenían los mismos gustos, las mismas ideas en la cabeza y hablaban de la misma forma tonta? ¿Por qué esos adultos no se compraban un perro y dejaban tranquilos a los chavales?

—¡A ver, tú! ¿Qué quieres? —la interpeló el empleado de las aerolíneas italianas sin mirarla siquiera a los ojos.

Por fin. Por fin un empleado que la trataba desconsideradamente como a cualquiera.

Anaíd, sin embargo, pronto supo que era mucho peor un adulto antipático que un adulto protector. El adulto antipático no tenía en consideración nada más que lo que la ley establecía, y la ley, en su caso, decía que los menores de edad no existían sin el consentimiento de un adulto.

—No vuelvas si no es acompañada de una persona mayor que responda por ti —le dijo devolviéndole el billete y sin haberla mirado ni una sola vez a los ojos.

De nada le sirvió a Anaíd inventar una historia truculenta —no muy diferente en esencia de la suya propia— para intentar convencer al empleado de las aerolíneas de que era una pobre chica que estaba sola en el mundo y que necesitaba cambiar la fecha de su billete para viajar antes de lo previsto a Catania, donde la esperaban unas buenas amigas.

—El siguiente —fue la única y lacónica respuesta.

Innegociable. Anaíd dio media vuelta y salió de la oficina esperando encontrar a algún adulto protector que se conmoviese con su historia y la avalase.

No tuvo éxito. Descubrió el mundo cosmopolita de los adultos desconfiados, recelosos y estresados. Eran hombres y mujeres que huían al verla acercarse, desviando la mirada y cambiando el rumbo de su itinerario. O bien se disculpaban sin escucharla con un «Lo siento, pero tengo prisa».

¿Qué hacer?

Anaíd comenzaba a tener hambre, a sentirse cansada y a preocuparse por dónde dormiría esa noche en el caso de que no consiguiera tomar un avión.

Pero aún le faltaba enfrentarse a otra especie de adultos: el adulto represor. Y puesto que su desamparo era evidente, llamó la atención de un agente de seguridad.

—Documentación.

Anaíd tembló sin poder evitarlo y el policía, como un perro de caza, olió a su presa e hincó el diente.

—Acompáñame, por favor.

Y Anaíd se sintió prisionera de su mala cabeza. Justo en ese instante, en el mismísimo instante en que el policía la tomaba con fuerza del brazo, oyó una voz que unas horas antes hubiese rechazado pero que en ese momento le pareció música celestial.

—¡Anaíd!

Y ante su asombro, tía Criselda, horriblemente disfrazada de abogada de la tele, llegó boqueando a la carrera y se lanzó sobre el agente sonriéndole como si fuese Superman.

—¡Anaíd, hija, por fin! ¡Muchas gracias por encontrarla!

Anaíd prefirió mil veces los brazos maternales de tía Criselda a la garra represora del policía y se refugió en ellos ocultando la cabeza en la chaqueta bermellón impregnada de un horroroso perfume presuntamente tan elegante como el vestido que lucía.

—¿La conoce?

—Pues claro, soy su tía. Viajábamos juntas, pero con lo mal que señalizan los aeropuertos, la pobre niña se ha perdido y llevo siglos buscándola.

Anaíd no desmintió la versión de tía Criselda y, ya fuera por el vestido, por el perfume o por el abrazo, el policía ni siquiera confirmó el parentesco y se dio media vuelta no sin antes permitirse decir la última palabra.

—Otro día tenga usted más cuidado.

Anaíd no se movió. Era consciente de que el policía se había alejado de ellas, de que estaban solas en medio del *hall* del aeropuerto y de que su tía tenía muchos reproches y regañinas almacenados que pronto caerían sobre su cabeza.

Pero en lugar de eso, tía Criselda, temblorosa, sólo le hizo una advertencia:

—No hagas ninguna pregunta, sobre todo no me preguntes lo que estás pensando.

Y eso fue lo peor. Consiguió llenar de curiosidad a Anaíd, que lógicamente se preguntó qué sería lo que no podía preguntar, y lo que se le ocurrió fue lo primero que pensó al verla: ¿qué hacía tía Criselda vestida de esa forma?

—¿No puedo preguntar nada? ¿Ni siquiera algo muy tonto?

Tía Criselda le tapó la boca y la arrastró hacia los lavabos a toda prisa.

—¡Ni se te ocurra, ni lo pienses!

Pero eso fue lo que Anaíd hizo. Lo pensó tanto que de pronto, a unos pocos metros de los lavabos de señoras, tía Criselda gritó:

—¡Oh, no!

Y un humo blanco y espeso la envolvió unos segundos. Al despejarse, Criselda estaba despojada de su traje chaqueta, su peinado, sus zapatos y su bolso. Ante el estupor de Anaíd, la buena mujer quedó descalza y semidesnuda —vestida tan sólo con su camisón— y con el cabello revuelto y despeinado.

En cuatro zancadas alcanzaron la puerta del baño de señoras y se refugiaron en su interior. Afortunadamente, en esos momentos estaba vacío.

Anaíd estaba horrorizada.

—¿Qué ha pasado?

Tía Criselda se contemplaba desolada en el espejo. Tenía mucho peor aspecto del que imaginaba.

—Has roto la ilusión. No te has creído mi disfraz y se ha disuelto el encantamiento.

—¿Quieres decir que lo que llevabas puesto era un disfraz?

—Eso mismo.

—¿Y por qué escogiste ese disfraz tan absurdo?

—¡Maldita cría! Me vestí con lo primero que se me pasó por la cabeza, una serie de televisión, creo... Por tu culpa salí de casa sin nada y llevo más de nueve horas tras tu rastro. ¿Dónde pensabas ir?

Anaíd no tenía ningún motivo para ocultar más sus intenciones.

—A Taormina.

—¿A Taormina? ¿Y por qué?

—Por tres razones: porque Selene quería que fuese, porque quiero encontrar a Selene y porque la señora Olav no lo sabrá y creerá que estoy en París.

—¿De qué me hablas? ¿Por qué creerá que estás en París?

—Engañé a los espíritus fingiendo que me fugaba a París. Fueron ellos los que me indicaron cómo comunicarme con Selene, pero me traicionaron y...

Evidentemente tía Criselda no entendía ni una palabra.

—¿Te importaría explicármelo desde el principio?

Y Anaíd, con paciencia, le relató su relación con los espíritus, su aventura en el paso de montaña, su viaje a través del abismo de la laguna y su sospecha de que la dama y el caballero eran sus delatores ante la señora Olav. A medida que Anaíd refería sus experiencias, la otra palidecía. Cuando Anaíd acabó de hablar, Criselda agachó la cabeza sobre la pila, abrió el grifo y se mojó la nuca con el chorro de agua. Tal era el estupor que le había causado la confesión, que hasta la misma niña se asustó.

—¿Estás bien?

Criselda negó con la cabeza.

—No, no estoy bien. Acabo de oír que has estado hablando y viéndote con esos espíritus como si nada.

—Sí.

—Y que rompiste un obstáculo, una especie de barrera invisible que no te permitía salir del valle.

—Sí.

—Y que te caíste al abismo de oscuridad tras haber mordisqueado una seta y así conseguiste hablar con Selene.

—Sí.

—¿Hay algo más que no me hayas explicado?

—Puedo entender a los animales y hablar en su lengua.

Criselda volvió a meter la cabeza bajo el chorro de agua helada hasta que la sacudió un escalofrío. Pareció ir asimilando lentamente la información. Respiró una vez, dos, tres, y luego espiró el aire. El color retornó a sus mejillas y el oxígeno irrigó de nuevo su cerebro.

—¿Cuántos bombones me comería?

—Una caja entera.

—He estado idiotizada todo este tiempo.

—Ya, ya me lo parecía.

—Iremos a Taormina. Tú y yo. No pienso dejarte sola nunca más.

—¡Oh, tía! —la abrazó Anaíd.

Pero la otra rechazó su abrazo y la interrogó por última vez:

—¿Y se puede saber por qué no me lo explicaste en lugar de montar este zipizape?

Anaíd evitó mirarla, pero finalmente venció su resistencia a confesar la verdad. Necesitaba a Criselda, necesitaba a su tía y sentía que debía ser muy sincera con ella.

—No me fío de ti.

—¿Cómo? —la indignación de Criselda era auténtica—. ¿A qué viene esa tontería?

—No quieres encontrar a mi madre. Tienes miedo de encontrarla. Selene o yo, o algo... te da miedo.

Criselda sostuvo la mirada acusatoria de Anaíd. La niña estaba en lo cierto.

—Han sido los bombones. Han adormecido mi conciencia.

Pero Anaíd no se conformaba.

—Hay algo más. Algo que te preocupa y no quieres decirme.

Criselda bajó la vista. Anaíd era muy perspicaz.

—¿Por qué tendría que impedirte viajar a Taormina?

Anaíd estaba muy segura de ella misma.

—Ése era el plan de Selene. Ella quería que yo fuese allí. Seguramente Valeria sepa cosas de mi madre que yo no sé. Seguramente Selene quería que yo estuviese ahí por algún motivo. Voy a averiguarlo.

Criselda calló abrumada. El razonamiento de Anaíd era excelente. Su fe en Selene era admirable y la coherencia de sus actos desmentía la supuesta inconsciencia adolescente que ella misma había atribuido a su huida. Anaíd comenzaba a inquietarla.

—Muy bien, te has salido con la tuya, pero ahora tendrás que hacer un trabajo que te dejará tan agotada como lo estoy yo. Es tu único castigo por haberme hecho levantar de la cama a las cuatro de la madrugada.

Anaíd no tenía ni idea de lo que su tía pensaba proponerle. Evidentemente no lo que le propuso.

—Vas a hacer tu primer conjuro de ilusión. Quiero un disfraz de tía lo suficientemente convincente para que nadie dude de su autenticidad y para que nadie vuelva a despojarme de su apariencia. ¿Comprendes?

Anaíd abrió la boca un palmo.

—¿Como el del sujetador?

—Eso mismo. Yo te ayudaré. Se trata de capturar una imagen que encierre un deseo mío y conseguir que se haga realidad. Recuerda que necesitamos mi documentación, mi pasaporte y mi dinero. Eso también va incluido en el paquete. Es muy delicado, Anaíd, y la duración de estos hechizos es efímera.

—Me sé el conjuro.

—¿Cómo?

—¿Quieres que te lo demuestre?

—No, espera, no..., todavía no...

Pero Anaíd ya había tomado su vara de abedul, pronunciado las palabras y había vestido a tía Criselda con un largo vestido floreado, unas sandalias, un capazo de mimbre y una espesa trenza que le llegaba hasta más abajo de la espalda.

Tía Criselda abrió su capazo y extrajo sus documentos de identidad. Impecables, con su nombre exacto y su fecha de nacimiento... No comprendía cómo su sobrina podía haber sido tan rápida. ¿Y ese aspecto de *hippy* trasnochada? Le resultaba familiar y entrañable. ¡Claro! Pertenecía al recuerdo de una foto suya con Deméter, una foto de su juventud que hacía siglos que no veía.

Anaíd sonrió.

—Siempre me gustaste en esa foto.

La memoria retornó límpida a Criselda. La memoria de unas vacaciones maravillosas que compartió con su hermana, sus amigos y su primer amor.

Y Criselda, esa vez sí, abrazó tiernamente a su sobrina por retornarle, cuarenta años después, la calidez de un verano de sol y esperanza.

Se necesitaban.

16. *Sicilia por fin*

Anaíd salió por las puertas automáticas del aeropuerto de Catania aturdida por el calor, el gentío y los altavoces. Tras ella, tía Criselda corría, alzándose las largas faldas floreadas para no tropezar, y resoplaba intentado alcanzarla. Anaíd quería llegar cuanto antes a Taormina y una vez allí preguntar por Valeria Crocce. En su casa de Urt, controlada por los espíritus, no se atrevió a hacer averiguaciones.

Durante el viaje, Criselda le había explicado lo que sabía sobre el linaje de las Crocce. Valeria, bióloga marina, era una carismática matriarca que detentaba la jefatura del clan del delfín. Las Crocce eran poderosas y en algún momento habían sido acusadas de pelear contra las Fatta, el otro linaje de la isla que disputó el liderazgo de los delfines y consiguió el de las cornejas. Las brujas sicilianas, inicialmente de origen griego, pertenecían ahora a una rama de la tribu etrusca famosa por sus artes adivinatorias. Las etruscas eran capaces de interpretar cualquier indicio, las nubes, los vientos, las corrientes marinas, los vuelos de los pájaros..., y eran grandes expertas en la lectura de las vísceras y las llamas.

Anaíd se preguntaba cómo sería Valeria y si sería difícil llegar hasta ella. Si tuviese una foto suya, si supiese su teléfono...

Pero no hizo falta. La sorpresa fue que Valeria Crocce las esperaba a pocos pasos de la barrera del *hall* del aeropuerto donde se agolpaban familiares y curiosos.

—¿Eres Anaíd? ¿Anaíd Tsinoulis? —se dirigió a ella una mujer de tez morena y ojos negros que olía a yodo y a algas.

Anaíd supo inmediatamente que era Valeria.

—¿Cómo has sabido que veníamos?

Y Criselda exclamó confusa:

—¿Eres realmente Valeria? ¿Tan joven? ¡No me lo puedo creer!

Anaíd tampoco se lo podía creer. Nadie excepto Criselda y ella sabían qué vuelo tomarían y adónde se dirigían. ¿Cómo demonios había recibido esa información?

Valeria las tomó nerviosamente del brazo a ambas y las acompañó hasta el aparcamiento, donde las esperaba su hija sentada indolentemente en el asiento trasero de un Nissan, escuchando música a todo trapo.

—Supimos de vuestra llegada por los augures. Anoche mismo leímos que Anaíd conseguiría llegar hasta Catania —les aclaró en un susurro mientras miraba hacia todos lados asegurándose de que no hubiese nadie escuchando en un radio de diez metros.

—Pero... ¿y la hora? ¿Y el vuelo? —se asombró Anaíd.

Criselda se adelantó. Por el cansancio del rostro de Valeria y el aburrimiento notorio de la chica, supuso bien.

—¿Nos habéis estado esperando durante todo el día?

—Así es, pero ha valido la pena —afirmó Valeria riendo—. Anaíd, ésta es mi hija Clodia.

Clodia no parecía tan cordial como su madre, aunque se notaba a la legua que la temía. Por eso tendió la mano formalmente a Criselda y sonrió con gesto forzado a Anaíd.

—Bienvenidas.

Valeria le dio un coscorrón sin cortarse un pelo.

—¿Ésas son maneras de recibir a unas compañeras en peligro? ¿Así les demuestras tu afecto? ¿Tu hospitalidad?

Clodia se tragó el orgullo y Anaíd cazó al vuelo una mirada oscura y cargada de reproches que dirigió a su madre. Las besó sin calidez y todas entraron en el coche. Valeria se sentó al volante y Anaíd se fijó en los músculos de sus brazos. Los bíceps de Valeria, brillantes de sudor, se hinchaban al maniobrar, los movimientos de Valeria estaban llenos de fuerza.

—Es una pena que no pueda ofreceros un piscolabis ni una primera visita más tranquila. Sortearemos Catania y tomaremos la carretera de la costa. Hasta que no estemos en casa no respiraré tranquila.

Anaíd y Criselda se miraron sorprendidas.

—¿Qué ocurre? —preguntó Criselda.

—Eso me gustaría saber a mí. Habéis estado incomunicadas por espacio de dos meses.

Criselda dio un salto en su asiento.

—¿Cómo?

Valeria chasqueó la lengua.

—Lo que me temía. ¿No fuisteis vosotras?

Anaíd no comprendía ni una palabra. Criselda boqueaba atónita.

—Claro. Ahora lo entiendo. No nos llegaba ninguna información. Creíamos que era por prudencia.

—Explicádmelo por favor —pidió Anaíd sin entender nada.

Valeria dijo lo que ella sabía:

—Desde la desaparición de Selene estabais bajo el manto de la campana.

Criselda aclaró a Anaíd:

—Cuando las Omar creen estar en peligro a veces se refugian en una campana protectora que las aísla y las protege del exterior. La comunicación es imposible y nadie puede penetrar en ella ni salir de ella si no se rompe el conjuro. Pero en este caso ninguna de nosotras construyó la campana.

Valeria confirmó las sospechas que las rondaban.

—Ni nosotras. Con lo cual fue una Odish y debió de hacerlo muy bien.

Anaíd se llevó una mano a la cabeza.

—¡La campana! ¡Claro! La rompí al salir del valle.

Valeria la miró de reojo.

—¿Fuiste tú?

Criselda lo confirmó.

—Nadie le explicó cómo, pero ella tenía la firme determinación de salir.

Valeria lanzó un silbido de admiración.

—¿Y la Odish? —preguntó enseguida.

—La descubrimos a tiempo —suspiró aliviada Criselda—. Se hacía llamar Cristine Olav y había echado el lazo a Anaíd.

Valeria relajó las facciones y se giró hacia Criselda, que se sentaba en el asiento del copiloto.

—El augurio no anunciaba tu llegada.

Criselda notó el peso de los años y las fatigas de ese día tan ajetreado.

—Ni yo misma sé cómo he llegado hasta aquí.

Valeria inquirió con curiosidad.

—¿Tuviste problemas, Anaíd? ¿Necesitabas a Criselda?

Anaíd reconoció que sin su tía le hubiera sido imposible embarcarse en ningún avión.

—Sí, no me dejaban cambiar la fecha del vuelo.

—He aquí la razón por la que Criselda te siguió. Para facilitar tu llegada.

—¿Quieres decir que mi destino era llegar hasta aquí?

—Exactamente.

—¿Y que tía Criselda me ha facilitado mi destino?

—¡Vaya! —protestó Criselda—, soy parte del destino de mi sobrina. ¡Bonito destino el mío!

—No, lo siento, no quise... —comenzó a disculparse Anaíd.

Pero no pudo acabar su frase. A través de la ventanilla del coche percibió un espectáculo grandioso, un manto gris azulado cubría la tierra mansamente hasta allí donde la vista lo permitía, como un campo de florecillas azules agitadas por el viento. Era, era... el mar. Anaíd no había visto nunca el mar.

—¡El mar! —gritó sin poder contenerse.

Y bajó el cristal de la ventanilla para verlo mejor. La sorprendió un intenso aroma a salitre y los graznidos de las gaviotas, esas ratas de mar que sobrevolaban los mástiles de las pequeñas embarcaciones ancladas en puerto y se disputaban la carroña de los pesqueros. Anaíd podía entender sus rencillas, pero prefirió ignorarlas y contemplar el espectáculo limpio, sin interferencias.

—¿No habías visto nunca el mar? —le preguntó Clodia sin poder creérselo.

Anaíd se avergonzó. Debía de ser la única persona del planeta que no conocía el mar. Lo que sabía de geografía lo había aprendido a través de los libros, el televisor y el ordenador. Ahora se daba cuenta de que no había salido de Urt, un pequeño rincón del mundo perdido entre las montañas. Su madre y su abuela no le habían permitido viajar con ellas.

Nunca había visto el color del mar, nunca había escuchado el sonido de las olas rompiendo al atardecer contra las rocas, ni había aspirado el aroma del yodo y la arena impregnado de espliego, tomillo y retama. Anaíd saludó a los olores mediterráneos, profundos e intensos, contempló los pinos y las encinas, calientes tras el atardecer, y deseó pasear por esos bosques aromáticos y sensuales, llenos de vida.

Valeria la distrajo señalando de nuevo hacia el mar y mostrándole un raro espectáculo desde la ventanilla del coche.

—¿Ves esos islotes?

Anaíd los veía, estaban a pocos metros de la costa.

—Fueron las rocas que lanzó el cíclope Polifemo indignado con Ulises al darse cuenta de que había escapado de su cueva.

Anaíd, emocionada, levantó la vista hacia las montañas que le señalaba Valeria. Las hendiduras oscuras sugerían refugios, cuevas. ¿Así pues ésa era la costa donde, a juicio de Homero, encalló Ulises?

—Si tenemos ocasión te mostraré el mítico paso de Escila y Caribdis en el estrecho de Mesina.

—¿Y esa fortaleza que hay a lo lejos? —señaló Anaíd emocionada.

—Clodia, ¿por qué no le vas mostrando los lugares por los que pasamos?

Clodia recibió la sugerencia de su madre como si Valeria le hubiera pedido que caminase sobre brasas encendidas. Anaíd se sintió incómoda. Valeria se volcaba en ella como si le fuera la vida y Clodia la aborrecía y le manifestaba su desagrado en todos sus gestos y actitudes. La miró con desgana y recitó:

—A esta costa llegaron los primeros colonos griegos y fundaron la ciudad de Naxos, muy cerca de Taormina. Nosotros tenemos el chalé en la costa, pero Taormina, famosa por su teatro griego, al pie del Etna, está erigida sobre una colina y fue una ciudad sícula llamada Tauromenio.

Su tono era tan desganado, tan profundamente antipático, que Anaíd prefirió que callase.

—Muchas gracias, pero estoy muy cansada y prefiero dormir un poco.

Cerró los ojos percatándose, segundos antes de acomodarse, del favor que había hecho a Clodia liberándola de su presencia. La chica, morena como su madre, pero con el cabello rizado y los dedos repletos de sortijas, se colocó su *walkman* y, tarareando la música para sí, se olvidó de su invitada.

Anaíd se entristeció. Tal y como imaginó la primera vez que oyó hablar a Selene con entusiasmo de Clodia, acertó en su presentimiento pesimista. Le caía mal a la gente de su edad. Intentó dormirse, pero no pudo. Valeria estaba hablando con voz queda con Criselda y Anaíd, con los ojos cerrados y fingiendo dormir, escuchó atentamente, tal y como Criselda le había enseñado a hacer.

—Se están atreviendo cada vez más, la situación es desesperante —decía Valeria—. Desde la desaparición de Selene suman siete chicas y tres bebés.

—¿Y Salma? ¿Es cierto que ha aparecido de nuevo?

Valeria asintió.

—Ha sido vista en cuatro lugares diferentes. Uno de ellos aquí, en la isla. Esta misma mañana me lo han comunicado.

Criselda se estremeció.

—Así pues no fue quemada.

—No. Ella misma creó esa confusión. Sólo murieron Omar.

—¿Dónde ha estado todos estos años? ¿Por qué sale ahora a la luz?

—Es más que evidente. Es su momento. Lo estaba esperando desde hace siglos.

Criselda tenía la voz ronca.

—La única que fue inmune a la campana fue la niña, Anaíd. Pudo comunicarse con Selene y no estaba bajo la opresión de la apatía.

—¿Y esa Odish?

—La tenía atrapada en su conjuro de seducción, pero no consiguió adormecer su conciencia.

—Resulta extraño.

—Anaíd nos echó en cara dos veces nuestra pasividad.

—¿No habéis intentado nada? —le increpó Valeria con cierta dureza.

—Nada. Dos meses perdidos —se recriminó Criselda—. Y pensar que Karen, Elena y Gaya continúan ahí dentro...

—Pronto saldrán, es evidente —vaticinó Valeria.

—¿Tú crees? —objetó Criselda con incredulidad.

—Si la Odish iba tras Anaíd y Anaíd ha burlado el cerco, intentarán aislarnos de nuevo, pero ya no nos dejaremos.

Era razonable pensó Criselda, pero no podía quitarse de la cabeza su actitud indolente y un áspero regusto de culpa.

—¿Qué hemos hecho durante estos dos meses? —se lamentaba—. No hemos averiguado nada acerca del camino de Selene.

—¿Ni un indicio, ni una pista por absurda que pareciera?

—Nada.

—Eso también es un rastro.

—Por desgracia sí.

Hubo un silencio elocuente que duró aproximadamente un minuto. Valeria quiso confirmar su peor presentimiento.

—¿Estáis seguras?

—Completamente. Selene no quería que fuésemos tras ella.

—Has dicho que la niña consiguió comunicarse.

—Consiguió penetrar en una cavidad de los dos mundos.

—¿Ella sola?

—Y sin ninguna guía. Pero Selene la rechazó.

Valeria se giró hacia Anaíd, que simulaba dormir, aunque algún gesto inconsciente de la niña la hizo mostrarse precavida.

—Entonces... Anaíd... es la clave.

—De momento es nuestra única posibilidad.

—¿Qué sabe?

—Poco, muy poco, pero aprende rápido.

—Muy rápido. Nos ha estado escuchando todo el rato. ¿Verdad Anaíd?

Anaíd dudó un segundo. No valía la pena negar lo evidente. Abrió los ojos y asintió con la cabeza.

—Lo siento. No sé lo que debo escuchar y lo que no.

—¿Qué piensas de la situación? —le espetó Valeria a bocajarro.

Anaíd respondió con rapidez.

—Si desde Urt hubiésemos actuado deprisa para encontrar a Selene y transmitir un mensaje de seguridad a las otras Omar, posiblemente las Odish no se hubieran atrevido a tanto.

Criselda se quedó patidifusa y Valeria muy sorprendida.

—¿Tienes alguna propuesta?

—Rescatar a Selene lo antes posible en lugar de estar muertas de miedo protegiéndonos con nuestros ridículos escudos.

Criselda sufrió un ataque de tos del apuro.

—Lo siento, Valeria, a veces se dispara y dice barbaridades.

—Ella me ha preguntado —se defendió Anaíd.

—Tú no estás preparada, ni siquiera has sido iniciada. ¿Cómo se te ocurre urdir estrategias? ¿Cómo tienes la desfachatez de dar lecciones a una jefa de clan? —la riñó Criselda.

Valeria apretó el acelerador y metió la quinta.

—Criselda, tranquilízate, estoy completamente de acuerdo con Anaíd. Sólo hay un problema.

Anaíd contuvo la respiración.

—¿Cuál?

—Tenemos que iniciarla inmediatamente.

—¿Antes que a tu hija?

Valeria miró de reojo a Clodia, que sólo pensaba en su música.

—Es mi hija, pero no estoy ciega. Necesitamos a Anaíd. Clodia puede esperar.

Anaíd estaba agotada, arrastraba el cansancio de dos noches sin dormir y la sobreexcitación de un montón de percances. Aunque compartía habitación con Clodia y lo normal hubiera sido charlar un rato antes de dormirse, lo cierto es que se quedó roque nada más rozar la cabeza con la almohada. En cualquier otra circunstancia se hubiera esforzado por permanecer despierta y dar conversación a su compañera, pero Clodia era tan declaradamente hostil que no le apeteció nada fingir una amistad que no deseaba. Tampoco se sintió mal por ello. Por encima de todo necesitaba descansar.

Durmió con un sueño profundo y reparador hasta que, de madrugada, el dolor de su pierna la sumió en un duermevela inquieto. En su pesadilla volvía a chocar contra la invisible barrera de la campana y de nuevo sentía el dolor lacerante, como un cuchillo, desgarrándole la carne. Un golpe brusco en la ventana la despertó. Abrió los ojos desconcertada y vio cómo Clodia saltaba desde el jardín completamente vestida. Su habitación, orientada al sur, se encontraba en el primer piso de una antigua casa a cuatro vientos de gruesos muros. Clodia había trepado por las ramas de un cerezo que crecía en el jardín, junto a su ventana. Despuntaban los primeros rayos de sol y Clodia, habituada a no armar jaleo, se desnudó en silencio y se arrebujó perezosamente entre sus sábanas frescas.

Anaíd no pudo evitar preguntarle:

—¿Dónde estabas?

Clodia dio un brinco al sentirse descubierta.

—¿Me estabas espiando?

Anaíd pensó que era una estúpida.

—Me has despertado al entrar.

—¡Vaya, qué oído más fino tienes!

—¿Por qué has entrado por la ventana?

—¿A ti qué te parece? Mi madre no me deja salir.

Anaíd se sintió en la obligación de advertirla:

—Han desangrado a siete chicas como nosotras.

Clodia se rió.

—Y tú te lo has creído.

—Vine huyendo de una Odish.

Pero Clodia no pareció impresionada por la información.

—Eso es lo que te han dicho.

Anaíd no se dejó intimidar por el tonillo de Clodia.

—No soy una chivata, pero tampoco soy idiota. Tenemos que tomar precauciones.

—¿Ah sí? ¿Qué precauciones?

—Llevar el escudo y no salir nunca solas.

Clodia pareció molesta.

—¿Ya lo sabe, verdad?

—¿El qué?

—Lo del escudo. Mi madre te ha dicho que me vigilaras y que le dijeras cuándo me lo quitaba.

—¿Te lo has quitado?

—No voy a ir todo el día con esa especie de faja ortopédica.

Anaíd podía hacer dos cosas: explicar a Valeria que su hija era una imbécil temeraria o callar. Si callaba, la responsabilidad de lo que Clodia hiciese caería sobre su cabeza. Si hablaba, sería para siempre una odiosa chivata.

—Está bien. Allá tú —musitó intentando volver a dormirse.

Clodia quiso saber qué significaba ese comentario.

—¿Vas a dar el parte a las autoridades?

—No.

—¿Entonces? ¿Qué has querido decir si puede saberse?

—Que si te gusta ser la víctima número ocho es tu problema.

Y Anaíd se dio la vuelta riéndose para sus adentros. Si no la había asustado, al menos le había dado en qué pensar.

Pero Clodia levantó el dedo corazón y también le dio la espalda.

17. El palazzo *de las brujas*

El palacete neoclásico de columnas marmóreas se erigía en lo alto de la colina con vistas al estrecho de Mesina.

Rodeado de jardines románticos, a Selene le encantaba pasear por ellos perdiéndose en el laberinto de setos, tomando un refresco en la glorieta, sumergiendo la mano en el estanque de peces de colores o contemplando las blancas esculturas saqueadas de las necrópolis griegas que tanto abundaban en la isla.

Desde que llegó a la finca, no había salido de los confines del palacio para desesperación de Salma, que la tentaba día sí y día también para acudir con ella a las fiestas que poblaban las noches de Palermo.

Selene prefería descansar y gozar de los placeres del retiro rural. Valoraba la exquisitez del mobiliario de madera noble, calculaba el precio de los frescos que adornaban las paredes de las salas, de las alfombras persas que cubrían sus suelos, de los tapices sirios que lucían en el comedor y de las armas toscanas que flanqueaban los pasillos y las empinadas escalinatas de mármol. No daba crédito a que todo cuanto sus ojos abarcaban fuese suyo, exclusivamente suyo. Suyo era también un yate anclado en el puerto privado de la cala y suyo un potente BMW negro con chófer que esperaba sus órdenes para llevarla adonde quisiera.

Selene, sin embargo, no se movía de su santuario.

En su joyero refulgían los diamantes, pero únicamente se los ponía de noche y a solas. Selene apagaba las luces y, a tientas, vestía sus dedos con las sortijas de brillantes. Ondeaba sus manos como las olas movidas por el viento en un simulacro de vuelo de mariposas, abría la ventana y contemplaba la luna. Aunque añoraba el aullido de los lobos de las montañas y el aire límpido y fresco del Pirineo, poco a poco sus sentidos se iban habituando al aire caliente de los pinos al atardecer, al sabor salado del mar, a la tibieza de la arena de la playa y al bochorno de los mediodías tendida en las frescas estancias de altísimos techos y ventanas entornadas que impedían pasar el sol.

Una de esas tardes en que el calor era tan sofocante que hasta las moscas sentían pereza de volar, oyó la conversación. Aguzó el oído y se mantuvo inmóvil.

Eran dos muchachas del pueblo que charlaban entre ellas mientras limpiaban los cristales de los ventanales armadas con cubos y paños.

A pesar de hablar en siciliano Selene pudo comprenderlas perfectamente.

—Primero la plaga que arruinó a los señores.

—Eso no es suficiente, Conccetta.

—¡Sólo afectó a las tierras del duque!

—¿Y qué?

—¿Que de dónde llegaron las langostas? ¿Cómo apareció esa nube de repente y luego se esfumó como si nada? No venía de ninguna parte, Marella, no pasó el estrecho porque las langostas no estaban en la península.

—No puedes decir que son brujas sólo porque las langostas se comieron el trigo.

—¿Y los jardines?

—Eso no me lo creo.

—Lo vi con mis propios ojos, Marella, mírame bien, mis ojos vieron cómo el césped amarillento se convertía en un césped verde y hermoso igual que un campo de golf. Y eso fue tras las palabras mágicas de la señora morena.

—Y si son brujas, ¿por qué mandaron pintar las habitaciones al pintor Grimaldi en lugar de hacer magia?

—Porque eso sí que se hubiera notado demasiado.

—Supersticiones.

—¿Tú no has oído los rumores de Catania?

—¿Qué rumores?

—Han desaparecido dos bebés, y encontraron a una muchacha desangrada.

—¿Qué insinúas con eso?

—Desde que llegaron las señoras. Fíjate bien, desde esa misma noche, esa misma noche desapareció un bebé y eso es lo más gordo...

—¿Qué?

—Yo oí claramente el llanto de un niño en el palacio.

—No puede ser, quieres decir que...

—¡Han sido ellas! La morena sale a buscarlos y la pelirroja los desangra.

—¿Es más bruja la pelirroja?

—Tiene el pelo rojo de sangre. Fue ella.

—¿Qué hacemos? ¿Se lo decimos a alguien?

Las dos muchachas palidecieron. Ante ellas, salida de la nada, se encontraba la misteriosa extranjera del pelo rojo mirándolas con sorna a través de los cristales. Con el miedo desbordándoles todos los poros de la piel, dieron un paso atrás.

—Conccetta, dime, ¿a quién pensabais decirle todo eso?

—A nadie, señora.

—Marella..., así que piensas que soy una bruja poderosa. ¿No es cierto?

—No, señora, no.

—Acabo de oírlo: puedo lanzar plagas de langosta, convertir la hierba seca en césped fresco y me alimento de doncellas y niños. ¿Es eso?

—No, señora, eso son patrañas, cuentos chinos. Nosotras no creemos en brujas.

—Mejor, porque... vais a olvidaros de todo.

—¿Cómo dice, señora?

—Pues que ahora mismo, en cuanto chasquee mis dedos, os olvidaréis de todo lo que ha sucedido durante estos últimos días. ¡Ya!

Conccetta y Marella cerraron los ojos un instante y al abrirlos de nuevo vieron ante sí a una bella mujer con el cabello rojo vestida con un ligero vestido de seda floreado.

No tenían ni idea de quién era.

PROFECÍA DE TAMA

La luna hollará la tierra en su honor
y protegerá su morada
mostrando con sus pálidos rayos
el aura inequívoca de su elegida.

Un meteorito lunar
negro y frío
abrigará sus noches
y enjugará su pena.

El filo de la piedra de luna
hiende el mal
en la carne lacerada
devolviendo su reflejo.

18. El mar

Anaíd cerró los ojos para absorber mejor las palabras de Valeria y gozar de la placentera sensación de hallarse a merced de las olas. No, no era ningún sueño, estaba navegando a bordo de un velero, y ese mar tímido de un azul exultante se asemejaba más a un lago que a un océano. Anaíd, con los párpados entornados y la suave caricia del viento y el sol en su rostro, se abandonó a la firme voz de Valeria que saciaba su curiosidad.

—No se sabe a ciencia cierta cuántas Odish hay. Calculamos que un centenar a lo sumo. Mueren muy pocas, ellas se preocupan de impedirlo. Su apuesta por la inmortalidad las hace temibles y muy sabias, han vivido todas las épocas y han sobrevivido a todas las catástrofes. Sólo algunas, contadas con los dedos de la mano, han optado por ser madres y tener descendencia. Tal vez lo han hecho sucumbiendo a la curiosidad o por pura torpeza, pero el caso es que han visto mermados sus poderes y han envejecido más que las otras. A diferencia de las miles de Omar que existimos diseminadas en tribus, clanes y linajes y que necesitamos de un lenguaje común para comunicarnos y de signos y símbolos para reconocernos e identificarnos, las Odish no tienen problemas, conocen infinidad de lenguas y, lo que es peor, se conocen al dedillo entre ellas. Tienen miles de años. Imagínate las miles de rencillas que surgen durante tanto tiempo. Las luchas entre las Odish, cuando suceden, son encarnizadas y terribles. En cuanto a su aspecto, es lo más sorprendente. Se mantienen eternamente jóvenes. Para ello, muchas veces fingen sus muertes y se hacen pasar por sus propias hijas, nietas y así sucesivamente. Lo hacen para no abandonar su estatus de poder y sus privilegios. Una vez conseguidos, les resulta más cómodo mantenerlos. Por eso muchas Odish compraron títulos y tierras y se ocultaron durante siglos amparadas en los privilegios de la aristocracia y parapetadas en sus altos castillos. Vivían cerca del poder, de las cortes y pululaban en torno a la realeza participando en intrigas y conjuras palaciegas. Recientemente, un estudio de Stikman, una prestigiosa Omar del clan de la lechuza, puso nombre y apellidos a las Odish responsables de los principales magnicidios de la vieja Europa, la más documentada. El caso más famoso fue el de Juana de Navarra, reina de Francia. Las Odish estaban ahí, ellas fueron las instigadoras en la sombra, las que proporcionaban los venenos, los puñales y las pócimas. Las Odish no tienen escrúpulos. Con sus conjuros compran y venden afectos; con sus pócimas envenenan a sus enemigos; con sus aliados, los muertos que no descansan, trasgreden las conciencias de los vivos, y con su poder y su magia negra dominan los mares, los ríos, las tormentas, los vientos, los terremotos y los fuegos.

—¿Entonces es cierto?

Anaíd, que hasta el momento había permanecido callada y atenta, no pudo resistir la tentación de interrumpir la explicación de Valeria.

—¿El qué?

—Que conjuran las tormentas, el viento, la lluvia, el granizo.

Valeria dudó.

—Sólo consiguen eso las Odish más poderosas. Y lo usan en contadas ocasiones, en la lucha entre ellas o contra un clan Omar. Los humanos mortales no les preocupan lo más mínimo.

Un leve temblor de manos traicionó a Anaíd y le retornó un doloroso recuerdo. La tormenta que se desencadenó la noche en que murió su abuela Deméter. Un espectáculo grandioso. La cúpula del cielo se mantuvo encendida como una bombilla de mil vatios durante largas horas y el huracán arrancó de cuajo dos cipreses de la verja del cementerio. ¿La conjuraron las Odish o... Deméter? ¿Y la desaparición de Selene? También estuvo acompañada por una tormenta. ¿La desencadenó Selene?

—¿Y las Omar podemos dominar los elementos?

Valeria se sorprendió.

—¿De verdad que no lo sabes?

Anaíd negó un poco intranquila. La extrañeza de Valeria la hizo sentir insegura. ¿Tenía que saberlo?

—Anda, Clodia, refresca la memoria y explícaselo a Anaíd.

Clodia había permanecido silenciosa y ausente mientras ayudaba a Valeria, sin entusiasmo pero con profesionalidad, a izar velas y maniobrar el velero. De esa guisa, agachándose, soltando cabos, escorando la embarcación ora a babor, ora a estribor, hasta parecía una chica normal. Pero en cuanto se requería su atención, se convertía en una verdadera estúpida. Valeria estaba tan acostumbrada a su gesto despectivo que ni siquiera se lo tenía en cuenta, pero Anaíd, al percibir la mueca de asco de Clodia, a punto estuvo de soltarle un bofetón. Se le quitaron las ganas de escuchar lo que decía con voz cansina y sonsonete burlón aquella niña consentida.

—Las Omar, hijas de Oma, nietas de Om y biznietas de

O, se diseminaron por la tierra huyendo de las malvadas Odish. Ellas y sus descendientes fundaron treinta y tres tribus que a su vez se distribuyeron en clanes. Los clanes poblaron los territorios del agua, el viento, la tierra y el fuego, y a ellos se debieron y se vincularon aprendiendo de sus secretos y dominando sus voluntades. De los seres vivos tomaron su nombre y su sabiduría, aprendieron su lengua y se sirvieron de sus tretas. Eso les permitió fundirse con ellos y cobijarse en ellos.

A pesar de que Anaíd intentó simular indiferencia, bebió sin desearlo de las palabras de Clodia. Sintió envidia por esos conocimientos básicos que cualquier Omar estúpida como Clodia poseía. ¿Por qué su madre y su abuela se los negaron? A pesar de los libros que había leído, se sentía ignorante como un pepino. No le quedaba otro remedio que preguntar.

—Si los clanes están vinculados a un elemento, ¿el clan de la loba a cuál pertenece?

—A la tierra —respondió Valeria—. Las lobas podéis influir en las cosechas y los bosques, en los terremotos y las plagas...

—Y las delfines sois agua —dedujo Anaíd.

—Claro. Aprendemos a dominar las mareas, convocamos la lluvia, luchamos contra los maremotos, las inundaciones...

—¿Y el fuego? ¿Qué clanes dominan el fuego?

—Los que invocan a animales que viven en las profundidades de la tierra, cerca del magma, allá donde se gesta el primer fuego que escupen los volcanes. El clan del hurón, del topo, de la lombriz, la serpiente.

Anaíd se animó.

—Y el aire lo dominan las águilas, los halcones, las perdices...

—Lógico.

Tía Criselda, pálida, intervino:

—Anaíd, tendré que enseñarte un par de conjuros para pasar tu iniciación. Debes demostrar que puedes reverdecer el tronco del árbol de tu vara y madurar un fruto.

Anaíd pareció decepcionada.

—¿Sólo eso?

—¿Qué creías?

Anaíd fabuló:

—Pues que tendría que convocar un temblor de tierra, una erupción de un volcán o... una tormenta...

Valeria lanzó una carcajada. Criselda se avergonzó. La ignorancia de Anaíd era culpa suya. Clodia la corrigió con tonillo de sabionda perdonavidas:

—Eso, ni las jefas de clan. Las iniciadas hacen otras gilipolleces, maduran una mandarina, encienden una rama de pino, llenan una palangana de agua y hacen revolotear una pluma en el aire. Has visto muchas películas de magia tú.

Anaíd se apuntó la ofensa y se juró devolvérsela. Valeria, sin embargo, salió en su ayuda.

—No hagas caso de Clodia y pregunta todo lo que te apetezca.

—No tengo más preguntas, gracias —se disculpó secamente Anaíd.

—Muy bien, pues en ese caso se acabaron por hoy las lecciones teóricas, pasaremos a la práctica.

Valeria se estaba despojando de su ropa y dio una orden a Clodia.

—Pásame la cantimplora, por favor.

Clodia la alcanzó a regañadientes y, mientras se la entregaba, señaló la hora.

—¿Hoy hay encuentro y transformación?

—¿Te molesta?

—He quedado esta tarde, no puedes hacerme eso.

—Te he avisado, pero creo que estabas dormida.

—¿Por qué? ¿Por qué hoy? ¿Por qué ha venido ésa?

—Ésa tiene nombre y vale mucho más que una tarde de tu vida, te lo aseguro.

Anaíd asistía a la discusión con incomodidad; al fin y al cabo el motivo era ella y su presencia en el velero. Valeria, atenta a su invitada, lo percibió con el rabillo del ojo. Tras dar un trago a su cantimplora, tomó a Clodia por el brazo y la obligó a bajar con ella al minúsculo camarote de proa. Anaíd agradeció el gesto simbólico de Valeria. El reducido espacio del barco hacía casi imposible no escuchar las conversaciones y mucho menos las discusiones subidas de tono, pero si se esforzaba podía desconectar y descodificar los sonidos como hacía habitualmente con los animales que la rodeaban. Al darse la vuelta reparó en tía Criselda, inmóvil, pálida, asida a la barandilla. Anaíd cayó en la cuenta de que había permanecido demasiado silenciosa todo el trayecto y ahora entendía el motivo. La pobre estaba mareada como una sopa.

—Tía, tía.

Criselda no tenía fuerzas ni para responder. Anaíd la auxilió con prestancia, luchar contra un mareo era relativamente sencillo. Una compresa fría, la posición adecuada, un estímulo circulatorio y una infusión de manzanilla azucarada. Remedios que Deméter le hubiera aplicado a ella. Se quitó su calcetín, lo mojó en agua del mar, obligó a Criselda a recostarse y aplicó la compresa improvisada sobre la frente de su tía mientras masajeaba sus muñecas para activarle la circulación y la obligaba a inhalar el aire con más frecuencia. Al poco, el color retornó a su rostro y coloreó las mejillas de Criselda. Anaíd tomó la cantimplora de Valeria y se la ofreció a su tía, que bebió un trago sin respirar y luego tosió.

—¿Qué es? —preguntó Criselda frunciendo la nariz.

Anaíd olió el contenido de la cantimplora; creía que era agua, pero despedía un olor dulzón parecido a la infusión de hierbabuena. Probó un sorbo. Era rico, lo había bebido Valeria hacía un instante, daño no le haría; se trataría de un reconstituyente o de una bebida hidratante, justo lo que Criselda necesitaba. Anaíd le ofreció otro trago y continuó masajeándola mientras recitaba entre dientes una cancioncilla que Deméter entonaba siempre que atendía a alguna paciente. Criselda empezó a sentirse mejor y se incorporó visiblemente recuperada. Le tomó las manos y estudió su palma contrastándola con la suya.

—Tienes el poder.

Anaíd se sorprendió.

—¿Qué poder?

—El de tu abuela y el mío. El del linaje Tsinoulis. Nuestras manos son especiales. ¿No te habías dado cuenta?

Anaíd negó.

—Deméter lo descubrió de muy niña, con su perro; le sanó un hueso roto imponiendo sus manos sobre la herida.

—¿Y yo puedo hacerlo?

—Tienes la capacidad.

Anaíd estudió sus manos con orgullo. Era cierto que a veces había sentido un cosquilleo al acariciar a Apolo para calmar sus maullidos desconsolados. ¿Era eso?

Las voces que provenían del camarote se silenciaron. Definitivamente Valeria había zanjado la discusión con su hija, pero Clodia era un hueso duro de roer.

Ante la sorpresa de Anaíd, Valeria apareció en bañador, bronceada y musculosa, y sin dar ninguna explicación se lanzó de cabeza por la borda con un estilo impecable.

Anaíd asistió atónita a su zambullida. Un minuto, dos, tres... Ni rastro de Valeria. Había desaparecido. Anaíd se inquietó, pero Clodia permanecía impávida. De pronto, Criselda la avisó señalando a popa, Anaíd siguió su dedo y se topó con unos ojillos redondos y simpáticos que la contemplaban a través de las olas; sin duda la estaban estudiando. El enorme pez gris surgió de entre las aguas con un salto sorprendente y lanzó un grito de recibimiento. Sin darse un respiro, apareció en la popa, en la proa, a babor y a estribor. Saltaba multiplicándose por cuatro, por cinco, repitiendo los mismos gritos de bienvenida y expulsando un abundante chorro de agua por el surtidor de su lomo. Hasta que Anaíd se dio cuenta de que no era un solo delfín. Era un grupo al completo. Y entre ellos, mezclada con ellos, nadando junto a ellos y riendo con ellos: Valeria. Con el cabello mojado, bañado en espuma de olas, y la piel bruñida de sal, Valeria era menos humana que hacía unos minutos. Pero gritó a Anaíd con voz humana:

—¡Acércate, no tengas miedo, quieren conocerte!

Anaíd extendió el brazo y fue saludada ritualmente por diez hocicos húmedos que impregnaron sus dedos de salitre y le contagiaron su buen humor.

—Te han saludado las hembras, son las más curiosas.

—Y las más cariñosas —añadió Anaíd conmovida.

Valeria tradujo sus palabras y las hembras aplaudieron la observación de Anaíd con saltos y exclamaciones. Criselda apenas podía abrir boca de tan impresionada como estaba.

Y Anaíd, contagiada por la alegría y la naturalidad de las hembras del grupo, no pudo contenerse y les respondió en su propia lengua.

No resulta fácil para una garganta humana emitir los sonidos de los delfines. Clodia llevaba intentándolo desde niña y todavía no lo había conseguido. Interpeló molesta a Anaíd:

—¿Cómo lo has hecho?

—No lo sé, me ha salido así.

Anaíd se dio cuenta de que a lo mejor se había equivocado dejándose llevar por su instinto. Pero los delfines no pensaban lo mismo y, pasado su estupor, acogieron su salutación con un gran jolgorio y acallaron la envidia de Clodia con sus gritos, mejor dicho, con sus preguntas. Las delfines eran muy, pero que muy curiosas y terriblemente chismosas. Chismorreaban sobre el pobre parecido de la pequeña loba con la gran loba roja. Hablaron de sus cabellos, sus ojos, sus piernas y los compararon con los de Selene.

Anaíd se ofendió.

—Si van a criticarme, me largo.

Valeria, muerta de risa, la invitó a zambullirse.

—Anda, venga, salta.

Anaíd se sintió azorada.

—Nunca he nadado en el mar.

—Te mantendrás mejor a flote. El Mediterráneo es muy salado.

—Es que...

—Clodia, ayúdala.

Y Clodia, encantada de molestar a Anaíd, le dio un buen empujón y la lanzó al agua tal como estaba, vestida con su camiseta y sus *shorts*. Anaíd, que no se lo esperaba, se pegó un buen susto y se sintió hundiéndose en las templadas aguas azules, tan diferentes a las frías aguas de los lagos pirenaicos. El mar tenía una consistencia espesa, compacta, como melaza que se cerraba sobre ella tragándosela y llenándole la boca, la nariz y los oídos de agua y sal. El gusto salado lo impregnaba todo y a punto estuvo de llegarle a los pulmones. Se ahogaba. Necesitaba oxígeno. Pataleó como un perro y salió a flote respirando ávidamente y lamentando no haber aprovechado mejor las clases de natación en la piscina de Jaca. Apenas sabía lo suficiente para dar unas cuantas brazadas, controlar la respiración y mantener la cabeza bajo el agua unos segundos con los ojos abiertos. Sólo unos segundos, no minutos como se permitía Valeria. Y de pronto, algo suave y resbaladizo pasó rozando levemente su brazo izquierdo, se colocó debajo y la levantó en vilo sobre las aguas. Anaíd, instintivamente, se sujetó y se dio cuenta de que se encontraba navegando sobre un delfín. Ante ella, Valeria susurró unas palabras al oído de su montura y los dos delfines, el de Valeria y el de Anaíd, salieron disparados deslizándose sobre las aguas como un catamarán. Anaíd añoró las bridas de su caballo. No sabía dónde sujetarse y la carrera marina que recorrió por espacio de quizá media hora le pareció eterna. A cada momento temía resbalar y caer en medio de ese mar que, a pesar de su mansedumbre, se le antojaba inmenso e inquietante. Por fin Valeria se detuvo.

Anaíd no comprendía por qué habían ido tan lejos ni por qué habían ido tan sólo ellas dos. ¿Y Clodia? ¿Y Criselda? Valeria habló a las delfines y las acarició suavemente entre los ojillos.

—Gracias, habéis sido muy cuidadosas. Id a comer algo y regresad luego. Anaíd, baja.

La chica no quería separarse de su montura. ¿Qué pretendía Valeria? ¿Pretendía tal vez quedarse las dos solas a flote en medio de la inmensidad y sin posibilidades de asirse ni a una miserable tabla? Sólo de pensarlo Anaíd se estremeció.

—No, por favor —suplicó sin abandonar a su corcel marino.

Valeria rió.

—Déjala y ponte en pie.

Y ante su sorpresa, Anaíd, al obedecerla, comprobó que en efecto se ponía en pie, porque el agua le llegaba a las rodillas. Estaban sobre un promontorio, una roca emergente, algo así como un pequeño islote hundido de roca porosa, a buen seguro volcánica. No tenía nada de extraño. El Etna llevaba miles de años escupiendo sus lavas ardientes en aquellas costas que habían visto nacer y destruirse abruptos peñascos e islas en poco menos de unas horas.

—¿Estás asustada?

—Es que no sé por qué hemos venido hasta aquí.

Valeria le tomó las manos y la invitó a sumergirse junto a ella.

—Abre bien los ojos y mira a tu alrededor. Luego dime qué has visto.

Anaíd hizo lo que Valeria le indicaba, pero su capacidad de aguantar la respiración bajo el agua era mucho más limitada que la de la bióloga. En los pocos segundos que mantuvo los ojos abiertos nada más acertó a ver ante ella unas algas flexibles y sinuosas que se mecían junto a sus pies.

—Algas.

—¿Estás segura? Compruébalo otra vez.

Anaíd se sumergió de nuevo y contempló fijamente esa colonia de algas inertes que se dejaban mecer por el oleaje.

—Sí, estoy segura.

—Son peces que se transforman en algas para apresar a los incautos que, como tú, no se fijan lo suficiente —se rió Valeria.

Sin que Valeria se lo indicase, Anaíd se sumergió por tercera vez, acercó su mano a la supuesta colonia de inocentes algas y la reacción precipitada de una de ellas no fue precisamente la de un plácido vegetal. En la fracción de segundo que duró el rapidísimo movimiento, Anaíd, además de sentir un pinchazo en el dedo, acertó a distinguir unos ojillos astutos.

—¡Ayy!

—Te lo advertí.

—Me ha mordido.

—Sólo te ha probado. No le gustas.

—¿Cómo lo sabes?

—Si le hubieses gustado, ya habría llamado a su familia, que es muy golosa, y estarían dándose un festín.

—Menudos listos.

—Listos, eso es lo que son. La capacidad de mimetismo que algunos animales marinos han desarrollado para sobrevivir en el mar es asombrosa.

—¿Y por qué en el mar?

—Soy bióloga, pero me gusta dar una explicación poética a este fenómeno. El agua se presta a la confusión y al engaño. La vista nos confunde, los volúmenes y los colores se distorsionan o se pierden. Lo que los seres terrestres consideramos valores objetivos no lo son en el mar. Sobre todo a medida que nos alejamos de la superficie. A medida que avanzamos en la profundidad, el valor de la luz pierde fuerza, la vista y la percepción se transforman y dejan de ser parámetros universales. ¿Me sigues?

—Sí —respondió Anaíd recordando su caída vertiginosa a través del abismo de oscuridad.

Allí, en el conducto entre los dos mundos también ella advirtió que los parámetros terrestres perdían sentido. La gravedad era una ilusión producto del miedo.

Anaíd atendió a Valeria consciente de que dentro de poco asistiría a algún espectáculo emocionante. ¿Por qué, si no, la había conducido hasta allá? ¿Para mostrarle una colonia de algas? Lo dudaba.

—En el clan del delfín hemos heredado de nuestras antecesoras unos conocimientos que atesoramos celosamente. Nunca o casi nunca los hemos mostrado a otras Omar. Tu madre fue una excepción y ella quería que tú vinieras a Taormina para que yo te mostrase el arte de la transformación.

Al oír nombrar a Selene el ritmo cardíaco de Anaíd se aceleró. ¿Había comprendido bien? Su madre quería que ella asistiese a una transformación. ¿Transformación de qué en qué? ¿Por qué razón?

Valeria miró al cielo.

—Ya casi es la hora. Debes prometerme que, suceda lo que suceda, no te asustarás.

Y mientras hablaba se desnudó completamente y entregó a Anaíd su bañador.

—Guárdamelo y espérame.

—¿Qué vas a hacer?

—Transformarme.

—¿En qué?

—No lo sé. El mimetismo es oportunista.

—¿Y cómo lo vas a hacer?

Valeria comenzó a temblar levemente, sus dientes castañeteaban.

—Me uno a lo que me rodea. Me convierto en parte de ese todo. Busco asemejarme a un ser vivo y me despojo de mi cuerpo hasta que hallo otro adecuado a mi espíritu.

Anaíd se fijó en que su cuerpo brillaba de una manera especial, intensa, incluso sus ojos refulgían. Valeria se acostó sobre las olas, cerró los ojos y se fundió con el mar dejándose arrastrar por la corriente. Alrededor flotaban sus cabellos y se enredaban en los corales. ¿Fue un espejismo? Unos instantes después Anaíd se dio cuenta de que los cabellos no eran tales, sino algas, y que el cuerpo de

Valeria se había ido redondeando y conformando de un color bruñido, como el bronce, azul como el mar, compacto como la roca. Y de pronto Anaíd se llevó las manos a la boca porque, a pesar del aviso y de la certeza de estar asistiendo a algo sorprendente, no pudo reprimir un grito.

Un atún.

Valeria se había transformado en una gigantesca hembra de atún. Imposible discernir qué pretendía. El atún rodeó a Anaíd nadando en círculos concéntricos como si celebrase un reencuentro, una danza, o como si la estuviese acorralando, hasta que de repente y sin previo aviso viró el rumbo y, gracias a su potente aleta, se alejó en dirección a una mancha oscura que se desplazaba lentamente en lontananza. Era un banco de atunes que viajaban hacia el norte en dirección al estrecho. Valeria se unió a ellos y fue recibida con muestras de alegría. A lo lejos se veían sus saltos en el aire y el rumor de sus aletas al entrechocar.

—¡Valeria, vuelve! —gritó Anaíd.

Y su voz le supo a desamparo y a soledad. No necesitó ninguna confirmación. Era Valeria. Lo sabía, estaba segura, se había transformado ante sus mismos ojos. Pero... ¿era realmente otro ser? ¿O conservaba su conciencia humana? No podía ni imaginarse lo que sucedería si Valeria, transformada en atún, pasaba el estrecho y la olvidaba. Anaíd trepó a la roca más alta, allí donde el agua lamía sus pies sin cubrirla y el sol podía secar su piel. El panorama era desolador, el manto azul lo invadía todo. Si la montaña era traicionera, el mar era inconmovible. Sola y abandonada en medio del Mediterráneo, no sobreviviría mucho tiempo.

No obstante rechazó el miedo.

Valeria era poderosa. No se trataba solamente de su musculatura y su valor. Valeria, como le sucedía a Deméter, irradiaba poder. No era habitual. No era nunca tan obvio. Ni Criselda ni Gaya ni Elena ni Karen desprendían la energía que Anaíd percibía junto a Valeria. ¿Sería ése el poder que confería la jefatura de clan? Tal vez. Pero aunque Valeria le ofreciese seguridad, lo cierto es que el banco de atunes se había perdido definitivamente y los delfines habían desaparecido. Sólo tenía su palabra y su bañador. Valeria le había dicho «guárdamelo y espérame».

Anaíd esperó y esperó. Para no sentir el frío que la iba calando se esforzó en moverse y mantenerse seca. Se despojó de la ropa mojada y se fue masajeando brazos y piernas al tiempo que se palmeaba con las manos y se pellizcaba las mejillas. Hacía algún rato que una fina telaraña de nubes había cubierto el cielo y enfriado la tarde. Las nubes se habían ido ennegreciendo y el viento había aumentado de intensidad mientras el sol comenzaba su lento declive. ¿Cuántas horas habían pasado desde que Valeria había desaparecido? ¿Tres horas? ¿Cuatro? Su sed, su hambre, el atardecer y el lento fraguarse de la tormenta empezaron a preocuparla.

En la fina línea del horizonte vio el pálido reflejo de un rayo y se estremeció. Una tormenta en el mar debía de ser mucho más angustiosa y terrible que en la montaña.

Una enorme bandada de gaviotas sobrevoló su cabeza chillando. Algunas, las más osadas, perdieron altura y se acercaron a ella para curiosear insolentemente y cerciorarse de que estaba viva. Anaíd las espantó con las manos y las ahuyentó en su propia lengua; le repugnaban esas ratas carroñeras con alas.

Y sin embargo las gaviotas eran mejor compañía que nada. Anaíd pensó que la mayor angustia que debía de sufrir un náufrago, además de la falta de agua, posiblemente era la soledad. Las horas pasaban lentas, inexorables, y a menos que se sumergiera en las aguas lo cierto es que a su alrededor no detectaba un asomo de vida. Únicamente se oía el retumbar cada vez más inquietante de los truenos y el sonido sibilante del viento.

No podía pasar la noche ahí. Y la noche se acercaba. Cada vez estaba más cerca.

No podía regresar nadando.

No tenía cohetes, ni fuego ni bocinas para alertar a las embarcaciones.

Lo único que se le ocurrió fue la posibilidad de ser ayudada por los delfines. Había llegado hasta el islote a lomos de un delfín. Y antes de que el sol se escondiese definitivamente en el horizonte, Anaíd llamó a los delfines en su propia lengua. Lanzó un grito, dos, y al tercero percibió claramente una sombra que se acercaba silenciosa entre las aguas. Suponía que sería un delfín, pero dio un respingo. Su tamaño y su aspecto bien podrían ser los de un tiburón.

Por suerte era una hembra delfín, la misma que la había transportado y que en su lengua respondía al nombre de Flun, o algo parecido.

Anaíd se sintió idiota por no haber pensado en esa posibilidad antes. Procuró ser amable.

—Me alegro de verte. Por favor, llévame a tierra —pidió a Flun intentando montar sobre ella.

Pero la hembra la esquivó y, como hiciera el atún, dio dos vueltas a su alrededor en círculos concéntricos antes de responderle:

—Valeria no me lo permite.

Anaíd se sintió desfallecer.

—¿Le ha ocurrido algo?

—No.

—Pues avísala para que venga a buscarme con el velero.

—Valeria ya sabe dónde estás.

Era obvio. Ella la había dejado abandonada y sabía perfectamente que a esas horas estaría aterida de frío y muerta de hambre, de sed y de miedo.

Entonces, si Valeria no había sufrido ningún percance y encima impedía a los delfines socorrerla..., ¿qué se proponía?

Anaíd se quedó mirando fijamente a la hembra delfín. Juraría que en los ojillos de Flun había un asomo de piedad, de lástima. La hembra dio un hermoso salto y se zambulló en las sombras del crepúsculo.

El corazón de la niña se desbocó de miedo al tiempo que la sombra de una duda iba cobrando entidad.

Ya había sucumbido a los encantos de una Odish.

Pero... ¿Valeria una Odish? No, no podía ser una de ellas. No.

Era absurdo que Valeria pretendiera deshacerse de ella.

Y sin embargo... No había testigos, ni responsables. Valeria podría dar mil excusas sobre su pérdida.

La tenue luz del sol desapareció de golpe. La tormenta había alcanzado los últimos estertores del disco solar y los había eclipsado. Las aguas se tintaron de negro y los relámpagos iluminaron cada vez con más frecuencia la oscuridad que amenazaba con tragársela. Anaíd se abrazó las piernas protegiéndose instintivamente y acurrucándose en la postura más antigua del mundo. Se balanceó adelante y atrás y tarareó una cancioncilla que Deméter le cantaba de niña. El balanceo y el ritmo de la canción la tranquilizaron y le permitieron abrir los ojos de nuevo. Las siluetas cobraron forma. La luz, aunque muy difusa, ya no le pareció tan angustiante como antes.

Todo hubiera resultado hasta cierto punto familiar, teniendo en cuenta que había convivido durante largas horas con ese paisaje, si no hubiera sido por él. Él la miraba con curiosidad a una distancia de pocos metros. La miraba con descaro, sin ningún disimulo. Estaba semihundido en las aguas, pero el fulgor de los relámpagos permitía distinguir perfectamente su cabello rizado, su barba, su escudo, su espada corta y curvada, su yelmo con un penacho en forma de crin de caballo.

Anaíd no se acobardó lo más mínimo.

—Hola.

El guerrero echó una ojeada a su alrededor sorprendido. En efecto, Anaíd se había dirigido a él.

—¿Me has hablado?

—Sí, claro, no hay nadie más.

—Entonces... puedes verme.

—Y oírte.

—¡No me lo puedo creer!

—Yo tampoco, pero es así.

—Eres..., eres la primera persona con quien hablo en... ¡Vaya!, he perdido la cuenta de los años. ¿En qué año estamos?

—Aunque te lo dijera no te serviría de mucho. ¿Qué eres? ¿Griego? ¿Romano? ¿Cartaginés?

—¡Griego de las colonias itálicas! Mi nombre es Calícrates, hoplita superviviente de la campaña en defensa del sitio de Gela, a las órdenes del gran Dionisio de Siracusa.

—¡Vaya! Creo que eso fue en el siglo V antes de Cristo.

—¿Antes de quién?

—Digamos que has pululado por aquí unos dos mil quinientos años.

—Ya me parecía a mí que había pasado mucho tiempo.

—¿Y cómo viniste a parar a este lugar si no es indiscreción?

—Me ahogué.

Anaíd reprimió un escalofrío.
—¿No sabías nadar?
—Era un soldado, no un marino.
—Y ahora eres un espíritu errante que deseas descansar en paz.
—¿Cómo lo sabes?
—Lo sé, conozco a otros. ¿Quién te maldijo?
—Supongo que mi mujer. Le juré que regresaría a Crotona a tiempo de recoger la cosecha, pero le fallé.
—O sea que te ahogaste de regreso a casa.
—Pues sí. Peleé con honores contra Himilcón, el gran general cartaginés, nos retiramos dignamente, embarcamos, pero al fondear estas costas nuestra nave se hundió.
—Y te ahogaste.
—No, nos recogió otra nave, pero me echaron al agua.
—¿Te echaron?
—No cabíamos todos y la nave estaba a punto de zozobrar, nos lo jugamos a suertes y me tocó.
Anaíd apenas oyó la última frase de Calícrates. Un terrible trueno les interrumpió.
—Una noche movidita, me recuerda...
—No, por favor —le interrumpió Anaíd.
—¿No quieres que te explique cómo fue el temporal que estrelló mi nave contra las rocas?
Anaíd se enfadó con el hoplita gafe.
—Por si no te has dado cuenta, yo estoy viva y no tengo ningunas ganas de morirme. Morir ahogado debe de ser horroroso.
—Efectivamente. Es horrible. Quieres respirar pero en lugar de aire los pulmones se llenan de agua y...
—¡Calla!
El hoplita se calló. Además de gafe era sádico. Anaíd recordó la obediencia y sumisión de los espíritus.

La tormenta se acercaba cada vez más y traía con ella fuertes olas. Aguantó la respiración cuando una de ellas, la primera que se avecinaba, la cubrió por completo. No tenía ningún refugio, ningún lugar donde sujetarse.

—Te daré el descanso eterno a cambio de tu ayuda.

—¿Te diriges a mí?

—Sí, te hablo a ti, Calícrates. Dime cómo escapar de aquí antes de que se me trague una ola.

Calícrates pareció que pensaba y miró en derredor suyo.

—Alguna forma debe de haber, pero la desconozco.

—¿Por qué?

—Las otras desaparecieron. No vi sus cuerpos ahogados. Fueron a algún lugar, pero nunca durante la noche.

—¿Qué otras?

—Las otras muchachas.

Anaíd se puso nerviosa.

—¿Me estás diciendo que no soy la primera que encuentras en esta roca?

Calícrates añadió:

—Pero eres la primera que no lloras y que me ves.

—¿Cuántas chicas han pasado por esto?

—Pues... yo diría que a lo largo de los milenios... ¿centenares?

Anaíd palideció.

—O sea que cada lustro o cada década encuentras a una chica como yo, medio desnuda, atrapada en la roca, y al día siguiente ya no está.

—Justo.

Anaíd se horrorizó. ¿Quién podía vivir miles de años haciéndose pasar por personas diferentes? ¿Quién perseguía a las muchachas y bebía su sangre? Si quería la confirmación de una terrible sospecha, ya la tenía.

—Es una Odish.

—Eso, eso pensaban ellas.

—¿Quiénes?

—Las chicas.

—¿Puedes leer los pensamientos?

—Puedo.

Anaíd se desesperó. El tiempo se le echaba encima. No se quedaría ahí para ser capturada por una Odish que se hacía pasar por una Omar o morir ahogada.

—¿Me ayudarás?

—Me gustaría, sí. ¿Cómo llegaste hasta aquí?

—A lomos de un delfín.

—Original montura.

—Pero se niega a devolverme a tierra.

Otra ola de más envergadura cubrió a Anaíd y esta vez resbaló y a punto estuvo de ser arrastrada por la corriente. En el último instante consiguió sujetarse a una protuberancia de la roca, aunque lastimándose la mano.

Por fin la tormenta estalló y la lluvia cayó con toda su fuerza. El viento, endiablado, levantó un fuerte oleaje y gruesas gotas golpearon las aguas. Anaíd comenzaba a perder pie y no sabía dónde sujetarse. Se sentía parte de ese mar embravecido, una parte del todo del agua y la espuma. Y mientras descubría esas nuevas sensaciones, vio al delfín deslizarse junto a ella.

Anaíd cerró los ojos, se reclinó sobre las olas, se abandonó y se fundió con el mar.

El hoplita esperó un minuto, dos, tres y suspiró.

Terrible.

La pobre niña había desaparecido y ya no le podría servir de ninguna ayuda. Volvía a estar solo ante la eternidad y la condena. Los gritos jubilosos de un par de delfines lo distrajeron unos instantes, pero enseguida ambos se alejaron mar allá. Y el hoplita, aburrido como todas las noches, se recostó sobre las olas para contemplar los relámpagos.

Una hora después, una lancha motora manejada por una mujer protegida por un chubasquero viró con pericia diversas veces esquivando los peñascos y efectuó tres vueltas infructuosas de reconocimiento.

El hoplita, a sabiendas de que no lo veían, se apostó sobre las rocas para contemplar mejor a la valiente intrusa.

—¡Eh, tú!

Calícrates no podía creerlo.

—¿Es a mí?

—¿A quién si no?

Calícrates, ahogado e ignorado por espacio de dos mil quinientos años, tuvo la dicha de departir por segunda vez con un ser vivo en la misma noche.

19. Ritos de iniciación

Criselda se retorcía las manos con desesperación.

—Haz algo, tienes que hacer algo.

Valeria simulaba controlar la situación, pero no había previsto la virulencia del temporal. El viento azotaba las persianas y la lluvia golpeaba los cristales con furia.

—Los augurios habían dicho que el día era favorable.

Criselda abrió la puerta de par en par; a duras penas podía sostenerla.

—¿Favorable? ¿Esto es favorable?

Valeria empezó a temer haber errado en sus pronósticos. Era la peor tormenta que recordaba en los últimos tiempos.

—Una iniciación no puede interrumpirse. Una vez ha comenzado debe finalizar.

—Me importa más la vida de Anaíd que su iniciación. Si no se inicia en un clan de agua lo hará en un clan de fuego o de aire, pero haz el favor de recogerla de ahí.

Valeria miró su reloj.

—Faltan unas pocas horas para que amanezca. Cumplamos el ritual.

Criselda salió al porche.

—Si no lo haces ahora mismo, avisaré a la patrulla y daré parte de su desaparición.

Valeria cedió ante el empuje de Criselda. Recordó la sonrisa confiada de Anaíd, su sorpresa al ver por primera vez el mar, su fe ciega en ella y el estremecimiento que percibió cuando nombró a Selene. Y ahora, esa niña que acababa de perder a su madre se encontraba sola y abandonada en el mar, de noche y a merced del temporal.

Había sido una crueldad.

Las iniciaciones siempre eran duras, pero las novatas disponían de un período de aclimatación. En circunstancias normales Valeria habría abandonado a Anaíd tras un mes de navegación y buceo y tras poner a prueba su resistencia y sus recursos. Posiblemente se habría asesorado sobre los pronósticos meteorológicos en lugar de confiar simplemente en la lectura de unas vísceras.

Pero los augures de las llamas habían vaticinado un día excelente para la iniciación de Anaíd. ¿Se habrían equivocado? Los augures nunca mentían, pero ella podría haber confundido algún indicio y haber provocado una tragedia. Nadie la haría responsable. Esas cosas sucedían, podían suceder...

A veces ocurrían desgracias. No quiso acordarse, pero le vino a la memoria el caso de Julilla, la hija de Cornelia Fatta, que no pudo soportar la oscuridad de la gruta donde había quedado prisionera y murió al intentar buscar una salida. Se despeñó por una sima muy profunda y tardaron tres días en encontrar su cuerpo. Su madre, con gran entereza, aceptó la fatalidad y se consoló diciendo que la muerte de Julilla era un mal menor que había evitado una gran desgracia. Una bruja incapaz de soportar la incertidumbre ni de controlar sus impulsos no estaba capacitada para administrar la magia. Una bruja que no soportaba pasar una noche en soledad, y en compañía de los elementos que la naturaleza le brindaba, quedaba desautorizada para ser iniciada. Sin embargo, Cornelia Fatta era una sombra de lo que fue y la muerte de su niña la acompañaría siempre.

Valeria pensaba todo eso mientras seguía a Criselda, quien, a pesar de sus piernas regordetas, llegó en un tiempo récord al puerto deportivo donde estaba anclado el velero. Parecía dispuesta a saltar dentro sin esperarla.

—¡Espera, Criselda, espera, necesitaré ayuda!

Y Valeria lamentó no haber despertado a Clodia antes de salir a la carrera tras Criselda. Criselda era una marinera inepta, incapaz siquiera de mantener el equilibrio en un lago de agua dulce. ¿Cómo pudo marearse esa mañana cuando las aguas parecían una balsa de aceite?

—No hay tiempo. Ya te ayudaré yo —respondió Criselda.

Y se la veía tan resuelta, tan convencida de sus posibilidades que Valeria se encogió de hombros y se dispuso a soltar el amarre. Pero una linterna la iluminó.

—Lo siento, está prohibido salir de puerto.

Valeria palideció.

—Sólo es una marejada gruesa.

—Olas de hasta tres metros, un pesquero encallado y una lancha que ha desobedecido nuestras órdenes y ha salido a mar abierto pilotada por una mujer. Hemos interrumpido el rescate hasta que amaine el temporal.

Valeria dejó caer la cuerda.

—Entendido... —balbuceó.

Imaginó las olas de tres metros barriendo el islote. Imaginó a Anaíd arrastrada por las aguas, su cuerpo flotando. Flun estaba avisada. Tenía órdenes de socorrerla en caso de peligro. Aunque... ¿quién podría sujetarse a los lomos de un delfín resbaladizo sobre olas de tres metros?

Criselda percibió su miedo y se compadeció de su culpabilidad. En lugar de acusarla le tomó una mano.

—Llamémosla.

—¿Sabe responder a las llamadas?

—Ella misma llamó a Karen y la hizo regresar de Tanzania. No lo ha sabido nunca, pero lo hizo.

Criselda y Valeria unieron sus manos bajo la intensa lluvia y, amparándose en la oscuridad, lanzaron la llamada de sus mentes con tanta intensidad que la respuesta de Anaíd fue casi inmediata.

Estaba viva.

Y sin embargo, las dos, tras la constatación, se miraron estupefactas. La respuesta de Anaíd había sido dada a través de otra naturaleza. Criselda quiso confirmarlo.

—¿Un delfín?

Valeria no daba crédito y asintió con la cabeza sin pronunciar una palabra. No había ninguna duda. La mente que había respondido a su llamada estaba ubicada en el cuerpo de un delfín. Pudo sentir sus aletas y pudo comprender su respuesta musical emitida en ondas.

—No ha bebido el brebaje.

—¿Qué brebaje?

—El que permite la transformación.

Criselda recordó.

—¿Estaba en tu cantimplora quizá?

—Sí.

—Lo bebió. Un sorbo.

Valeria pensaba deprisa. Criselda añadió:

—Pero yo me bebí casi un vaso.

Valeria no pudo aguantar la risa a pesar de lo dramático de la situación.

—No fastidies, entonces, entonces... en cualquier momento saldrás volando o reptando.

Criselda palideció.

—No puede ser tan fácil.

Valeria dejó de reír y se puso repentinamente seria.
—No lo es.
—¿Entonces?
—No lo sé, Criselda, no sé cómo lo ha hecho. Nadie lo había conseguido hasta ahora.

Clodia llegó empapada poco antes del amanecer, pero quiso cerciorarse de que su habitación estuviese tranquila porque le había parecido ver una sombra tras los cristales. A lo mejor Valeria había acudido a cerrar los postigos y se había dado cuenta de su ausencia. A lo mejor esa mema de niña Tsinoulis había regresado antes de lo previsto y la había acusado de ausentarse por las noches. Fuese como fuese estaba helada y su habitación estaba vacía. Así pues saltó desde la ventana y dejó un charco de agua en el suelo de madera. Palpó a tientas la otra cama y al comprobar que Anaíd no dormía en ella encendió la luz de la mesilla.

En el suelo había las huellas mojadas de unos zapatos que no eran los suyos. Mierda. La habían descubierto. Sabía que tarde o temprano la descubrirían, lo extraño era que no hubiera sucedido todavía. Valeria había estado demasiado ocupada con las tareas del clan y los alborotos por no se sabía qué líos con las Odish. Y ahora, la llegada de la pequeña Tsinoulis había acabado de despistarla. A ella le iba estupendo, no había nada que deseara más durante aquellos días que pasar inadvertida y escapar de la vigilancia opresiva de su madre.

Se quitó la ropa chorreante y se dispuso a secarse el cabello y el cuerpo con una toalla seca. Al abrir el armario y extender la mano sintió una quemazón extraña. El armario estaba muy caliente, ardía, como si el aire caliente de la tarde se hubiese quedado encerrado ahí dentro. Cogió una toalla y cerró rápidamente las puertas con una cierta aprensión. Luego, mientras se secaba, consideró que la quemazón que había sentido en las palmas era producto del contraste de sus manos heladas con el calor súbito. Apagó la luz y se vistió con el camisón, pero era tan fino que continuaba temblando como una hoja. Se tapó con la delgada sábana de algodón sin entrar en calor. La ropa de su cama no estaba preparada para la contingencia de una noche otoñal. Aunque le había parecido ver un jersey sobre la cama de Anaíd... ¿Lo había visto? ¿O lo había imaginado? Mientras pensaba sobre la posibilidad de levantarse, coger el jersey y ponérselo, oyó el suave chirrido de las puertas del armario entreabriéndose.

No se lo estaba imaginando. Lo oía con toda claridad. Tembló más aún. Una pequeña sombra se desplazó hacia la ventana. ¿Una rata? ¿Un hurón?

Con la rapidez de los quince años, Clodia encendió vertiginosamente la luz y sintió la mirada punzante de unos ojos clavados en los suyos. Fue un instante, una milésima de segundo antes de que el gato saltase por su ventana, pero fue suficiente para que Clodia sufriese un fuerte sobresalto y se llevase la mano al pecho para mitigar el dolor. Había sentido cómo la sangre se le helaba en las venas y bloqueaba su corazón. El mismo susto le impedía respirar.

Poco a poco consiguió calmarse, pero no podía quitarse de la cabeza la mirada de los ojos de ese gato que se había colado en su armario. Le recordaba otros ojos con los que se había topado esa misma noche, en la playa, los ojos de una mujer que la había mirado fijamente.

Se levantó, cerró la ventana y vio el jersey. Efectivamente, el jersey de Anaíd estaba doblado sobre su cama. Y le venía como anillo al dedo. Se lo puso y notó un fuerte escozor en la piel, pero al mismo tiempo un calor intenso que la abrigaba y mitigaba el frío. Pensó que el picor era comprensible tratándose de un jersey de lana. Y la confortabilidad del abrazo cálido se impuso a la irritación que le causaba en la piel.

Se arrebujó entre las suaves sábanas y cayó profundamente dormida. No fue un sueño plácido ni ligero. No oyó nada. No vio nada. No se enteró del regreso de Anaíd, a media mañana, ni del revuelo que se armó en la casa, ni de las llamadas telefónicas, ni de la asombrosa historia que narró Anaíd. No oyó la respiración de Anaíd, que durmió una tarde y una noche a su lado tras haber pasado por la experiencia más extraordinaria de su vida.

Clodia soñó que unos ojos miraban dentro de ella y que lentamente se introducían en ella y hurgaban en los recodos de su corazón.

Ésa fue su pesadilla.

Anaíd aún no se había repuesto de su cansancio. Quizá no llegaría a reponerse nunca. Una vez Deméter le confesó que había cansancios emocionales que perduraban siempre. Ahora creía comprenderla, el suyo era de esa naturaleza.

Creerse muerta cuando en realidad estaba sobreviviendo a una tormenta marina encerrada en el cuerpo de un delfín le había producido un cansancio de tal índole que ni todas las horas de sueño del mundo conseguirían borrar.

Creerse traicionada por Valeria cuando en realidad Valeria era la oficiante y responsable de su iniciación había sido un descubrimiento trágicamente agotador.

Pero Valeria había convocado un *coven* y Anaíd no podía fallar. Ella era la excusa y el detonante. Los recientes sucesos que amenazaban a la comunidad Omar tenían sobre ascuas a los clanes etruscos y ya habían anunciado su llegada brujas de los clanes de la lechuza, la corneja, la orca y la serpiente procedentes de Palermo, Agrigento y Siracusa. Ardían de curiosidad por conocer a la pequeña Tsinoulis, famosa, además de por ser la hija de la elegida, por su reciente proeza.

Aunque Valeria intentó mantenerlo en secreto, el chismorreo de las hembras delfín difundió la noticia y la transformación de Anaíd corrió de boca en boca como la pólvora. Todas deseaban asistir a su iniciación y aprovechar la oportunidad que les brindaba la niña para enfrentarse, con más datos, a la incertidumbre que las amenazaba desde que Selene desapareciera.

En la pequeña cala orientada a levante, Anaíd era el centro de todas las miradas. Las brujas no cesaban de llegar.

—¿Dónde está la pequeña loba Tsinoulis?

Era la frase más repetida esa noche.

—Se parece a Deméter.

—No me recuerda para nada a Selene.

—Pobrecilla, perderlas a las dos.

Eran los comentarios que se suscitaban alrededor de Anaíd. Tras lo cual, la mayoría se la quedaba mirando. Algunas con disimulo, otras con esa franqueza propia de las personas maduras que se eximen del sentido del ridículo. Anaíd podía leer en sus entrecejos fruncidos la pregunta de cómo esa niña escuchimizada había conseguido transformarse en un delfín. Afortunadamente nadie se la formuló abiertamente. La respuesta hubiera sido decepcionante, pues ni ella misma sabía cómo lo consiguió. Y posiblemente no hubiera sabido regresar a su cuerpo sin la ayuda de Valeria, que acudió a la roca una vez amainó el temporal, acarició su piel húmeda y le dictó uno a uno los pasos que le permitieron volver a recuperar su forma humana. Anaíd no sabía si podría repetir su hazaña. Valeria tampoco.

Por fin, cuando la luna en cuarto creciente iluminó levemente el recodo sur de la cala, a buen recaudo del viento y las miradas indiscretas, Valeria encendió las velas y, actuando como oficiante, repartió los cuencos entre las invitadas. Luego las invitó a unirse a su canto y a su danza y a beber con ella.

Anaíd participó por vez primera en un *coven* y le pareció emocionante. Quizá por ser la protagonista de la fiesta, quizá por sentirse parte de esa comunión de voces y mentes que celebraban la alegría de verse y reconocerse, de saberse vinculadas y protegidas por el grupo.

Era la dicha de ser una Omar.

Y ése era también su lastre, puesto que aunque quisiera no escaparía nunca al férreo control de la comunidad.

La iniciación fue sencilla. Pan comido para Anaíd. Tal como le había vaticinado Clodia, tuvo que demostrar que era capaz de suspender una pluma en los aires, llenar de agua un cuenco vacío, encender un tronco seco y reverdecer su vara. Todo eso con la única ayuda de su voluntad y sus poderes, y ante la mirada atenta de todas. Pero Anaíd no se sintió intimidada. Había descubierto que parte del éxito de su magia dependía de su propia seguridad y también, cómo no, de su equilibrio emocional. La rabia, por ejemplo, podía ser un magnífico estimulante, pero nunca podría emprender una aventura mágica teniéndola por compañera.

Por fin fue saludada por cada una de las invitadas al *coven.* Valeria le hizo ofrenda de su *pentáculo* y Cornelia Fatta, importante matriarca del poderoso linaje Fatta y jefa del clan de las cornejas, le hizo entrega de su flamante *atame,* el cuchillo de dos filos que desde ese momento en adelante llevaría consigo y la ayudaría a cortar cuantas ramas, hierbas y raíces necesitara para preparar sus pociones, para trazar sus círculos mágicos y para defenderse.

La vieja Lucrecia, que a sus ciento un años aún participaba en los *coven* como matriarca de las serpientes, recitó una letanía sobre las piedras de luna que Anaíd lucía en su cuello como amuleto y, acariciándolas, confesó que sentía la mano de Deméter en ellas. Luego, la despojó de su ropa, la untó con cenizas de roble, el árbol sagrado, y la invitó a un baño purificador en el mar oscuro.

Al salir del agua Anaíd ya no era la misma. Ahora era una bruja. Una bruja iniciada que, excepcionalmente y a pesar de su pertenencia al clan de las lobas, había sido adoptada por las delfines de Valeria Crocce, apadrinada por las cornejas de Cornelia Fatta y las serpientes de Lucrecia Lampedusa. Anaíd se hallaba protegida por los tres elementos ajenos a su propia naturaleza. El agua, el aire y el fuego.

Todo era tan emocionante que Anaíd se sintió flaquear. El ritual, los cantos, la danza, los regalos y las pruebas la habían ido sumiendo en un estado de excitación constante.

Faltaba tan sólo su sueño.

Criselda, su pariente más próximo, la invitó a beber la pócima y le hizo entrega del cuenco que debería guardar para sus próximas ceremonias. Notó un gusto amargo, pero apuró el líquido hasta el final.

Al cabo de unos minutos Anaíd sintió un mareo. Las brujas comenzaron a cantar y ella, en el centro de todas, inició una danza espontánea, rítmica, reveladora, que poco a poco la arrastraba a otras dimensiones de la percepción. Hasta que su cuerpo la abandonó y cayó sumida en un sueño inquieto y revelador. Era el sueño de las iniciadas.

Las brujas velaron su sueño y atendieron a los gestos de su rostro compartiendo sus inquietudes, sus miedos y sus alegrías.

Anaíd soñó que surcaba los cielos ayudada por unas alas y que sus largos cabellos ondeaban a su espalda. Bajo ella la luz, sobre ella las tinieblas. Al descender, la luz se tornaba fuego y el aire del cielo adquiría una espesura líquida. Anaíd se internó en el fuego y tomó una piedra roja con la boca. Su piel se quemaba, pero Anaíd no soltó la piedra e inició su regreso a través del agua. Y mientras atravesaba el agua fue un delfín, pero cuando salió de ella lo hizo transformada en loba. Anaíd, en el bosque, aulló a la luna y lloró con ella.

Al despertar, Anaíd narró confusamente su sueño. Era tan reciente que aún estaba dentro de él.

Valeria la escuchó y lo interpretó:

—Su viaje será largo y repleto de peligros, pero la fuerza de su corazón la impulsará a seguir adelante. Flaqueará ante la duda. Se internará en las entrañas de la tierra, bajo las aguas, y perseverará en hallar el tesoro que busca. No cederá al dolor, ni evitará el peligro, y para ello se servirá de sus poderes y sus tretas. El peso de su descubrimiento, sin embargo, le producirá miedo y llorará por su pequeñez.

Cornelia Fatta leyó las señales que el cuerpo de Anaíd había dejado sobre la arena.

—Su destino la persigue como una sombra y será traicionada por el engaño. El sacrificio no habrá sido inútil.

Las palabras de Cornelia Fatta, algo confusas, dieron en qué pensar a todas las mujeres y se creó un clima de consternación, pero Valeria no permitió que las dominase el pesimismo.

Había llegado el momento de hablar de lo que estaba sucediendo. El momento más esperado de la noche.

Valeria tomó la palabra.

—No voy a ocultaros nada. Las Odish nos están atacando cada vez con más impunidad. Lo sabéis, lo sé, lo sabemos. Tienen a Selene, la del cabello de fuego, y eso las hace sentir poderosas. La elegida es su arma. Mientras esté en sus manos se creerán con derecho a hostigarnos. Por eso hemos iniciado a su hija Anaíd, para que nos ayude.

—¿Qué pasa con el clan de Selene? ¿Qué han hecho durante este tiempo? —preguntó una corneja.

—El clan de la loba permaneció cerca de dos meses aislado bajo una campana Odish. Sufrió el acoso de una Odish que adormeció sus conciencias y tentó a Anaíd. Afortunadamente, consiguieron escapar al maleficio y ahora, Anaíd ya está iniciada. Como sabéis, su poder y sus conocimientos son notables. Ella ha sido hasta el momento la única que ha conseguido comunicarse con Selene. Una madre no puede rechazar a su hija si de verdad desea hallarla. Por eso Anaíd, en nombre de todas nosotras y para salvaguardar la profecía, emprenderá la difícil tarea de rescatar a Selene y la traerá de nuevo a casa, entre las Omar.

—Tal vez pueda llegar hasta Selene, pero ¿cómo conseguirá una niña vencer a las Odish? —planteó una delfín huesuda.

Criselda se vio obligada a intervenir:

—No estará sola, yo la acompañaré.

—Y aun suponiendo que eso sea posible, ¿qué ocurrirá si Selene se niega? ¿Qué ocurrirá si Selene prefiere el poder, la inmortalidad y la riqueza de las Odish a la simple honestidad de las Omar? —inquirió con agudeza una lechuza.

—¡Imposible! ¡Mi madre no es ni será nunca una Odish! ¡Ella no nos traicionaría nunca!

El grito de Anaíd era tan sincero que la lechuza que había formulado la pregunta calló avergonzada. Delante de una hija, no se podía desprestigiar a una madre ni lincharla moralmente sin pruebas.

Anaíd se dio cuenta de que su impetuosidad había silenciado las posibles preguntas que todavía no se habían formulado. En definitiva se resumían en una sola: desconfianza.

—¿Puedo hablar?

Anaíd esperó unos instantes hasta que recibió el mudo asentimiento de Valeria, que la escuchaba con estupor.

—Ya sé que no soy fuerte como Valeria, ni poderosa como fue Deméter, ni sabia como Lucrecia... Sé que, aunque ya sea una bruja, todavía no soy una mujer y que tengo la peor edad para enfrentarme a las Odish. Pero son ellas quienes me persiguen, así que, si las persigo yo, me convierto en una enemiga insólita. Si fuera una Odish, nunca se me pasaría por la cabeza que pudiese existir alguien tan idiota como yo dispuesta a meterse en la mismísima boca del lobo.

—¿Y si el lobo cierra la boca? —la cortó una delfín.

Anaíd se encogió de hombros.

—Vosotras no perdéis nada si yo muero. Yo sí pierdo mucho si no me arriesgo. Pierdo mi linaje, pierdo mi pasado, pierdo a mi familia y pierdo mi dignidad. Lo he puesto en la balanza y creo que pesa mucho. Iré a buscar a mi madre al infierno. Pero iré. Y si vuelvo con la elegida, recordad la profecía, las Odish serán destruidas para siempre. Vosotras, que perdéis a vuestros bebés y a vuestras hijas, también saldréis ganando. Únicamente os pido vuestra complicidad, nada más.

Anaíd calló y observó el efecto que sus palabras habían causado a su alrededor.

Valeria y Criselda estaban atónitas. ¿De dónde provenían el aplomo y la seguridad de esa cría? ¿Dónde había aprendido a dirigirse a un auditorio? ¿Cómo había conseguido conmover a tantas mujeres y ponerlas a su favor sólo con unas palabras?

Pero no habían sido únicamente las palabras de Anaíd. Su gesto y su ingenuidad las convencieron de que efectivamente nada perdían. O tal vez sí. Tal vez perdiesen a una valiente joven que con los años podría llegar a convertirse en jefa de tribus. Había heredado el carisma de su abuela Deméter y tenía la luz de la hija de la elegida. No había duda alguna.

Valeria recogió el testigo que Anaíd había lanzado.

—¿Estamos dispuestas a colaborar con Anaíd, el clan de la loba y la tribu escita en esta empresa?

Cornelia respondió la primera:

—Si la suerte es de los osados, Anaíd la tiene por completo. Que la suerte te sea propicia, niña Anaíd. Las cornejas creemos en ti.

La vieja Lucrecia apostilló:

—Pero con la suerte no hay bastante. Necesitará defenderse. Algunas serpientes dominan el arte de la lucha. Mi nieta Aurelia es la mejor luchadora de los clanes de fuego. Ella te enseñará. Acércate, Aurelia.

Una joven serpiente, atlética, de cortos cabellos muy negros y nariz chata, avanzó un paso y se plantó en jarras ante Anaíd.

—Te mostraré las artes de luchar con la mente y doblegar el cuerpo. Me lo ha pedido mi abuela, la jefa del clan de la serpiente y matriarca del linaje Lampedusa —y le advirtió—: Jamás hemos compartido estas artes con una bruja de tierra, tú serás la primera.

Su ofrecimiento causó un cierto revuelo. Las brujas cuchichearon entre ellas. Valeria sonrió de oreja a oreja y se dirigió a Anaíd:

—¿No habías oído hablar de Aurelia, la gran luchadora?

Anaíd no había oído hablar de ella.

—Nadie ha sido capaz de vencerla y hasta hoy no había tenido ninguna discípula. Temíamos que sus conocimientos muriesen con ella.

Anaíd la saludó con respeto y miedo.

—¿Luchar? ¿Tengo que aprender a luchar?

Aurelia fue contundente:

—Lo necesitarás.

Anaíd, perdida, buscó ayuda en los ojos de Criselda, pero le confirmaron lo que ya intuía. No podía negarse.

20. *El juramento*

Criselda no sabía nadar y se mareaba, pero a pesar de sus problemas aceptó la invitación de Valeria a su velero. En alta mar y con la única compañía de la luna y el testimonio de su pálido reflejo en las aguas, al finalizar el *coven* de iniciación, las jefas de clan y Criselda se reunieron para valorar la última información que les había llegado sobre el paradero de Selene. La situación no podía ser más inquietante.

Una joven y rubicunda corneja propietaria de un restaurante de pasta fresca en Mesina les informó del rumor.

—Llegaron hace unas semanas, tras comprar el *palazzo* de los duques de Salieri por cuatro duros a causa de una extraña plaga de langostas que arrasó sus cultivos.

—¿Estás segura de que es ella?

—Pelirroja, extranjera, alta, ojos verdes, dibuja en sus ratos de ocio, nada como un pez, colecciona sortijas de brillantes y baila sola a la luz de la luna.

—Selene, sin duda —corroboró Criselda.

La corneja tenía las mejillas encendidas.

—La pelirroja no sale nunca de la finca, pero la otra, la morena, de tez pálida y desconsideradamente impertinente, sale todas las noches y regresa de madrugada. Jamás ve el sol.

—Salma —musitó Valeria asustada.

—Son inmensamente ricas y gastan a manos llenas. En el pueblo se dice que las chicas que trabajan en el *palazzo* pierden la memoria para no recordar los horrores que allí se viven.

—¿Qué horrores?

—Se habla de llantos de bebés y muchachas desangradas.

—¿Lo has averiguado personalmente?

La corneja suspiró.

—Mi informadora, una chica llamada Conccetta, perdió la memoria y luego fue despedida.

Las tres matriarcas de la isla y Criselda se miraron con estupor. La primera en romper el hielo fue la anciana Lucrecia.

—Me pregunto por qué han venido hasta aquí.

—Para desafiarnos tal vez —sugirió Valeria.

—Salma es muy astuta. Quiere amedrentarnos —confirmó Cornelia.

—Y minar la moral de las Omar incluida Anaíd —puntualizó Criselda.

—O bien para obligarnos a mover ficha antes de tiempo —añadió Valeria.

—Es una forma de mostrarnos su triunfo. La elegida ha sido tentada —sentenció Lucrecia pronunciando las vocales a la siciliana.

—Pero la conjunción aún no se ha producido —objetó Criselda.

—Por eso. Debemos apurar el tiempo hasta el final preparando a la niña —concluyó Cornelia.

—¿Estáis de acuerdo en que no debemos precipitarnos hasta que no estemos plenamente seguras del poder de Anaíd? —resumió Valeria.

Criselda se opuso.

—¿No pretenderéis que Anaíd sola consiga rescatar a Selene?

La sabia Cornelia la tranquilizó:

—Criselda, por encima de todo confío en ti. Pero compréndelo, nuestra única esperanza es la interpretación de la profecía de Rosebuth.

Lucrecia reflexionó en voz alta:

—Estamos de acuerdo en que la niña no puede perder el amor hacia Selene, debemos mantenerla ignorante de lo que ocurre.

—Propongo que, así como hemos apadrinado su iniciación, le confiemos nuestros secretos, ya que tendrá sobre sus hombros la difícil tarea de retornar a la elegida a su comunidad —dijo Valeria—. Mi clan ya le ha confiado el secreto del agua.

Cornelia aceptó.

—La iniciaremos en el secreto del aire.

Lucrecia dio su visto bueno.

—Además del arte de la lucha, le confiaremos el secreto del fuego.

—¿Y si a pesar de todo fallase? —manifestó sus temores Criselda.

—El juramento —murmuró quedamente Valeria.

—¿Es necesario el juramento? —imploró Criselda.

Las tres matriarcas cruzaron sus miradas y coincidieron. Criselda sacó su *atame* y se hizo una incisión en la palma de la mano. Chupó su sangre y se la dio a beber a sus compañeras.

—Juramos por la sangre de Criselda que ahora nos une defender con nuestra vida la misión que se encomienda a la bruja Anaíd y a Criselda, su mentora del linaje Tsinoulis.

—Yo, Criselda, juro actuar con honestidad y rigor, y cumplir la sentencia que las Omar han decretado contra Selene, la elegida traidora. Si la misión de Anaíd fracasa... deberé eliminar a Selene con mis propias manos.

TRATADO DE MCCOLLEEN

Cuando un cometa se aproxima al Sol, la superficie del núcleo empieza a calentarse y los volátiles se evaporan. Las moléculas evaporadas se desprenden y arrastran con ellas pequeñas partículas sólidas formando la cabellera del cometa, de gas y polvo. El cometa desarrolla una brillante cola que en ocasiones se extiende muchos millones de kilómetros en el espacio.

De ahí nuestra certeza en considerar los primeros versos de la profecía de Oma como el anuncio de la llegada de un cometa.

El hada de los cielos peinará su cabellera plateada para recibirla.

Los recientes estudios de los observatorios americanos sobre los cometas Kohouetek y Hyakutake permiten considerar, en mi humilde opinión, que la llegada del cometa que la profecía de O vaticina está próxima, puesto que será único e irrepetible y por tanto no visitará más el Sol debido a la alteración extrema de sus órbitas originales por la acción gravitacional de los gigantes gaseosos del sistema solar exterior.

21. *La fiesta de cumpleaños*

Esa noche, cuando Anaíd regresó, Clodia la estaba esperando despierta en la cama, con la lámpara de la mesilla encendida y fingiendo leer. Parecía inquieta, muy inquieta.

Valeria, antes de salir de nuevo, besó a Clodia y se disculpó.

—La próxima iniciación será la tuya, te lo prometo.

Clodia no le respondió. Disfrutaba mortificándola. Sabía que su madre sufría por haber tenido que pasar a Anaíd por delante de su propia hija y se lo hacía pagar castigándola con su silencio.

En cuanto Valeria cerró la puerta tras desearles las buenas noches, Clodia se levantó de un salto y, sin dirigir siquiera una palabra a su compañera de cuarto, se vistió y comenzó a maquillarse. Temblaba como una hoja.

—¿Te marchas?

—No, me pongo guapa para ligar contigo.

Anaíd quiso ignorarla pero no pudo.

—No hace falta que trates tan mal a tu madre.

—Tú no te metas.

Pero Anaíd tenía ganas de meterse. La ceremonia le había dejado tal carga de adrenalina que difícilmente podría dormirse.

—¿Adónde vas?

—A una fiesta de cumpleaños.

Y entonces Anaíd sintió celos. A Clodia la invitaban a las fiestas y a ella no.

Pero había algo que no cuadraba.

—¿Y por qué te escapas?

Clodia se plantó dejando momentáneamente de perfilarse los labios.

—¿Tú crees que si mi madre me dejase ir a una fiesta tendría que escaparme?

—¿No te deja?

—Pues no y tú tienes gran parte de culpa.

—¿Yo?

—Todo comenzó con ese jaleo de tu madre y su secuestro.

—¿Qué tiene que ver?

—Que ha cundido el pánico y todas las Omar están obsesionadas con la misma historia. A eso se le llama política del miedo.

Anaíd se indignó.

—¡No nos hemos inventado nada! Mi madre ha desaparecido.

—Se habrá largado con alguien.

Anaíd se levantó de un salto y le arreó un bofetón. Clodia se quedó atónita, sin saber si echarse a llorar o a reír. Anaíd se arrepintió enseguida, porque Clodia empezó a tiritar tan fuerte que hasta le castañetearon los dientes.

—¿Qué te pasa?...

—¡No te acerques a mí! —le gritó Clodia.

Con manos temblorosas alcanzó el jersey que estaba sobre la silla y se lo puso sobre la camiseta. Al instante, el temblor cesó y Clodia respiró aliviada.

Anaíd, sin embargo, se alteró más todavía.

—¿Qué haces con mi jersey?

Clodia se puso a la defensiva.

—Ponérmelo. Tengo frío.

—¿De dónde lo has sacado?

—De tu cama, estaba sobre tu cama.

—Yo no lo traje aquí, no lo puse en mi maleta.

—¿Ah no? ¿Y cómo ha llegado a Sicilia? ¿A nado o volando?

Anaíd se dio cuenta de que su versión era increíble, pero estaba segura de no haberlo metido. Al hacer su maleta en Urt lo descartó por grueso. Lo tuvo en la mano y lo volvió a dejar en su percha. Estaba completamente segura.

Observó cómo Clodia acababa de moldear su cabello con espuma y se rascaba los brazos frecuentemente.

—Devuélvemelo —le pidió Anaíd, sin saber por qué lo decía.

—Si me lo quito ahora me estropeo los rizos, lo siento.

Clodia cogió su bolso y, con gran agilidad, saltó limpiamente por la ventana. Anaíd, con el pijama puesto, se quedó como una tonta viéndola marchar. Pero reaccionó enseguida, se quitó el pijama y se embutió unos vaqueros y una camiseta sin mangas; unos segundos después saltaba tras Clodia procurando no ser vista.

Al apagar la luz del cuarto había creído ver refulgir en la oscuridad unas lucecillas rojas e incluso notó una quemazón a su espalda. Pero sentía tanta curiosidad y tanta rabia que siguió adelante.

Clodia corría a pesar de los estrechos tacones de sus sandalias. Corría desesperada, como si le fuera la vida en ello, y Anaíd la seguía zigzagueando entre los bonitos chalés cercanos a la playa, con sus verjas cubiertas de glicinas en flor.

Comenzó a oír las risas y la música desde muy lejos.

Llenaban la noche. El jardín estaba cubierto de guirnaldas e iluminado con bombillas de colores y lo que vio la llenó de envidia.

Vio a un grupo de chicos y chicas como ella que bailaban, bebían, reían y se abrazaban semiocultos entre la hiedra y los jazmines.

Vio cómo aplaudían la carrera de Clodia y la recibían con gritos y aplausos.

Vio cómo un chico moreno, alto, de ojos oscuros y con un *piercing* en la aleta de la nariz se adelantaba y corría hacia ella, y Clodia corría hacia él gritando su nombre —Bruno—, y vio cómo se fundían en un abrazo y se besaban apasionadamente ante las miradas de sus amigos.

Toda esa sucesión de imágenes pasó ante los ojos de Anaíd en pocos minutos. La noche cuajada de estrellas olía a bronceador, maquillaje, alcohol y sudor. Eran jóvenes y se divertían. Clodia reía, charlaba por los codos y, sentada sobre su chico, bebía a morro de una botella, interrumpía sus frases con largos besos y continuaba hablando con la mano de él en su rodilla, cosquilleando su pierna.

Anaíd no quiso ver más. Ya lo entendía. Entendía a Clodia, aunque se sentía incapaz de imaginar cómo debía de sentirse. ¿Era eso la felicidad? Estar enamorada, tener amigos, ser invitada a las fiestas.

Soy una gran gran chica
en un gran gran mundo
pero nada tiene sentido
si tú no estás.

Sonaba la canción. Se sentó en el suelo, ante el muro del jardín, rodeando sus rodillas con los brazos, y se dejó mecer por la música.

—Hola.

Anaíd levantó la cabeza y se encontró cara a cara con un chico de su edad, algo desgarbado, algo granudo, algo tímido.

—Hola —respondió sin mucho entusiasmo.

—¿Quieres un trago? —y le ofreció la botella que tenía en sus manos.

Anaíd no había bebido nunca. Le daba apuro confesarlo.

—No, gracias.

—¿Un *piti?*

Peor, comenzaría a toser.

—No, gracias.

—¿Te apetece dar un paseo?

Anaíd tuvo miedo. ¿Se estaba riendo de ella?

—No, gracias.

—¿Te molesto? ¿Quieres que me vaya ahí dentro otra vez?

Anaíd se quedó cortada. Evidentemente el chico estaba haciendo un esfuerzo por ser amable y ella, que unos segundos antes suspiraba por ser normal, se estaba comportando como una perfecta anormal.

—No, no te vayas por favor.

El adolescente hizo un gesto de satisfacción.

—Me llamo Mario.

—Yo, Anaíd.

Mario se sentó junto a ella y encendió un cigarrillo. Anaíd inhaló el humo dulzón del cigarrillo rubio, pero además olió algo extraño, algo inusual. Evidentemente era un olor desagradable, acre, y arrugó la nariz.

—¿Qué te pasa?

—Huele mal.

—¿Me estás diciendo que huelo mal?

—No... no eres tú, es...

Anaíd miró hacia el lugar de donde provenía ese extraño olor. Le pareció ver una sombra, pero Mario ya se había puesto en pie mosqueado.

—Oye, tía, así no vamos a ninguna parte. Me voy a dar un paseo.

Anaíd reaccionó y también se puso en pie.

—Voy contigo.

Mario comenzó a caminar hacia la playa. Anaíd, a su lado, pensó que si alguien los veía creería que ella era una chica normal que salía de una fiesta, y que querría estar a solas con su chico para besarse.

¿Por qué no?

Claro que Mario no parecía tener la intención de tomar la iniciativa. Después de tantos chascos no era extraño. Así que Anaíd se armó de valor y dio el paso:

—¿Nos besamos?

El otro se detuvo en seco, cortado, cortadísimo.

—¿Y me lo dices así?

Anaíd intuyó que lo había hecho mal otra vez.

—Pues ¿cómo quieres que te lo diga?

—No tan de repente.

—¿Más poco a poco?

—Eso.

Anaíd puso sus cartas boca arriba.

—Lo siento, no me he besado nunca con nadie.

Mario tosió incómodo.

—Me parece que... no estoy preparado.

Anaíd vaciló. ¿Era una negativa? ¿Era un aplazamiento? ¿Era una huida a la desbandada?

—¿Tú tampoco?

—¡Yo no he dicho eso!

—Me parece que estamos empatados.

—¡Anda ya!

—Y que te has cagado de miedo.

Pero Mario, antes muerto que reconocerlo.

—Lo que pasa es que no me inspiras.

Anaíd sintió hervir su sangre.

—¿Que yo...? ¿Que yo no te inspiro?

—Para nada, tía. No me puedo poner romántico contigo, eres tan antirromántica.

Anaíd se esperaba que la llamase fea, niñata o inexperta, pero «antirromántica» la ofendió muchísimo más. Eso significaba que era consustancial en ella. Que producía rechazo romántico. Repelía los besos, como si estuviese impregnada de una loción antichicos en lugar de un antimosquitos.

Muy indignada, imaginó a Mario como un mosquito que intentaba picarla sin éxito y...

Mario comenzó a revolotear con los brazos y a agitarse en unos movimientos convulsos, emitiendo zumbidos.

—Mario, Mario, ¿qué haces?

—¡ZZZZZZZZZ!

Anaíd se llevó las manos a la boca horrorizada. Mario se creía un mosquito.

Afortunadamente todos habían bebido y a nadie le extrañaría ver a un muchacho dando extraños tumbos por la playa imitando a un insecto volador.

Sin embargo Anaíd quería morirse. Acababa de ser iniciada como bruja Omar, había sido aclamada como la adalid del bien, y apenas unas horas después, cediendo a la estúpida venganza de un desaire, condenaba a un pobre chico a sentirse un mosquito.

Y lo peor es que no se había dado cuenta de que estaba profiriendo un conjuro. Se le había escapado, por así decirlo.

Lo único bueno es que ya controlaba el antídoto de sus conjuros.

Mario, babeante y con los brazos acalambrados de tanto volar, se desplomó sobre la arena asustadísimo y movió lentamente los dedos de las manos para comprobar si respondían a su voluntad. No comprendía lo que le acababa de suceder.

Anaíd, mientras tanto, se retiró discretamente.

Su primer intento por ser una chica normal había sido un completo desastre.

22. *Otra vez*

—Otra vez.

Anaíd saltó de nuevo en el aire y mantuvo la ilusión óptica de su imagen ante los ojos de Aurelia mientras ella aprovechaba para mover su cuerpo a la velocidad de la luz y sorprenderla por el flanco derecho.

Pero no era Aurelia, era su ilusión. Aurelia estaba justo detrás de ella y la paralizó con un sencillo movimiento de sus dedos de garfio oprimiendo un nervio de la yugular y haciéndole lanzar un grito de dolor.

Anaíd dejó caer los brazos dándose por vencida. Era imposible sorprender a Aurelia, nunca conseguiría vencerla.

—Otra vez —insistió Aurelia inflexible.

Anaíd estaba agotada. Aurelia era repetitiva, no la dejaba descansar ni un segundo, la obligaba a volver a los mismos ejercicios una y otra vez hasta que se convertían en gestos mecánicos, automáticos. Por las noches, cuando se dejaba caer como un fardo sobre el colchón, sólo oía «otra vez» como un tambor martilleando sus oídos. Y ante ese «otra vez» su cuerpo se encogía y se plegaba a la resignación. Pero en esta ocasión se rebeló.

—No puedo más. No puedo sorprenderte, intento desdoblarme con la misma rapidez que tú, pero no puedo.

—Otra vez —respondió impasible Aurelia.

Anaíd se encendió. ¿No la había entendido? ¿Estaba

sorda quizá? Se lo había dicho muy claramente. No se veía con fuerzas ni con ganas de volver a intentar algo tan absurdo y tan evidentemente destinado al fracaso.

—Otra vez —insistió Aurelia con su voz neutra y machacona.

Y la alumna supo que hasta que no consiguiera dar un salto cualitativo en su aprendizaje oiría esa frase, hueca de sentido, pero tan temible como una gota de agua cayendo rítmicamente sobre sus nervios destrozados. Así que hizo lo único que se le ocurrió. Concentró toda la rabia que sentía contra Aurelia y pensó lo agradable que sería sorprenderla y hacer suyo el sonsonete. Sonrió imaginando el cambio que supondría pronunciar ella esas palabras tozudas. «Otra vez», diría a una Aurelia desconcertada que miraría hacia todos lados sin saber dónde ni cómo sería sorprendida por la rapidísima Anaíd. Y, sin pensarlo ni un segundo, saltó como un rayo y modificó totalmente su técnica. Lo hizo al revés. Mantuvo su cuerpo ante Aurelia y desdobló su ilusión a un flanco.

—¡Mírame a los ojos! —gritó Aurelia.

Fuese por el desconcierto o fuese por el automatismo en obedecer las órdenes, Anaíd —su cuerpo y no su ilusión— dirigió su mirada a Aurelia y fue atrapada por la zarpa de su maestra.

—¡Mierda! —exclamó Anaíd, dándose cuenta de la trampa.

—Cuando luches, nunca escuches a tu oponente. Otra vez.

Y Anaíd probó a arriesgar el todo por el todo. Aurelia le había enseñado a desdoblar la ilusión de su cuerpo y a moverse con la agilidad del rayo para atacar al oponente. Aurelia distinguía perfectamente entre dos cuerpos cuál respondía a la verdad y cuál era la farsa. ¿Y si lo intentara con tres cuerpos? Las milésimas de segundo que le supondría descartar posibilidades serían suficientes para lograr un margen de ventaja y atacarla de improviso. Anaíd decidió intentarlo y probar, además, a atacarla de frente y rodearla de réplicas.

Tres Anaíds rodearon a Aurelia que, efectivamente, se desconcertó por la arriesgada propuesta y, antes de que se desdoblase a su vez en otras tantas, fue neutralizada por el zarpazo de Anaíd en su cuello.

Aurelia, vencida y noqueada, sonrió por primera vez en los muchos días que llevaban practicando. Anaíd pensó que hasta era bonita. La sonrisa distendía la dureza de sus ojos y se sintió cautivada por la blancura de sus dientes que refulgían en aquel rostro curtido.

—¿Cómo lo has hecho? —le preguntó Aurelia.

—Otra vez —propuso Anaíd.

Y de nuevo, aun estando advertida Aurelia de la treta de su alumna, volvió a perder un tiempo precioso discerniendo sobre la auténtica Anaíd. Perdió por segunda vez. Pero no se desanimó. Al contrario, parecía más motivada si cabe a continuar.

—Es una nueva técnica mucho más efectiva. Otra vez.

Y Aurelia probó a imitar a Anaíd y se desdobló a su vez en dos Aurelias, pero no lo logró con la misma eficacia que Anaíd y fue vencida.

—Otra vez —continuó proponiendo Anaíd.

Y así durante horas y horas, hasta que las dos, exhaustas, se sorprendieron quedando ambas prisioneras de su oponente. Estaban en tablas.

—Lo has aprendido —dijo Anaíd—. Muy bien.

—¿Cómo que lo he aprendido? —protestó Aurelia—. Soy tu maestra. Eres tú quien ha aprendido a luchar.

Anaíd se puso en pie.

—¿Ah sí? Otra vez.

Aurelia se echó a reír.

—¿Has soñado conmigo? ¿He sido tu peor pesadilla? ¿Has querido hacerme tragar mis «otra vez» con una buena dosis de estramonio?

Anaíd se sonrojó.

—¿Cómo lo sabes?

—Eso es lo que me ocurrió a mí cuando Juno, la luchadora que me adiestró, me tuvo un año a dieta de «otra vez», hasta que la vencí, claro.

—¿Un año? —se horrorizó Anaíd.

Ellas llevaban dos semanas y le parecía una eternidad.

—¿Y cómo es que me lo has enseñado a mí en tan poco tiempo?

Aurelia se secó el sudor y le ofreció un trago de zumo de pomelo.

—El mérito no es mío. Sabía que eras mejor que yo.

Anaíd quiso fundirse. Se había ganado otra enemiga. ¿Por qué tenía que ser tan poco empática como para no darse cuenta de que a nadie le gusta ser relegada a un segundo plano?

—Eso no es cierto, hay muchísimas cosas que soy incapaz de hacer...

Aurelia se dio cuenta del apuro de Anaíd y se extrañó.

—Ep, ep, ep... ¿Te crees que estoy celosa?

Anaíd aún se apuró más.

—No sé lo que creo o no, pero...

Aurelia se puso en pie y la señaló.

—Ni siquiera tú misma sabes lo poderosa que eres.

Anaíd palideció. ¿Qué quería decirle Aurelia?

—¿Poderosa?

—¿Sabes cuántas brujas delfín vivas han conseguido aprender el arte de transformarse?

Anaíd lo ignoraba y se encogió de hombros. Creía que todas las delfín dominaban ese arte.

—Valeria es la única y duda de que Clodia pueda llegar a aprenderlo nunca.

Esa vez Anaíd se atragantó y tosió.

—¿Quieres decir que soy la única que me he transformado además de Valeria?

—Selene estuvo intentándolo, pero tuvo que regresar.

Anaíd sintió un calor muy especial al oír el nombre de su madre.

—Fue Selene quien le pidió a Valeria que me enseñase.

Aurelia se puso en pie y tomó su toalla.

—¿Te das cuenta de que Valeria no te enseñó nada?

—¿Cómo que no me enseñó?

—Se transformó ante ti, pero no te dijo cómo debías hacerlo.

Anaíd no quería sentirse diferente. Siempre se había sentido mal sabiéndose diferente. Quería ser una bruja más, no una bruja rara.

—Igual que yo no te enseñé la posibilidad de desdoblarte en múltiples ilusiones. Eso lo has probado y lo has aprendido sola.

Anaíd se defendió.

—En realidad se consigue aplicando el mismo principio. Es una cuestión de voluntad y concentración.

—Y poder.

Anaíd se llevó las manos a la cabeza.

—No tendrías que habérmelo dicho.

Aurelia insistió.

—Eres la hija de la elegida. Has heredado su poder y debes aprender a dominarlo y a valerte de él.

—Pero ella no está para enseñármelo.

Aurelia se compadeció.

—Lo sé y todas sabemos que tú eres la única que puedes ayudarla.

—Tengo miedo —confesó Anaíd.

Aurelia se sentó junto a ella y la acarició.

—Sé que da miedo saber que los que tienen que protegerte están menos capacitados que tú. Me sucedió de niña.

—¿El qué?

—Fue terrible.

—¿Qué sucedió?

—Una Odish acabó con mi hermana.

Anaíd recordó las imágenes del libro de niñas Omar deformadas, blancas y desangradas. Se estremeció.

—Yo era muy pequeña, dormíamos en la misma habitación. Había notado su miedo y su inquietud durante muchas noches. Hasta que vi a la bruja Odish acudir a su cama para exprimir las últimas gotas de sangre de su corazón.

Anaíd se paralizó por el espanto.

—¿Y qué hiciste?

—Luché contra la Odish, nadie me había enseñado cómo, pero es un arte muy antiguo entre las serpientes. Fue instintivo.

—Qué valiente.

—Pero era una niña y creía que las madres siempre son más fuertes que sus hijas. Así pues fui a pedir ayuda a mi madre.

—¿Y qué pasó?

—Mi madre se dio por vencida.

Anaíd calló. Aurelia, con su historia, le había dado la respuesta a muchas de sus preguntas.

—Otra vez —murmuró Anaíd.

Aurelia se limpió una pequeñísima lágrima con el dorso de su mano.

—Juré que nunca me daría por vencida y luego descubrí que ésa era la técnica de lucha de las serpientes. Lo sabía por instinto, pero no todas poseíamos el instinto. Mi madre carecía de él.

—¿Te has enfrentado alguna otra vez contra alguna Odish?

Aurelia miró hacia todos lados. Luego tomó a Anaíd de la mano y la llevó hasta las duchas, abrió un grifo y con el ruido del agua como encubridor confesó:

—Una vez.

—¿Por qué me lo dices así?

Aurelia se veía cohibida.

—Está prohibido.

—¿Está prohibido luchar contra las Odish?

—¿No conoces la historia de Om? Om esconde a su hija Oma para evitar que su hermana Od la desangre. Eso hemos hecho las Omar durante milenios, ocultarnos y evitar la conflagración.

—Om no permaneció impasible, destruyó las cosechas y trajo el invierno.

—Justo. Por eso aprendemos a dominar a los elementos.

Anaíd no acababa de encajar las piezas del puzle.

—Sin embargo yo estoy aprendiendo a luchar. Un *coven* de fraternidad me ha encomendado la tarea de rescatar a Selene de las Odish, por eso me estás enseñando a luchar.

—Tienen miedo, mucho miedo.

—¿De qué?

—De la elegida.

—¿De Selene? ¿De mi madre?

—Si Selene se convierte en una Odish la profecía vaticina el fin de las Omar.

—Pero es absurdo, Selene nunca sería una de ellas.

—Esperemos que no.

Anaíd percibió la inquietud de ese «esperemos», el nerviosismo que se intercalaba entre sílaba y sílaba, el ligero titubeo al pronunciar el no. ¿Una luchadora como Aurelia se sentía intimidada?

—¿Tú también tienes miedo?

—Salma ha vuelto.

—¿Salma? Oí ese nombre a Valeria. ¿Quién es?

—Una Odish muy cruel, ha tenido mil nombres y mil apariencias.

Anaíd se estremeció.

—¿Y eso qué quiere decir?

—Algo va a pasar o está pasando ya.

—Me tengo que dar prisa. ¿Verdad?

Aurelia le mostró su pie izquierdo. Le faltaban dos dedos.

—Si tienes que luchar contra una Odish, recuerda bien mis dos consejos. Uno por cada dedo que perdí.

Anaíd se acercó a ella y aspiró de sus palabras.

—Nunca las creas. No creas ni una palabra de lo que te digan, aunque parezca posible, aunque haya indicios de que sea verdad, no las escuches. Te confundirán.

Anaíd grabó ese consejo de oro en su memoria.

—¿Y el otro consejo?

—No las mires a los ojos. En sus ojos concentran todo su poder y pueden paralizar tu voluntad y clavarte su daga en el corazón. Evita mirarlas. Lucha en la oscuridad. Usa un vendaje. Algo que te inmunice de su mirada.

Anaíd estaba ansiosa de saber.

—¿Algo más?

Aurelia se acercó a ella con sigilo.

—Sí —susurró—. Una cosa muy, muy importante.

—¿Cuál?

Y de un certero empujón la mandó bajo el helado chorro de agua de la ducha. Anaíd pegó un chillido del susto. Aurelia rió.

—Estate siempre a la defensiva, niña tonta.

Anaíd salió de debajo de la ducha chorreante. Se plantó en jarras ante Aurelia y la retó.

—Otra vez.

23. *La sangre*

La puerta se abrió con la fuerza de un vendaval. Salma, sorprendida en su habitación, abrió los ojos con estupor.

—¿Qué quieres, Selene? ¿Por qué no has llamado antes de entrar?

Selene, más alta, más fuerte, más temible que nunca, señaló al bebé que Salma tenía entre los brazos.

—¿Qué significa esto?

Salma dejó al pequeño sobre la cama. Estaba durmiendo plácidamente.

—¿Qué te pasa? ¿Te ofende acaso? ¿Te molestan mis gustos?

Selene cerró la puerta de un golpe cuyo eco resonó en la estancia como una bofetada certera. Avanzó hacia Salma y la acusó con el dedo índice ataviado con una sortija de diamantes.

—¿Te has creído que soy idiota?

Salma, desconcertada, se repuso a tiempo. Selene había lanzado sobre ella una tormenta de polvo. Salma paralizó las partículas en el aire. Se defendió.

—¿Qué ocurre?

Selene rió imitando la risa hueca de Salma.

—Ocurre que la condesa se irritaría mucho si supiese

que en lugar de seguir sus órdenes te dedicas a satisfacer tus caprichos sin tener en cuenta las consecuencias de tus excesos, y que estás desafiando su poder y el mío.

Salma se sintió en falso.

—No ha habido tales excesos.

—¿Ah no? La isla entera se ha hecho eco de tus desmanes. La prensa local publica fotografías de los bebés desaparecidos y de las muchachas desangradas; todas son Omar.

—Claro.

—¿Claro? ¿Qué está tan claro? Aún no se ha producido la conjunción, pero está a punto. ¿Miras al cielo cada noche, Salma? Yo sí, y sueño para que se produzca, y te juro, Salma, que mi primer acto de poder será castigar tu imprudencia. ¿Pretendes superarme en poder? ¿Pretendes desbancar a la condesa? ¿Cuánta sangre has bebido ya que te asegure centenares de años de ventaja? Eso no estaba pactado, Salma. Has jugado sucio.

Salma se achicó.

—Necesito reponer fuerzas.

—¡No es cierto! —rugió Selene—. Me estás retando. Pues bien, Salma, yo te ordeno que a partir de ahora me entregues a tus víctimas para mi disfrute. Ya has tenido suficiente festín. Y búscalas fuera de la isla. Ésta será mi morada, reinaré desde este palacio.

—¿Reinar? No me hagas reír. ¿Dónde está tu cetro?

Selene avanzó otro paso más.

—Muy pronto aparecerá, y cuando lo tenga entre mis manos no replicarás.

Selene tomó al pequeño, que, al despertar, comenzó a llorar. Lo desnudó lentamente y buscó la pequeñísima herida que Salma había abierto en su pecho. Selene acercó la boca lentamente a la diminuta incisión.

Salma se revolvió de rabia.
—Dijiste que no compartías nuestros métodos.
Selene levantó la cabeza y la fulminó con su mirada.
—Eso era antes, antes de poseer todo esto. ¿Cómo voy a echarlo a perder? No soy tan idiota como creías.
Salma, indignada, salió de la habitación hecha una furia. Selene la advirtió.
—¿Adónde vas? Recuerda lo que te he dicho.
Salma replicó:
—Hay excepciones a la regla.
Y salió dejando a Selene sola con el bebé llorando entre sus brazos.

PROFECÍA DE OD

Oro, sangre e inmortalidad para la elegida.

Belleza nacarada su piel,
lunas eternas su tiempo,
en sus sueños de amores rendidos.

La ambición suma
a partes iguales de envidia y celos
y añade a su venganza la traición.

Será tentada y sucumbirá a la tentación.

24. El secreto de Clodia

Anaíd daba un largo paseo en solitario por la playa. Había acabado con honores sus clases con Aurelia, pero en lugar de sentirse orgullosa la había acometido un vacío repentino. Tal vez se hubiera convertido en una luchadora, pero... ¿Le serviría para luchar contra su soledad, su incapacidad para hacer amigos, su fealdad o su orfandad?

Al regresar a la casa encontró a Clodia acostada. Nunca se iba a dormir a una hora tan temprana y Anaíd, convencida de que era un truco, esperó en vano a que se levantara, se cambiara de ropa, se maquillara y saliera por la ventana.

Pero Clodia permaneció en la cama, tosiendo y temblando bajo dos mantas y una colcha de dril.

—¿Te encuentras mal?

Hubo un silencio extraño. Casi no se habían hablado durante esas semanas. Eran como dos extrañas compartiendo habitación y de pronto Anaíd había formulado una pregunta personal.

—Hace mucho frío —respondió Clodia al cabo de un rato—. ¿No lo notas?

Estaban en pleno verano y la temperatura en la isla era bochornosa, casi asfixiante, sobre todo para Anaíd, acostumbrada al clima de alta montaña.

—Estás enferma.

—No... —contradijo la otra de inmediato, a la defensiva.

Pero sin que Anaíd objetara nada, ella misma rectificó:

—O a lo mejor sí...

—¿Se lo has dicho a Valeria?

—¡Ni se te ocurra!

Anaíd calló y Clodia continuó abriéndose como una ostra, lentamente, dolorosamente.

—Enfermé la noche de la tormenta, cogí un resfriado y aún lo arrastro. Duermo fatal.

—¿Y te duele algo?

—Los huesos, el pecho al respirar, la cabeza.

El mismo esfuerzo de hablar le provocó un ataque de tos. Anaíd se levantó y le pasó su mano por la frente. Estaba fría, glacial. ¡Qué extraño! No tenía ni gota de fiebre. Al retirar la mano Clodia la retuvo.

—No, déjala, me alivia el dolor.

Anaíd se sintió reconfortada. Clodia le pedía que curase su jaqueca. Le impuso las manos en su frente helada y absorbió el frío que la impregnaba sintiendo cómo se apoderaba de su cuerpo y oprimía su corazón. Clodia dejó de temblar y sonrió. Eso le bastó para animarse a continuar. Anaíd, con renovadas fuerzas, palpó con pericia el cráneo de Clodia y, poco a poco, sus dedos se fueron prolongando mágicamente hasta que penetraron en todos y cada uno de los inflamados nervios de su cerebro. Con la punta de sus yemas podía sentir cómo se disolvían las tensiones y la sangre volvía a circular fluidamente. La respiración de Clodia, antes agónica, se regularizó y su rostro se relajó mientras sus ojos se cerraban al impulso del aleteo inconsciente de sus pestañas.

Anaíd la contempló. Así dormida, con los negros cabellos rizados sobre la almohada enmarcando el óvalo dulce y pálido de su cara, le recordó al icono de una Virgen ortodoxa.

Anaíd vio a una chica enamorada que sufría porque su madre la tenía prisionera a causa de su condición de bruja. Lamentó no poder ser su amiga.

Al regresar a su cama un terrible escalofrío la sacudió de pies a cabeza. Sentía frío, un frío terrible. Temblaba como una hoja y le castañeteaban los dientes. El frío de Clodia se había instalado en su cuerpo. Abrió el armario, sacó su jersey y al ponérselo sintió un bienestar inmediato.

Agotada, completamente exhausta, se dejó caer en la cama y cerró los ojos.

Se despertó horas más tarde sudando a mares y sintiendo un fuerte escozor en la piel. Claro, la lana áspera del jersey. ¿Se había dormido en pleno verano con un jersey puesto? Y al intentar quitárselo sintió ese desagradable olor acre, el mismo que había olido en la fiesta de los amigos de Clodia. Algo, su instinto, le aconsejó no moverse.

Y entonces oyó los gemidos de Clodia y sus sollozos. Parecía dormida y aterrorizada por alguna pesadilla. Pero cuando Anaíd quiso levantarse para consolarla, se dio cuenta de que el cuerpo, su cuerpo, no le respondía. Sintió el horror de la inmovilidad. Por más que daba órdenes a sus miembros, su cuerpo era como un fardo inerte y sordo. Ni siquiera sus ojos la obedecían y permanecían cerrados. Pensó que estaba en las profundidades de un sueño y se propuso despertar, pero el olor era muy intenso y el sollozo de Clodia era real. Así pues, estaba despierta. ¿Qué sucedía?

Un conjuro. Era víctima de un conjuro.

Hizo un intento desesperado por librarse del peso de su parálisis concentrando todas sus energías en sus párpados. Una de las lecciones de Criselda había sido ésa. Cuando el pánico te disperse los sentidos, concentra tus fuerzas en un solo punto.

Sus párpados pesaban como un carro cargado de piedras, abrir sus párpados suponía el esfuerzo de cien hombres alzando una persiana de hierro. Arriba, arriba, ya...

Lo había conseguido. La habitación estaba en penumbra y los peluches y muñecos de Clodia alineados en sus estanterías proyectaban fantasmagóricas sombras sobre la pared. Anaíd parpadeó. Con gran esfuerzo giró el cuello lentamente y consiguió distinguir por espacio de unos segundos la cama de Clodia. Sentada en ella, una sombra tan esperpéntica e irreal como las que se proyectaban sobre la pared, la sombra esbelta de una mujer de largos dedos hurgando en el pecho de Clodia.

Anaíd quiso ahuyentarla, pero debió de hacer algún movimiento y la mujer, alertada por el ruido, clavó su mirada en ella. Anaíd se hundió en una terrible pesadilla.

Anaíd sudaba. La cocina ardía, el sol del mediodía ardía y sobre todo le ardía la cara de vergüenza por lo que estaba haciendo.

—No soy ninguna chivata, no quiero que pienses que voy por ahí chivándome sobre lo que hacen o dejan de hacer las otras chicas, pero fíjate, Clodia está pálida, ojerosa y tose. Le duele la cabeza y por las noches sufre pesadillas.

Valeria la escuchaba controlando el tiempo del asado en el horno.

—Ya, ya me he dado cuenta. Le prepararé una poción reconstituyente. Ha cogido un buen resfriado.

Anaíd insistió.

—Le duele el pecho y sufre pesadillas.

—¿Y los huesos? ¿Se queja de los huesos?

—Sí.

—Lo que me temía, un estado gripal.

Anaíd se retorció las manos apurada.

—Anoche me pareció ver una sombra en la habitación.

Valeria, que había estado más atenta a la salsa del asado que a la gravedad de las palabras de Anaíd, esta vez se detuvo y cerró inmediatamente la puerta del horno.

—Habla claro, no me gustan las insinuaciones.

—Sospecho que una Odish la está desangrando.

Valeria enmudeció.

—¿En esta casa?

—Sí.

—¿A mi propia hija?

—Sí.

—¿Cómo?

—Aprovecha que te ocupas poco de ella para distraer su atención.

Valeria, habitualmente tranquila, se enfureció. Anaíd dio un paso atrás al notar su ira.

—No te sobrepases, Anaíd. El que te trate como a una hija no te da derecho a opinar sobre la forma en que me ocupo de mi familia. ¿Entendido? Si he descuidado a Clodia, ha sido por ti. Recuérdalo.

—Yo no quería ofenderte, pero...

—Discúlpate.

—Lo siento.

—Y no quiero oír ni una palabra más sobre ese absurdo. Ninguna Odish se atrevería a desangrar a una niña ante mis narices.

Anaíd se llevó las manos a las mejillas más avergonzada si cabe que al principio de su alocución. Se había equivocado, en la forma y en el contenido. No se atrevía a confesarle a Valeria las continuas escapadas nocturnas de

Clodia, sus amores secretos ni su desobediencia temeraria al despojarse del escudo protector. Si Valeria lo supiera, a lo mejor tomaría en serio sus sospechas e investigaría. Pero hablar más sólo significaría convertirse en una miserable chivata.

Durante toda la tarde, mientras preparaban el escenario de la ceremonia de adivinación, encendían los troncos e iban a buscar al conejo, notó a Clodia pálida y distante. La rehuía, se alejaba si Anaíd se acercaba a ella o fingía no oír sus palabras y le negaba las respuestas. Volvía a ser la misma Clodia antipática de siempre.

En cambio Valeria estaba mucho más atenta y deferente con su hija. Le ofreció el *atame* para que oficiara el rito y sujetó con fuerza al conejo. Clodia, con mucha entereza, lo clavó de un golpe y, con pulso firme, le rebanó el cuello. Anaíd estaba acostumbrada al sacrificio de cerdos, gallinas y conejos, pero en Urt ninguna chica de la edad de Clodia se atrevería a tomar el cuchillo y a usarlo con tanta precisión. Valeria le tendió la palangana de plata y Clodia la colocó de forma que la sangre del animal fuera goteando y salpicando de rojo el bello metal.

Luego, Clodia ofreció el *atame,* el cuchillo de doble filo, a Valeria, quien de un certero tajo abrió en canal al moribundo conejo y extrajo sus vísceras calientes. Madre e hija las extendieron sobre una bandeja argentada y ahí quedaron esos retazos de pálpitos de vida, desnudos, laberínticos y repletos de recovecos y misterios.

Clodia y Valeria fueron discerniendo con mudos asentimientos los signos que descubrían en el color, la textura y la forma del hígado y los intestinos. Actuaron con tal complicidad que Anaíd se sintió a la fuerza excluida y se arrepintió de haber abierto la boca.

Nunca aprendería a morderse la lengua a tiempo. Al fin y al cabo, qué le importaba a ella esa presumida mentirosa.

Clodia, tomando la iniciativa, formuló el augurio.

—El lugar adecuado para que te comuniques con Selene es en las latomías. En Siracusa.

—¿Las latomías? —preguntó Anaíd con extrañeza—. ¿Qué son las latomías de Siracusa? —repitió.

Y tras hacer la pregunta miró de reojo a Clodia esperando una respuesta mordaz a su analfabetismo. Pero Clodia estaba pálida y ojerosa y permaneció en silencio ignorándola. Era una forma de desprecio mucho más sofisticada. Anaíd no existía. Valeria respondió por las dos.

—Las latomías son las grutas excavadas en las antiguas minas calizas de las que se extrajo la piedra que permitió levantar los más bellos edificios de Siracusa. El templo de Júpiter, el teatro, la fortaleza de la Ortigia. Siete mil atenienses fueron hechos prisioneros durante las guerras contra Atenas y confinados en las latomías antes de ser vendidos como esclavos.

—¿Y ahí me comunicaré con Selene?

—Eso dicen los augurios.

Criselda las interrumpió entrando en la sala con una bandeja que contenía una jarra y cuatro vasos y, sin pretenderlo, resbaló con unas gotas de sangre derramadas y trastabilló. Era tan precario el equilibrio de la pobre Criselda que, aunque intentó sujetarlos, los vasos fueron cayendo uno a uno al suelo y estrellándose contra él. Valeria y Clodia se quedaron inmóviles contemplando el estropicio. Criselda se disculpó como pudo y se agachó a recoger los pedacitos, pero se detuvo ante el grito de Valeria y Clodia.

—¡Nooo!

Las dos estaban horrorizadas.

—¿Qué ocurre?

—¡No lo toques! Antes debemos formular un conjuro para contrarrestar el mal augurio.

—¿Qué augurio?

Clodia no podía creerlo.

—¿Acaso no lo ves? ¿Acaso no lo estás viendo?

Criselda, al desentrañar el misterio de los cristales esparcidos sobre la baldosa color miel, también se llevó las manos a la boca. Clodia señaló el suelo.

—Veo una muerte próxima. Una muerte terrible y espantosa.

Valeria le atenazó un brazo.

—Veo fuego, un fuego destructor que arrasará y pondrá en peligro la vida.

Clodia se tapó los ojos.

—Veo dolor, dolor y llanto, lágrimas de pena y sufrimiento.

Anaíd se fijó en Criselda, que permanecía encogida y angustiada mientras escuchaba las amenazadoras palabras de Clodia y Valeria. El prestigio de los oráculos etruscos le bastó para creer en el mal presagio de muerte y desolación que anunciaban. Anaíd coincidió con Criselda: la inminencia de un suceso terrible flotaba en el ambiente. Y ambas, Criselda y Anaíd, se miraron a los ojos estupefactas al darse cuenta de que se estaban comunicando por telepatía.

Nadie tuvo hambre esa noche para degustar el guiso de conejo.

Anaíd conjuró un escudo protector sobre la habitación que compartía con Clodia para aislarla. Pero tuvo que esperar a que Clodia se metiese en la cama. Luego se mantuvo despierta y vigilante. Clodia respiraba agitada.

—¿Quieres que te dé un masaje para descansar mejor?

Pero la respuesta de Clodia fue agresiva.

—No me toques, chivata de mierda.

Anaíd se encogió en su cama. No era justo, la estaba protegiendo. Ahora Clodia focalizaba su rabia contra ella en lugar de hacerlo contra Valeria o las Odish.

El sueño de Clodia fue intermitente, con continuos estertores y despertares bruscos. Sentía ahogos, decía que le faltaba el aire, se acercaba a la ventana, aspiraba una migaja de brisa, sin asomarse siquiera, y luego, inquieta, regresaba a la cama.

Hacía rato que el olor acre impregnaba el jardín y se superponía al aroma de los jazmines y las glicinas.

Anaíd estaba alerta.

La ansiedad desbocada de Clodia provenía de esa presencia. La Odish no podía franquear la entrada ni formular su conjuro sin la fuerza de su mirada. Permanecía fuera llamando insistentemente a Clodia, como una vaca a su ternero, y Clodia se desvivía por obedecerla. De pronto Clodia se puso en pie dispuesta a vestirse.

—¿Adónde vas?

Anaíd se interpuso entre Clodia y su ropa. Las manos de Clodia pugnaban por alcanzar sus vaqueros.

—Bruno. Bruno está enfermo, Bruno me necesita.

Anaíd encendió la luz.

—¿Cómo lo sabes?

—Lo sé, soy bruja, como tú. Lo sé. Es el presagio de muerte. Anuncia la muerte de Bruno.

—Te equivocas.

—Cállate.

Pero Anaíd no estaba dispuesta a callar. Apagó la luz, tomó a Clodia de la mano y la acercó a la ventana. En la sombra del jardín se perfilaba claramente la silueta de una mujer.

—¿La ves?

—Claro que la veo. Es la prima de Bruno, me ha venido a buscar.

—¡Estás loca! Es una Odish. Te está desangrando, por eso estás tan pálida y ojerosa y gimes en sueños y sientes ese dolor en el corazón. Enséñame tu pecho y te mostraré la herida.

—Déjame, no me toques.

Anaíd retiró las manos. Clodia, muy alterada, tosía y respiraba con dificultad.

—¿Por qué no puedo salir de esta habitación?

Anaíd no podía engañarla.

—He formulado un conjuro de protección para que nadie te haga daño.

Clodia se llevó la mano al pecho, estaba muy agitada. Se paseó durante unos minutos como un león enjaulado, arriba y abajo de la pequeña habitación. Finalmente, se detuvo ante la ventana unos instantes, pareció reflexionar, luego se sentó y dejó caer la cabeza sobre el pecho.

—¿Me estás diciendo que la prima de Bruno es una Odish y que me está desangrando?

Anaíd se relajó. Por fin, por fin comenzaba a aceptar su situación.

—La vi anoche en tu cama, en esta habitación.

—Y por eso has hablado con mi madre. Querías protegerme.

Anaíd afirmó. Clodia se llevó las manos a la cabeza.

—¡Oh, qué tonta he sido! Ya lo entiendo. Sólo querías ayudarme.

Anaíd le tomó la mano, estaba helada.

—Anda, abrígate y descansa.

Le ofreció su jersey de lana para hacer las paces. Clodia lo aceptó y se lo puso con una sonrisa de agradecimiento, pero no se metió en la cama.

—¿El escudo no me impide ir al baño, verdad? Me estoy meando.

Anaíd deshizo el conjuro por unos instantes.

—Vale, ya puedes salir, pero deprisa, o la Odish podría colarse en la habitación y paralizarme con su mirada.

—De acuerdo —y Clodia salió de puntillas hacia el baño.

Anaíd hizo guardia desde la ventana controlando los movimientos de la Odish. Se estaba alejando de la casa y se dirigía hacia el coche aparcado en la callejuela. Anaíd suspiró aliviada. Desistía.

Se retiró de su mirador al oír el sonido de la cadena del baño y se preparó para conjurar de nuevo el escudo... Pero de pronto la sorprendió el eco de unos pasos precipitados y el ruido sordo de una puerta al cerrarse. ¿Qué ocurría? Se asomó a la ventana con una terrible premonición. Efectivamente, era Clodia huyendo descalza y en pijama a través del jardín en dirección al coche que la esperaba con el motor encendido y la portezuela abierta. La había engañado, era más astuta de lo que parecía.

Anaíd gritó, pero el grito no la eximió de actuar. Tomó su *atame* y su vara de abedul. Saltó por la ventana, se deslizó por el tronco del ciruelo hasta el suelo del jardín, salió corriendo tras Clodia y, una vez en la calle, actuó instintivamente. Formuló un conjuro de ilusión. Al cabo de nada estaba sentada al volante del coche de Selene. Esta vez no tuvo problemas en maniobrar. Salió zumbando tras el turismo blanco de la Odish que se destacaba claramente sobre la carretera zigzagueante. Anaíd no encendió los faros y se mantuvo a una prudente distancia.

El turismo se desvió de la carretera comarcal y tomó una pista de tierra roja, era un camino forestal que ascendía lentamente por la ladera sur del Etna, el majestuoso volcán de la isla. Anaíd conducía con miedo a sabiendas de que cualquier vacilación supondría el fin del conjuro de ilusión. Se convenció firmemente de que conducía el auténtico coche de Selene y siguió durante un largo trecho el punto blanco que iba guiándola a lo lejos.

Por fin el coche se detuvo y las luces se apagaron. Anaíd abandonó el conjuro y siguió a pie. Al evaporarse la ilusión del vehículo se sintió desprotegida, pero ahora el bosque ya no era un murmullo de sonidos inquietantes. Ahora distinguía las voces de todos aquellos que cazaban en las sombras, los carroñeros protegidos por la oscuridad.

Caminó arropada por el ulular del búho y el canto de la lechuza, y respondió al berrido de un joven ciervo macho que limaba sus astas contra los troncos preparándose para la berrea otoñal.

Se dirigió hacia la lucecilla proveniente de una cabaña de pastor. Su avance fue lento y cauto. No tenía ningún plan excepto impedir que Clodia muriera. Mientras avanzaba, segura de su posición, efectuó una llamada telepática. Llamó a Criselda, consciente de que la habría alertado con su grito, y supuso que en esos momentos Valeria ya habría renunciado a su maldito orgullo y habría urdido la forma de rescatar a Clodia. Sintió la respuesta de Criselda advirtiéndola del peligro y aconsejándole precaución.

Anaíd se propuso esperarlas, pero desde el resquicio de la puerta el panorama era desolador. Clodia estaba blanca como el papel y gemía en sueños con voz cada vez más débil. Su estertor era agónico y la Odish, sin ningún recato, acariciaba su pecho desnudo y se relamía la boca de la que goteaban unas pequeñísimas perlas sonrosadas. Sangre. Anaíd hubiera soportado esa escena de no haber sido por la intención turbia y cruel de la Odish, que con sus blancas y elegantes manos de largos dedos abrió un ojo de

Clodia, un ojo extraviado, y palpó el globo ocular con la evidente intención de arrancarlo.

Tenía que impedirlo.

Apenas una mesa y cuatro sillas de madera, un arcón y un lecho junto al hogar conformaban el interior de la pequeña cabaña de piedra. En el suelo, tirado de cualquier manera, el jersey. Anaíd lo estudió todo con rapidez y confió en el efecto sorpresa de la incursión.

Un, dos, tres.

Penetró en la pequeña cabaña abriendo la puerta de par en par y lanzó un conjuro de oscuridad a la lamparilla de petróleo que colgaba de una viga.

No quiso mirar a los ojos de la Odish. Sabía que si la miraba estaría perdida, se amparó en la oscuridad y controló los movimientos de su oponente situándose a la espalda de la Odish, de forma que el débil resplandor de la luna, en cuarto menguante, iluminara la silueta de su enemiga y mantuviera su propio cuerpo al amparo de la zona más oscura. Durante unos instantes supo que la había desconcertado. La Odish se detuvo y lanzó a Clodia al suelo mirando fijamente hacia el rincón de la cabaña donde se ocultaba Anaíd. Anaíd no pretendía atacar, lo más importante era ganar tiempo para salvar la vida de Clodia.

—¿Te escondes de mí? ¿Me tienes miedo tal vez?

Anaíd se impidió escuchar las palabras de la Odish. Su voz era acariciadoramente dulce e inducía al engaño.

En efecto. Había sido una maniobra de distracción, pero la Odish no pudo coger a Anaíd por sorpresa. Las enseñanzas de Aurelia y su adiestramiento le habían servido para prepararse ante cualquier contingencia. El cuerpo de Anaíd, al sentir la acometida, se desdobló en tres. La Odish alcanzó con su vara una réplica de Anaíd.

—Vaya. Conoces el arte de la lucha del clan de la serpiente.

Anaíd no respondió. Sentía la fuerza de la Odish midiendo la distancia de su escudo protector. Era poderosa. Era terriblemente poderosa y ese intenso olor acre que ahora sentía tan cerca y que ofendía a sus sentidos se acrecentaba por momentos. Estaba urdiendo estrategias de ataque. Atacó de nuevo, y esta vez, a pesar de que Anaíd saltó a un lado y se desdobló, no pudo evitar que el roce de la vara de la Odish reabriera la herida oculta de su pierna, la que le ocasionó el corte de la campana y que ahora, como la primera vez, le produjo un dolor lacerante.

Sin darse un respiro y tomándola por sorpresa, Anaíd la atacó con su *atame,* su cuchillo de doble filo que sólo servía para trazar círculos y cortar ramas. Fue un gesto espontáneo que consiguió su propósito, sintió cómo el cuchillo se hendía sobre la mano de la Odish y oyó caer un objeto al suelo, pero no se entretuvo en averiguar qué era ni la importancia de la herida que había causado. La Odish gritó y su grito resonó en la noche. Ojalá se desmayase por el dolor y permitiese a las otras Omar llegar a tiempo.

La Odish se detuvo, estaba jadeando y se sujetaba la mano con rabia. Anaíd sintió el sonido de una tela al rasgarse. Se estaba fabricando un torniquete con un trozo de camisa. Le habría cortado un dedo o una falange.

Anaíd apenas podía dar un paso. Supo que no tenía fuerzas para restañar el daño de su antigua herida. Lo único que podía hacer era arriesgar el todo por el todo y atacarla definitivamente. Se lanzó con toda su energía contra la Odish, pero esta vez la esperaba. La estaba esperando. Con un aullido de loba, Anaíd blandió su *atame* y atacó, pero su *atame,* al contacto con la piel de la Odish, estalló en mil pedazos. Una esquirla se hundió en el brazo de Anaíd, que se retiró unos pasos sintiéndose perdida.

Podían oír sus mutuas respiraciones entrecortadas. Esperando la reacción de la otra, el próximo ataque.

—Eres una serpiente muy poderosa.

—No soy una serpiente.

Anaíd decidió hablar. No escucharía sus mentiras ni creería la bondad de sus palabras, pero la entretendría. Apenas podía moverse. El veneno, aquel dolorosísimo veneno que penetrara en su cuerpo hacía ya tiempo, se había activado y se estaba extendiendo al resto de sus miembros. Necesitaba algún antídoto.

—Entonces, qué eres.

—Soy una loba. Mi nombre es Anaíd del linaje Tsinoulis.

—¿Del linaje Tsinoulis? ¿Del linaje de Selene Tsinoulis?

—Soy su hija.

—¿La hija de Selene?

Descubrió la sorpresa que sus palabras causaron en la Odish. ¿No lo sabía? Era extraño. Su llegada a la isla había sido anunciada a bombo y platillo y las delfines no eran precisamente discretas.

—¿Eres realmente la hija de Selene?

—Y la nieta de Deméter.

—Yo soy Salma.

Anaíd se moría de miedo. Si Salma descubría su indefensión acabaría con ella en pocos segundos. Sin embargo la había desconcertado. ¡Bien, Anaíd!, se dijo. La Odish no es de piedra. Venga, a qué esperas, mete el dedo en su llaga.

—¿Y cómo una bruja tan poderosa como Salma no sabe que la hija de Selene está durmiendo todas las noches junto a Clodia?

Salma no respondió inmediatamente. Jadeó. Estaba desconcertada. Había algo que se le escapaba, pero si se sentía traicionada o insegura lo disimuló a las mil maravillas. Rió alegremente. Una risa hueca y falsa, pero que tenía la virtud de lavar las afrentas y distender los ánimos. Anaíd se sintió engañosamente reconfortada. Sin darse cuenta disminuyó su nivel de adrenalina y distrajo sus defensas. Justo lo que pretendía Salma.

—Selene, tu madre, os ha traicionado a todas. Te abandonó por su propia voluntad.

—¡Eso no es cierto! —saltó Anaíd olvidando todo lo que debía haber recordado.

Salma, en la oscuridad, se estaba relamiendo de gusto.

—Selene ama la sangre tanto como yo. Aspira a la inmortalidad y quiere mantener su belleza eternamente.

Anaíd se tapó los oídos, no quería oír, pero a su pesar había oído suficiente. Las piernas le flaqueaban y Salma se acercaba a ella, podía sentir su quemazón, acariciando su escudo y burlando sus defensas, la opresión en su pecho se acentuó. Su respiración se hizo entrecortada.

—Selene no te quiere con ella, te rechaza, te ha olvidado para siempre. Lamenta haber tenido una hija y me pidió que me ocupase de ti. Desearía que tu sangre sirviese para algo.

Un sollozo sacudió a Anaíd y la hizo caer al suelo. La zarpa de Salma se hundió en su pecho y de un brusco tirón arrancó su coraza. Anaíd levantó la cabeza implorante y sus ojos toparon con los ojos de Salma. Sintió una terrible punzada en sus entrañas y cayó inconsciente.

Despertó a los pocos momentos. ¿Había pasado una hora, unos minutos, unos segundos? No lo sabía. Salma peleaba a gritos con alguien. ¿Habían llegado las Omar? ¿Qué estaba pasando? Simuló yacer inconsciente y aguzó el oído.

Escuchó unas voces airadas que se entrecruzaban por encima de su cuerpo. Salma estaba furiosa, muy furiosa.

—¡Me engañaste! No me dijiste que la hija de Selene estaba en Taormina. La aislaste con tu conjuro. Ese maldito jersey que la protegía lo utilizaba Clodia, por eso no pude acabar con ella.

La respuesta produjo en Anaíd el mismo efecto que una bofetada. Era Cristine Olav. La voz cálida y maternal de Cristine.

—¡Es mía! ¡Me pertenece!

—¿Y qué piensas hacer con ella?

—Eso a ti no te importa, vieja bruja. Déjala.

—¿Te has vuelto sentimental?

—Acaba con Clodia, pero devuélveme a Anaíd.

—La ocultaste, evitaste que ninguna de nosotras conociese su paradero y la protegiste como una gallina clueca.

—La quiero para mí sola —insistió Cristine Olav.

La risa de Salma resonó en la pequeña cabaña.

—Qué risa, pero qué risa me da. A mí no me engañas, bruja. Esa niña es algo más que una pequeña Omar.

—¡Eso no es asunto tuyo!

—¿Ah no? Te equivocas. Ya he hundido la maldición en su cuerpo.

Salma levantó a Anaíd del suelo, como si fuera un fardo, y hurgó con su mano fría en sus entrañas.

—¡Déjala! —protestó la señora Olav tomándola de un brazo e intentando arrancarla de Salma.

Anaíd sintió cómo su corazón se encogía y se encogía a medida que Salma exprimía su sangre y Cristine tiraba de ella. Moriría. Y moriría sin saber si Selene la quería, si la señora Olav la quiso alguna vez. El dolor del desamor y la traición pudo más que el dolor de la pérdida lenta de la vida. Se levantó de un salto y gritó con todas sus fuerzas venciendo la punción de Salma y rechazando la mano de la señora Olav.

Fue una explosión de rabia que surgió de sus entrañas. Anaíd deseó que el mundo entero temblara con su dolor, que la tierra escupiera fuego y que Salma y Cristine fueran abrasadas por ese fuego junto con ella y su pena.

¿Por qué? ¿Por qué lo que más daño le hacía era dudar del amor ajeno?

Y la tierra tembló. Una vez, dos, tres. Los temblores cada vez eran más rotundos. El Etna dormido había despertado y escupía fuego y lava. El rugido grave del cono del volcán heló la sangre a Anaíd. Salma y Cristine enmudecieron. El suelo se resquebrajaba y las tejas de la frágil cabaña caían aquí y allá. Anaíd saltó sobre Clodia y rodó con ella bajo el camastro. Poco después el techo se desplomó entero a tiempo para que dos siluetas de gata saltasen ágilmente por la ventana.

La tierra escupía lava y fuego y de sus entrañas surgió un extraño objeto brillante, una vara labrada en oro.

La gata moteada se detuvo y se transformó en una hermosa mujer. Tomó el objeto brillante y huyó con él.

Bajo los escombros, cubierta de polvo y humo, Anaíd sintió cómo unos brazos fuertes la levantaban en vilo, palpaban su pulso y susurraban palabras tranquilizadoras a su oído.

—Están vivas, aún están vivas.

La voz de Valeria fue lo último que oyó antes de perder la conciencia.

25. *El reto*

Selene se sujetaba fuertemente a la barandilla de la balaustrada contemplando el imponente espectáculo que salpicaba la noche de luz y espanto. El Etna rugía y escupía fuego en una dantesca danza, la lava lamía sus laderas y se deslizaba sinuosa hacia el valle. El palacio, la colina y el valle refulgían bajo las llamas y el horizonte se iba oscureciendo bajo la densa nube de humo negro que rodeaba el cono del volcán.

Y a cada nuevo temblor de tierra, se oían los gritos de las muchachas.

Hasta que Selene, nerviosa, las increpó:

—Silencio.

Una de ellas, la más atrevida, se arrodilló en el suelo y, tras santiguarse, juntó sus manos y le suplicó:

—Señora, por favor, os lo rogamos, señora, no os enfadéis con nosotras, acabad con esta pesadilla.

Selene fingió sorprenderse.

—¿Creéis que yo he provocado la erupción?

La muchacha valiente, que respondía al nombre de María, no calló sus sospechas.

—Oh sí, señora, os hemos visto contemplando fijamente la montaña de fuego durante toda la noche, rugiendo de rabia y pronunciando palabras imposibles, conjurando con vuestras manos las entrañas de la tierra hasta que el Etna ha despertado de su sueño. Por favor, señora, dormidlo de nuevo...

Selene golpeó el suelo de mármol con su sandalia dorada.

—¡Es absurdo!

Pero una voz agria la desmintió.

—En absoluto, no es una sospecha absurda. Tienen razón, Selene. Has despertado el volcán porque querías deshacerte de mí.

Salma, la silueta espectral de Salma, con su vestido cubierto de sangre y el odio vibrando en su mirada, se alzó ante Selene.

—¡Calla! No estamos solas —objetó Selene.

—Eso es fácil de solucionar —masculló Salma sacando su *atame*.

Pero antes de que Salma pudiese actuar sobre las doncellas, Selene, indignada, sacó su vara y pronunció un conjuro letal. Las muchachas cayeron al suelo desplomadas. Salma aplaudió su rapidez.

—Tu hazaña aún te ha dejado fuerzas, por lo que veo.

—Te advertí que no continuases con tus correrías.

—¿Por eso has intervenido? ¿Por eso has defendido a tu hija?

Selene abrió los ojos con extrañeza.

—¿A mi hija?

—¡Basta ya de engaños!

Selene calló unos instantes, luego arremetió contra Salma.

—Fuiste tú quien me retó y a punto has estado de pagar el precio.

Salma le mostró su mano sangrante, le faltaba el dedo anular.

—Esto no te lo perdono.
—Yo no te lo he hecho.
—Ha sido tu pequeña Anaíd, esa niña feúcha y torpe que no tenía poderes... La condesa decidirá.
Selene se horrorizó.
—¿Pretendes volver a llevarme al mundo opaco?
Salma estaba rabiosa.
—Nos has engañado a las dos. Nos mentiste sobre tu hija.
Selene señaló a Salma.
—¿Y tú? ¿Qué escondes, Salma? ¿Qué es eso que tienes ahí?
Salma retrocedió y ocultó el objeto brillante tras ella.
—Pregúntaselo a los espíritus.
—Lo haré y la condesa lo sabrá.
Salma echaba fuego por los ojos.
—¡Que la condesa decida!
Selene miró a su alrededor y suspiró por todas las riquezas que abandonaba a su suerte.
—De acuerdo, que la condesa decida.

26. Las manos amigas

Anaíd despertó en el interior de una cueva sobre un lecho de paja fresca. La temperatura era fría y el aire estaba cargado de humedad. Sentía el gotear de las paredes calizas rezumando agua y el olor familiar a tierra mojada. Alzó la mirada y, en efecto, bellas estalactitas y estalagmitas de curiosas formas adornaban techos y contornos. Debajo de ella percibió el rumor de un riachuelo subterráneo.

Intentó incorporarse, pero una mano regordeta la sujetó.

—Espera. No te muevas todavía.

Era Criselda, su buena Criselda.

—¿Qué día es? ¿Y Clodia?

Criselda le impuso silencio y revisó el cuerpo de Anaíd centímetro a centímetro.

—Las heridas han sanado, pero te sentirás muy débil. Llevas aquí una semana. Incorpórate poco a poco.

Anaíd tuvo un leve amago de desmayo, pero se sobrepuso. Quería saber lo que le había ocurrido a Clodia.

—Clodia está grave. A pesar de las pociones, los ungüentos y mis manos, puede morir. Anda, toma un poco de caldo. Te sentará bien.

Anaíd bebió del cuenco que le tendía su tía y se sintió más reconfortada.

—Y ahora explícame qué sucedió.

Anaíd revivió la angustia del zarpazo de Salma y sus crueles palabras sobre su madre.

—¡Oh, tía, fue horrible!

Y le explicó a Criselda sus recuerdos de esa noche.

A pesar de la ansiedad, hablar sobre lo sucedido le sirvió para alejar los fantasmas de sus delirios nocturnos.

Criselda la abrazó con ternura y Anaíd la sorprendió preguntándole a bocajarro:

—Es mentira, Salma mintió sobre Selene, ¿a que sí?

Criselda se incomodó y le revolvió el cabello.

—Mi niña. Fuiste muy valiente.

—Y poderosa —añadió la voz de la vieja Lucrecia.

Lucrecia estaba sentada en la sombra velando a un cuerpo pálido.

—¡Clodia!

Anaíd se acercó gateando hasta el lecho donde reposaba Clodia, blanca como la muerte, gimiendo en sueños, pero la mano rugosa de la vieja Lucrecia le apresó la muñeca.

—¿Despertaste al volcán? ¿Fuiste tú?

Anaíd se asustó.

—¿Hubo una erupción?

Criselda intervino:

—La lava arrasó completamente la ladera y el valle.

Lucrecia aflojó la presión que ejercía sobre su muñeca. Su voz se tornó comprensiva:

—El Etna dormía apaciblemente, pero alguien lo sacó de su sueño y lo violentó. No fue ninguna de nosotras. ¿Fuiste tú?

Anaíd no había podido dominar su rabia, pero no pretendía causar una desgracia. ¿De verdad desencadenó un cataclismo? Sólo sintió odio y deseos de morir. Eso era peligroso, muy peligroso. Una Omar iniciada no podía causar daños ni ceder a la desesperación.

—No quería, lo siento, perdí los estribos... Deseé que el fuego acabase con aquella cabaña y ardiésemos todas.

Lucrecia tembló levemente. Luego pasó sus manos encallecidas por los ojos y la boca de Anaíd, su cuello, hasta que sus dedos se detuvieron en las piedras de luna que pendían de su cuello.

—No hay duda. Puedes dominar el fuego.

Criselda intervino dirigiéndose a Lucrecia:

—¿Entonces lo harás?

Anaíd no sabía a qué se referían hasta que Lucrecia susurró:

—Te haré partícipe del secreto de la forja y la alquimia del fuego. Forjarás tu *atame* con la piedra invencible, la piedra de luna que tú misma escogiste.

Anaíd se sintió abrumada por el honor que le dispensaba la vieja Lucrecia. Ella y su futura sucesora del clan de la serpiente eran las únicas depositarias de ese antiguo saber.

—Será lo último que haga antes de morir. Y ahora, déjame tu mano.

Palpó su palma y colocó la suya propia sobre la de Anaíd. Asintió con un movimiento a Criselda.

—¿Recuerdas la canción de Deméter, la que Deméter tarareaba al sanar?

Anaíd la recordaba perfectamente. Criselda le hizo un ruego:

—Anaíd, impón tus manos a Clodia. Compartes el don de las Tsinoulis, pero eres más joven y más fuerte. Tal vez tengas más suerte que yo.

Lucrecia desnudó a Clodia y Anaíd contempló la pequeñísima herida por la que había ido escapando la vida de su compañera. Aplicó ambas manos sobre el delicado orificio y entonó la canción de Deméter. Olía la proximidad de la muerte.

Como ya le había ocurrido en otra ocasión, se sintió paralizada por el frío glacial que ella misma absorbía del cuerpo de Clodia. Clodia volvía a la vida y ella perdía fuerzas, se agotaba, y aun así no se rindió. Sus dedos, mágicamente prolongados, masajeaban el corazón de Clodia y hacían aumentar sus latidos bombeando con más fuerza, con más convicción. Se detuvo cuando la misma Lucrecia la sujetó.

—Ya basta, estás enfermando. Descansa.

Anaíd se dejó caer en el regazo de Criselda, pero se apartó inmediatamente. Criselda pretendía abrigarla con el maldito jersey de Cristine Olav.

—Quémalo, quémalo inmediatamente, está hechizado.

—Cierto.

—Por una Odish, es el hechizo de una Odish —protestó torpemente Anaíd.

Criselda se lo puso a la fuerza. Anaíd estaba demasiado débil para resistirse.

—Te equivocas. Este jersey ha salvado la vida de Clodia y la tuya. Está hechizado con un conjuro benefactor.

El calor de la lana la arrulló con la calidez de las llamas de un hogar.

Entonces...

¿Cristine Olav pretendía protegerla como dijo?

Anaíd no entendía nada, pero se durmió.

Se habían sentado a saborear su desayuno en la misma entrada de la cueva, allí donde el alero natural de las piedras las cobijaba de la lluvia y el viento, pero les permitía gozar de los cálidos rayos del sol.

Tendieron un mantel a cuadros sobre los guijarros y colocaron dos servilletas, sendas tazas de loza y una jarra de leche. En sus sucesivos viajes al interior de la cueva trajeron panecillos tiernos, cocidos por las serpientes en sus hornos, mantequilla y queso de oveja, ofrendas de las ciervas, y mermelada de moras silvestres, el dulce preferido de las cornejas.

Clodia se sentó junto a Anaíd y llenó su taza. Anaíd recogió la nata con su cuchara y la untó de azúcar con glotonería. Antes de ceder a uno de sus placeres favoritos, ofreció a Clodia compartirlo con ella.

—Anda, prueba.

—¿Estás loca?

—Está riquísimo, nata con azúcar.

—Por eso, tropecientas mil calorías para mi culo.

Anaíd no insistió. Clodia se lo perdía.

—Estabas en los huesos.

—Estaba, tú lo has dicho. Este régimen de engorde de ganado va a conseguir que Bruno prefiera a una vaca antes que a mí.

Anaíd sintió celos. La relación con Clodia era cordial, pero no era íntima ni se prestaba a confidencias.

—Lo dudo. Está loco por ti. Gorda, flaca, tatuada o vampira le gustas un montón.

Clodia se hinchó de satisfacción y pegó un buen mordisco a su bollo con mantequilla y mermelada. Luego, masticando despacio, se quedó unos segundos indecisa.

—¿Y tú cómo lo sabes?

—Te seguí. Te seguí una noche a la fiesta de cumpleaños. Vi cómo os besabais.

Clodia se le encaró con los brazos en jarras.

—¿Me espiaste? ¿Entonces era verdad que me espiabas?

Anaíd bajó la cabeza avergonzada.

—Lo siento, no tuvo nada que ver con las Odish, te espié porque...

—¿Por qué?

—Porque... porque a mí nunca me han invitado a una fiesta de cumpleaños.

—¿Qué?

Anaíd empequeñeció, se protegió la cabeza con las manos.

—Eso, lo que acabas de oír.

—Pero, pero... ¿Por qué no me lo dijiste?

—Me odiabas.

—Claro.

Anaíd no comprendía.

—¿Cómo que claro? No está nada claro. Yo no te había hecho nada.

—¿Ah no? Eras genial, eras la leche.

Y esta vez Anaíd se atragantó con su propio bollo.

—Te estás confundiendo.

Pero no, Clodia no se confundía. Con la gracia de las italianas, enumeró dedo a dedo sus muchas razones para aborrecer a Anaíd:

—Primero, eras nieta de la gran Deméter. Segundo, eras hija de Selene, la elegida. Tercero, eras misteriosa. Cuarto, eras bonita. Quinto, eras superinteligente. Sexto, eras poderosa. Séptimo, eras obediente. Octavo, eras el ojito derecho de mi madre. Noveno, eras candidata para iniciarte antes que yo y, décimo, y muy, muy importante, todos los chicos de mi pandilla votaron por tu culo antes que por el mío.

—¿Qué? —exclamó Anaíd anonadada.

Todo lo que Clodia vomitaba le resultaba tan ajeno como una investigación nuclear. ¿Estaba hablando de ella? ¿Se había inventado a una nueva Anaíd?

—¿Cuándo? Quiero decir... ¿cuándo me vieron los de tu pandilla?

—Siempre que me venían a buscar o a saludar se daban codazos hablando de ti.

Anaíd estaba atónita.

—Te equivocas en todo, pero disiento especialmente de los puntos cuarto, séptimo, octavo y décimo.

—Muy graciosa. Ahora quieres quedarte conmigo.

—No soy guapa, no soy obediente, no soy el ojito derecho de tu madre y... mi culo es penoso.

—¡Ja!

—Ja, ¿qué?

—Que no te has mirado al espejo. ¿Cuánto hace que no te miras al espejo?

Era inútil discutir con Clodia. A veces lo mejor era darle la razón como a los locos.

—Muy bien, tienes razón en todo.

Pero Clodia se revolvió dando zarpazos a diestro y siniestro.

—¡Ah, claro!, me das la razón como a los locos, pues no me da la gana. Reconoce que si tú te conocieses te tendrías envidia.

Anaíd calló. La envidia. Los celos. Le eran sentimientos familiares.

—Soy yo la que estaba celosa de ti.

Clodia se ablandó y se sirvió más leche. Esta vez cedió a la tentación de la cucharada de nata con azúcar.

—Te escucho, soy toda oídos.

—Eres simpática, vistes genial, tienes un novio que te quiere, un montón de amigos, eres hija de Valeria y, aunque no lo admitas, eres guapísima.

Clodia se ahuecó las plumas como una gallina. A diferencia de Anaíd, aceptaba los elogios y no era impermeable a los piropos.

—¿De verdad?

—No, de mentira.

Clodia se levantó y besó a Anaíd. Anaíd no supo qué hacer ni qué decir.

—Te quiero —musitó Clodia.

—Que me... ¿me quieres? —balbuceó Anaíd.

—Y soy tu hermana para siempre. Te debo la vida.

—No me debes nada.

—¡Ohhh..., vete a la mierda! —rugió Clodia obligándola a sentarse—. Eres asquerosamente autosuficiente. Si quiero deberte la vida, te la debo. Estoy en mi derecho. Y para que te enteres, voy a firmar un pacto de sangre contigo, te guste o no.

Dicho lo cual, tomó su *atame* y con la misma sangre fría con la que rebanó el cuello al conejo se dio un tajo limpio en la muñeca. Luego ofreció el cuchillo de doble filo a Anaíd.

—Anda, rápido, córtate tú antes de que me desangre.

Anaíd, ante la visión de la sangre, palideció y notó que le flaqueaban las piernas.

—No, no tengo valor.

Clodia tomó la muñeca de Anaíd y, con más delicadeza que en su caso, le hizo un leve corte superficial. Anaíd intentó aguantar el tipo para no marearse y ofreció su muñeca sangrante a Clodia, que adelantó la suya mezclando sus sangres en un ritual tan antiguo como mágico.

Luego, Clodia tomó las servilletas para vendar sus heridas e invitó a Anaíd a acompañarla.

—Ven, ven conmigo.

Se internaron en los recovecos de la cueva húmeda que había servido a cazadores paleolíticos para sus ceremonias de caza. Clodia se detuvo en un estrecho túnel y avanzó gateando unos metros. Enfocó con su linterna una de las paredes laterales y enseñó a Anaíd la deslucida silueta de un bisonte. Junto a ese grabado decenas de manos rojas sobreimpresas decoraban techos y paredes.

—Moja tu mano en mi sangre, yo lo haré en la tuya.

Con las manos empapadas de rojo apoyaron la palma contra la pared cóncava y lisa, la mantuvieron fuertemente apretada un minuto, dos, luego la retiraron. Así dejaron sus huellas para siempre, para la posteridad.

—Ahora fastídiate. Vayas donde vayas, estés donde estés, nuestras vidas estarán unidas. Estas manos recordarán nuestra unión.

El sonido de unos pasos lentos y pesados se aproximaba de una de las galerías laterales.

—¿Anaíd? ¿Clodia? ¿Estáis ahí? —preguntó la voz de Lucrecia.

Anaíd iba a responder, pero Clodia le puso un dedo sobre su boca y le indicó silencio. Se escabulleron de puntillas alejándose de la vieja serpiente.

—¿Dónde vamos?

—Vamos a escondernos un rato, seguro que Lucrecia quiere volver a secuestrarte y encerrarte en las profundidades del infierno para enseñarte ese rollo del conocimiento de la forja y el fuego.

Anaíd se sintió mal por esquivar a Lucrecia, pero ciertamente le apetecía más estar con su nueva amiga.

—¿Y qué haremos?

—Ahí va mi programa de actividades para esta mañana. Te enseñaré a maquillarte, a peinarte y a caminar *sexy.* Si no aprendes a mover ese culo diez que tienes, te lo advierto..., con un conjuro te lo cambio por el mío. Tú decides.

Anaíd no lo pensó dos veces, la balanza se decantaba claramente del lado de Clodia.

Lucrecia había esperado ciento un años. Bien podía esperar unas horas más.

—¿Pero qué haces? —protestó Anaíd con la cara pintada y el cabello a medio peinar.

Clodia estaba revolviendo en su bolsa.

—Estoy buscando en tu neceser, necesito un peine fino y un par de horquillas.

—Espera, no me lo revuelvas todo.

Sin embargo Clodia ya había optado por colocar la bolsa de Anaíd boca abajo y vaciarla en el suelo.

—¿Qué llevas encima, tía? ¿La Enciclopedia Británica?

El suelo había quedado cubierto de libros y papeles, pero ni asomo de peines ni cepillos.

—No me hace falta peine.

—¡Ja!, eso es lo que tú te crees. Te ha crecido el pelo un montón y lo llevas asquerosamente sucio y enredado. Necesitas acondicionarlo y peinarlo.

Anaíd se llevó la mano a la cabeza y separó los dedos intentando arrastrar el nudo de un mechón. Imposible. Se le había acabado el champú especial que le recetaba Karen y ahora en lugar de pelo tenía un estropajo. Lo mejor sería cortarlo, menos problemas.

—Guardemos esto y dejemos lo del pelo para otro día. Lucrecia me está esperando.

Dicho y hecho. Anaíd se puso a la tarea de enmendar el estropicio. Meter todos los libros, calcetines y bragas dentro de la bolsa era infinitamente más entretenido que dejarlos caer al suelo. Y estaba en ésas, medio distraída, medio atenta, cuando el papel pasó por su mano camino de la bolsa y un sexto sentido lo retuvo. De pronto supo que ese papel era muy importante, que le había pasado inadvertido en otras ocasiones y que en cambio ahora podría comprenderlo. El papel quemaba y despedía un olor acre. Lo olió con repugnancia. Era un *e-mail* del ordenador de Selene y la impresión, constaba en el pie de página, databa del día después de su desaparición. El *e-mail* que tenía entre las manos estaba fechado una semana antes y el texto era el siguiente.

Queridísima Selene:

En tu anterior escrito me sugerías que la mejor época para conocernos y pasar una larga temporada juntas sería este verano. Ardo en deseos de adelantar la fecha de nuestro encuentro, pero reprimiré mi curiosidad y mi impaciencia. Este verano, pues, nos conoceremos.

No te arrepentirás de la experiencia. A mi lado podrás gozar de cuantos caprichos te vengan en gana y nada ni nadie se opondrá a tus deseos. Si tú quisieses, podrías disfrutar de unas vacaciones eternas.

Tuya para siempre.

S

Anaíd no podía retirar la vista de esa «S» sinuosa y pérfida.

La «S» de serpiente.

La «S» de Salma.

¿Cómo había podido estar tan ciega?

PROFECÍA DE OM

Verá la luz en el infierno helado,
donde los mares se confunden con el firmamento,
y crecerá en el espinazo de la tierra,
donde las cumbres rozan los astros.

Se alimentará de la fuerza de la osa,
crecerá bajo el manto cálido de la foca
impregnándose de la sabiduría de la loba
y al fin se deberá a la astucia de la zorra.

La elegida, hija de la tierra, surgirá de la tierra
que la amará y la acogerá en su seno.
Prisionera de su tibieza, permanecerá ciega y sorda,
acunada por las madres oscuras
y arropada en sus dulces mentiras.

27. El cetro de poder

En las profundidades de las grutas del mundo opaco, el lugar en el que ni el tiempo ni el color se dignan adornar, atronó la voz de la condesa:

—¿Es cierto eso, Selene?

Selene levantó la cabeza retadoramente.

—Sí, tengo una hija. Salma lo sabía.

Salma protestó:

—Me engañó, me dijo que era adoptada y que no tenía poderes, que era una simple mortal.

—Anaíd no tenía poderes, no te mentí —se defendió Selene.

Salma le mostró su mano herida a la condesa. Le faltaba el dedo anular.

—Esa niña es muy poderosa, conoce el arte de la lucha de las serpientes y no se deja vencer por el miedo. Selene nos ha ocultado cosas.

La condesa hurgó con sus tentáculos en la conciencia de Selene y topó con una coraza de resolución que la asombró.

—¿Te resistes a mi mirada?

—Dime qué quieres saber y te responderé —se defendió Selene.

La condesa repitió:

—¿Por qué no la iniciaste?

Selene insistió:

—Ya lo he dicho mil veces, Anaíd no tenía aptitudes para ser iniciada, era torpe e insegura.

—Eso no es cierto.

—Este tema me cansa, hemos venido hasta aquí para algo más interesante.

Pero la condesa no estaba dispuesta a cambiar de tema.

—Tal vez, pero Anaíd me parece muy interesante. A Salma, su herida también.

Salma, en efecto, no tenía intención de olvidar.

—La quiero para mí, para mí sola, sin interferencias.

La condesa la retuvo.

—Ya has oído a Salma. ¿Qué dices, Selene?

Selene permaneció callada unos instantes y luego se dirigió a la condesa con un tono distante y despectivo:

—Salma se ha procurado tanta sangre que su poder pone en peligro tu autoridad.

Salma se revolvió.

—¿Me estás acusando?

—Sí, te acuso de traición y, si la condesa estuviera atenta, sabría que le ocultas más cosas.

La condesa se revolvió en su rincón.

—Vas aprendiendo, Selene, progresas muy deprisa. Acusas, amas el dinero, la indolencia, el poder y la sangre. Has rejuvenecido. Tú también puedes resultar una amenaza para mi integridad.

Pero Selene sonrió.

—Lo dudo, condesa, sin mí estáis condenadas a desaparecer.

—Eso no es cierto —gritó Salma—. Son patrañas, intenta hacernos creer que es imprescindible, aprende nuestros secretos para hacerse la dueña de nuestros destinos. No la necesitamos.

—¿Estás segura, Salma? ¿Te has preguntado cómo venceréis las Odish a las Omar gracias a la elegida? —insinuó Selene.

La condesa bebía sus palabras con devoción.

—¿Cómo, Selene?

Selene señaló a Salma.

—Lo sabes muy bien, Salma, la elegida con su cetro de poder destruirá a sus enemigas. La energía y la magia de las brujas anuladas por el cetro os alimentarán.

Salma se resistió a responder.

—No creo en la profecía.

La condesa replicó:

—La conjunción está próxima y todos los signos apuntan a ello.

Salma palideció.

—Acabemos con Selene. Si la conjunción aún no se ha producido, la profecía no se cumplirá.

—¡Se está cumpliendo! —gritó Selene con autoridad señalando acusadoramente a Salma—. Lo tienes tú, Salma.

—Efectivamente, se está cumpliendo —repitió la condesa dando la razón a Selene y poniéndose en pie ante Salma—. Dámelo, Salma.

Salma calló mientras la sombra de la condesa iba creciendo, creciendo, creciendo hasta convertirse en una nube oscura y amenazadora.

—Entrégame el cetro de poder.

Salma se resistió.

—Es mío, vino hasta mí.

La sombra de la condesa rodeó a Salma y la cubrió de oscuridad.

—No te pertenece, Salma, dámelo.

El forcejeo duró por espacio de un tiempo absurdo en

el lugar en el que no hay tiempo. Hasta que el cetro rodó a los pies de Selene y ésta no tuvo más que agacharse y recogerlo.

—Ha venido a mí, me pertenece.

La condesa contempló la escena desde la sombra y la curiosidad.

—Ya sabes cuál es tu tarea, Selene, debes destruir a las Omar.

Salma, exhausta y vencida por la condesa, respiraba entrecortadamente en el suelo.

—No lo hará, se servirá de él para sus propios fines.

—Calla, Salma —ordenó la condesa.

Selene acarició el cetro de oro y leyó las inscripciones que lo adornaban. El cetro de O, el cetro de poder. Las manos le temblaron imperceptiblemente. Sentía su fuerza, su inmensa fuerza.

—Aún no es el momento, Selene.

—¿Qué momento?

—El momento de la conjunción. Hasta que no se produzca la conjunción, el cetro no gobernará, entonces deberás cumplir tu primera prueba.

Selene se extrañó.

—¿Prueba? ¿No tenéis bastantes pruebas ya?

—De tu condición sí, pero queremos pruebas de tu fidelidad. Eliminarás a Anaíd y a Criselda.

Selene frunció el ceño.

—¿Por qué a ellas?

—Te buscan para acabar contigo.

Selene retrocedió.

—No es cierto.

—Lo es, Selene, si no acabas con ellas, ellas acabarán contigo. Liquidado el linaje Tsinoulis, no serás más que una loba solitaria lejos de tu manada.

Selene permaneció muda unos instantes mientras acariciaba el cetro, lo blandía por encima de su cabeza, lo empañaba con su aliento y lo frotaba con su ligero vestido.

—Es hermoso —comentó frívolamente.

—Muy hermoso, ahora dámelo.

—¡No! —gritó Selene reteniéndolo con fuerza.

—No me obligues a arrebatártelo como a Salma —rugió la condesa.

Pero Selene dio media vuelta y se alejó de la gruta con el cetro en su mano.

—¡Yo no soy Salma, soy la elegida!

Y se perdió en los bosques del mundo opaco.

28. *La soledad de la corredora de fondo*

Lucrecia perdonó a Anaíd sus novillos. Había sido una discípula atenta que la trataba con respeto y agradecía sus enseñanzas. A lo mejor había trabajado muy duramente, sin tener en cuenta que una joven tiene derecho a disfrutar de los placeres de la vida. Los muchos años que arrastraba le hacían olvidar cosas que las risas de las muchachas le habían traído a la memoria.

Se alegraba de que Anaíd hubiese hecho tan buenas migas con Clodia. Durante su larga convalecencia habían acabado por hacerse íntimas. Junto a la joven delfín brillaba con luz propia, había florecido. Anaíd era mucho más bonita y seductora que cuando la conoció un mes antes. Clodia y ella compartían secretos, desayunos, chicles, y su cháchara duraba hasta pasada la medianoche. Lucrecia sabía que una buena amiga es el mejor regalo para una bruja solitaria.

Anaíd parecía triste y algo alicaída cuando se presentó ante ella para finalizar sus clases de alquimia. Lucrecia no le dio importancia. Era normal que la joven pasase por altibajos emocionales. Al fin y al cabo le esperaban incertidumbres y peligros y Anaíd lo intuía. Era natural, pues, que sintiese miedo o dudase de sus fuerzas. Pensó que lo mejor sería dejarla sola y permitir que ella misma se lamiese sus heridas. Una bruja iniciada contaba con el respaldo de su clan, la solidaridad de la tribu y los otros clanes, pero debía aprender a superar los momentos más difíciles en compañía de sí misma.

Lucrecia se sentó en el suelo de la profunda gruta frente a su joven discípula. Un pequeño empujón y habría finalizado su tarea, a sus ciento un años merecía descansar para siempre. Le hizo entrega de la hermosa hoja de doble filo de su *atame*.

—Bien, Anaíd, tú escogiste la piedra de luna y ella te escogió a ti. Primero forjaste tu talismán en ella. Desconocías los secretos que ahora dominas. La luna es la medida del tiempo y las mareas, de las cosechas y la sangre. Pero la luna no da fuerza a los actos de las brujas, su luz es fría e indirecta. El fuego que alimenta la tierra y la nutre de vida es sabio y ardiente. Y ahora, por fin, sabes administrar el poder del fuego y te obedece. Tu *atame* es el más poderoso que las brujas serpientes hayamos forjado nunca. Es el resultado de fundir el magma terrestre y tus lágrimas talladas de piedra lunar. Háblale, es tuyo, eres tú misma, es tu mano, es la continuidad de tu fuerza y tu poder. Junto con su vara, el *atame* es el tesoro más preciado de una Omar.

Anaíd contempló la pulida hoja de su *atame*. Era obra de su perseverancia y su tino en elegir. Estaba orgullosa de su obra, pero eso no disolvía la tristeza que la embargaba.

Su maestra se levantó dándole su última orden:

—Únete a tu *atame*.

Y Lucrecia se alejó a paso cansino por las galerías dejando a Anaíd concentrada en su pena y con los ojos fijos en su brillante tesoro negro.

La meditación y el retiro en esos infiernos de fuego y humo habían sido parte de su aprendizaje. Podía permanecer largas horas en silencio y rodeada de oscuridad. No temía a las profundidades ni a la soledad. Sin embargo prefirió encender un candil para iluminar mejor su obra de arte.

Y a la luz de la llama tintineante descubrió que no estaba sola. Un intruso, un joven intruso, extrañamente ataviado con túnica y el rostro maquillado, contemplaba su *atame* con la misma curiosidad que ella. Anaíd ya era ducha en este tipo de encuentros fortuitos.

—Hola.

Evidentemente el intruso no se dio por aludido a la primera.

—Te saludo a ti, el de la túnica y la máscara.

—¿Yo? ¿Te diriges a mí?

—Claro. ¿Por qué no iba a hacerlo?

—Sólo soy un miserable fantasma condenado a vagar por mis delitos.

Anaíd suspiró resignada. Tenía ínfulas de poeta.

—Yo soy Anaíd Tsinoulis.

—Marco Tulio, para serviros y amenizar vuestras veladas con mi humilde arte.

—¿Qué arte?

—El arte de interpretar comedias.

—¿Un actor?

—Un cómico.

—Vaya, si lo llego a saber antes, podrías haberme hecho compañía. ¿Y cuál fue tu desgracia, Marco Tulio?

—¿Tengo que recordarlo?

—Si no quieres...

—Olvidé mi texto de la comedia de Plauto, *Mostelaria,* en plena representación.

—Vaya. ¿Tu muerte fue por vergüenza?

—Me refugié en estas cuevas para evitar que el público me linchara.

—¿Y te mataron?

—Resbalé y me despeñé por una sima. Su maldición aún pesa sobre mí y mi maltrecho honor.

—Pobre Marco Tulio.

—Fui culpable, la noche antes cedí a los efluvios de un magnífico vino traído de Campania. ¡Qué noche, en la taberna del León Azul de Taormina!

—Ya no existe.

—Lo supongo. Ha pasado tanto tiempo...

—¿Te arrepientes?

—Mucho, muchísimo. No hay nada más espantoso que salir ante un auditorio ansioso de risas, chistes y frases ocurrentes y enfrentarse a la amnesia más absoluta. Angustiante, horroroso, indescriptible.

—Puedo ayudarte —arriesgó Anaíd.

—¿A recordar mis réplicas? Llevo dos mil años intentándolo y no hay manera.

—No, a olvidarlas. A dejar tu condición de espíritu maldito.

—¿Salvarías mi honor?

—Te ofrezco la paz.

—¿A cambio de...? —preguntó precavido el cómico ebrio.

—¿Es cierto que puedo llegar hasta Selene a través de las latomías?

—¿Selene la loba?

Anaíd asintió y el espíritu reflexionó unos instantes.

—Las latomías comunican los mundos, pero para acceder hasta Selene deberías regresar al lugar donde desapareció y seguir el camino del sol.

—¿Qué significa eso?

—¿Puedes liberarme o no?

—Pues claro —mintió Anaíd.

—¿Eres una Odish?

—¿Cómo si no podría verte?

—Todas creen que eres una Omar. Ahora están hablando de ti.

—¿Quiénes?

—Las matriarcas.

—¿Puedes oírlas?

El cómico acercó su oído a una de las cavidades.

—Acércate, aquí. ¿Las oyes?

Anaíd afinó el oído. Le costaba desentrañar las palabras. Marco Tulio debía de tener más práctica en ese tipo de ardides.

—¿Qué dicen?

—Criselda se resiste a utilizar su *atame* contra Selene. Cree que el *atame* no fue pensado para herir o matar a otra Omar. Pide que le preparen una pócima mortal.

Anaíd se sintió mal. Muy mal.

—No puede ser. Te has equivocado.

—Escucha tú misma.

Anaíd, blanca como la cera, se concentró en escuchar las palabras que se perdían entre los túneles secretos de la roca.

—Anaíd no debe saberlo ni sospecharlo —insistía en ese momento Criselda.

—Sin ella no podríamos acercarnos a Selene —añadió Valeria.

—Las posibilidades de que Selene no sea una de ellas son cada vez menores, pero no debemos condenarla de antemano —objetó la vieja Lucrecia.

—Hice mi juramento de matar a Selene y lo cumpliré, pero la conjunción está próxima y debemos darnos prisa. Anaíd ya está repuesta, podemos comenzar la búsqueda mañana mismo —afirmó Criselda.

Anaíd tuvo suficiente.

Era víctima de un engaño terrible. La traición que vaticinaba el oráculo de su iniciación se cumplía. Lobas, serpientes, cornejas, delfines y ciervas la enviaban a ella hasta Selene para que Criselda, su propia tía, la sacrificase.

Se dejó caer y se tomó la cabeza con las manos.

¿Criselda también?

¿En quién podía confiar?

¿No le darían opción a defenderse?

Y lo peor, lo más horrible es que ella también comenzaba a dudar de la integridad de Selene.

El espíritu del cómico se impacientó.

—¿Y tu promesa?

—Te liberaré. ¿Has dicho que debo regresar al lugar donde Selene desapareció y seguir el camino del sol?

—Sí.

La joven se sobrepuso a su dolor, sacó su vara de abedul y dibujó en el aire los signos del conjuro.

—Marco Tulio, por el poder que me ha sido conferido en mi iniciación y por la memoria de la loba, te conmino a que rompas las cadenas de tu maldición y descanses eternamente entre los muertos. Así sea por toda la eternidad.

Marco Tulio sonrió agradecido y fue dispersándose en múltiples partículas.

—Saluda a mi abuela Deméter —le despidió Anaíd.

Marco Tulio intentó detener unos instantes su desaparición.

—¿Por qué no me lo dijiste antes? Los espíritus podemos convocar a los muertos —gritó antes de desaparecer por completo.

Anaíd comprendió demasiado tarde el significado de sus palabras.

—¡Espera, espera, no te vayas!

Pero Marco Tulio ya no existía.

Así pues, los espíritus podían convocar a los muertos. Eso significaba que podría comunicarse con Deméter.

La necesitaba. Necesitaba desesperadamente la serenidad y la sabiduría de su abuela, pero también necesitaba la clarividencia que otorga la muerte. Los vivos, los vivos que la rodeaban, no discernían la verdad del engaño. Ni ella tampoco.

¿Qué era cierto?

¿Qué era mentira?

Anaíd lanzó voces:

—¿Hay algún espíritu por ahí?

Únicamente le llegó el eco de su voz multiplicándose como una pesadilla.

Estaba sola, más sola que nunca.

Cornelia, la matriarca del clan de las cornejas, tenía la tristeza impresa en el rostro. Le agradaba vagar por los campos al atardecer y saludar a las bandadas de cornejas negras de brillante plumaje que sobrevolaban los trigales. A veces acudía sola hasta el acantilado y contemplaba el mar que tanto amaba Julilla, su hija muerta.

Esa tarde Anaíd la encontró contemplando el ajetreado ir y venir de grullas, abubillas, golondrinas y cigüeñas que, anunciando la llegada del otoño, emigraban hacia el sur, en ruta hacia tierras africanas.

Cornelia la recibió afectuosamente. Anaíd le recordaba a su niña. Tal vez por esa inquietante seriedad de sus retinas, tan azules como las de Julilla, tan llenas de miedo por el devenir como el miedo que se apoderó de ella el día de su iniciación.

Cornelia tenía pocas ocasiones de charlar con muchachas. Las jóvenes la rehuían por la seriedad de su aspecto. Desde la muerte de su hija vestía de negro, como hicieron sus antepasadas y las aves de su clan. Cornelia deseó acogerse a la tradición del luto porque su pena sería para siempre. Ése era el sentir de las mujeres y madres de su tierra y ella, bruja pero mortal, lo mantenía.

—Dime, ¿en qué puedo ayudarte?

Anaíd supo que Cornelia no le negaría nada.

—Quiero conocer el secreto del vuelo de las aves.

Cornelia intuyó el engaño, podía leer el apuro de la niña al formular la petición.

—¿Lo sabe Criselda?

—Sí, claro.

—Es arriesgado.

—No me importa.

—Para iniciarte en este secreto necesito la conformidad de las matriarcas y creo que tendría que hablar primero con Criselda.

Entonces Anaíd tomó su mano y clavó sus ojos implorantes en las oscuras retinas de la negra Cornelia.

—No puedo esperar, tiene que ser ahora y en secreto.

Cornelia sintió el calor de la sangre de Anaíd en su mano. Era joven, estaba llena de vida y acarreaba una enorme responsabilidad sobre sus espaldas.

—Ayúdame, por favor. Te necesito, lo sé, y tú también lo sabes.

Cornelia lo sabía, pero intentaba eludir al destino.

—No te arriesgues, pequeña.

Pero Anaíd, con la convicción de los osados, ahondó en su intuición.

—Dime, Cornelia, ¿por qué has venido hasta aquí? ¿Por qué contemplas las aves migratorias que sobrevuelan la isla?

Cornelia no quiso pensar en la respuesta.

—¿Y tú?

Anaíd mostró sus cartas boca arriba. Se jugaba el todo por el todo.

—Me pregunté qué debía hacer y mis pasos me trajeron hasta aquí. Al verte contemplar las aves he entendido que tú eras la señal que esperaba. Que tú me enseñarías a volar como ellas para acudir junto a Selene. Éste es el camino.

Cornelia suspiró. El destino había ido a buscarla y a involucrarla en la profecía. No podía sustraerse a su destino.

—¿Estás preparada?

Anaíd lo estaba. Nunca lo había estado tanto.

Cornelia agitó sus negros brazos con la elegancia de un cisne y Anaíd la imitó.

—Observa un ave, la que más te guste, y siente con ella el batir de sus alas y la levedad de su cuerpo.

Anaíd fijó su mirada en la hermosa águila pescadora que se cernió veloz sobre el lago con sus alas extendidas y atrapó un lucio entre sus garras.

Cornelia siguió la mirada de Anaíd y sintió un escalofrío. Anaíd había escogido el águila, el ave rapaz más poderosa de la laguna.

—Repite conmigo el conjuro de vuelo.

Y ambas movieron sus brazos al unísono recitando el hermoso canto del ave. Sus cuerpos se tornaron livianos como plumas mientras sus brazos se transformaban en alas y, juntas, levantaron el vuelo.

Anaíd, con sus largos cabellos ondeando al viento y su rostro surcado de lágrimas, sobrevoló la laguna una y otra vez siguiendo a su nueva maestra y gozando del aprendizaje del dominio del aire.

Al ocultarse el sol, ya se aventuraba en los vuelos rasantes, se dejaba mecer por las corrientes y surcaba majestuosa los cielos.

Se despidió de Cornelia lanzando el grito del águila. Se dirigía al norte, siguiendo el camino opuesto de las rutas migratorias.

No le importaba puesto que no era un ave. Era una bruja alada.

Cornelia, al verla alejarse, le deseó suerte y por primera vez comprendió que la condena de sobrevivir a su propia hija había tenido una razón de ser.

De la mano de Anaíd había entrado en el territorio de la leyenda.

29. *El camino del sol*

Anaíd estaba exhausta. Había volado sin descanso durante días y noches, deteniéndose tan sólo a beber pequeñísimos sorbos de agua. Su cuerpo ingrávido había adelgazado mucho. Sus ropas estaban ajadas y empapadas, sus cabellos enmarañados y su piel resquebrajada por el viento.

Al sobrevolar el campanario de Urt se llenó de añoranza. Creía que nunca más oiría sus graves campanadas.

Era más de medianoche, su casa estaba cerrada y ella necesitaba comida y ayuda. Sus alas la llevaron hasta las ventanas de la hogareña casa de Elena, donde siempre había un puchero en la cocina y una cama a punto. Bateó con fuerza contra los postigos, impaciente por descansar, por yacer sobre un colchón y saborear una sopa caliente, pero el llanto de un bebé la detuvo.

¿Estaba loca?

No podía aparecer volando ante la ventana de Elena con su apariencia de bruja alada.

Elena tenía siete hijos y un marido. A lo mejor, ocho hijos.

Anaíd descendió suavemente hasta posarse en el patio. Ahí vio la puerta entreabierta del pajar. Sus piernas no la sostenían. Llegó como pudo hasta el heno apilado junto a la yegua y se tendió desfallecida. Lentamente, muy lentamente, sus alas se transformaron de nuevo en brazos y su cuerpo fue recuperando su peso, pero el cansancio la mantuvo aletargada durante largas horas.

En su sueño, un muchacho moreno le acariciaba el rostro y humedecía sus labios con un paño húmedo. Luego posaba los labios sobre los suyos un instante, el suficiente para que Anaíd sintiese fuego en su piel y saborease el gusto anisado de su lengua.

—¡Roc! —exclamó Anaíd sorprendida al abrir los ojos.

Roc, sintiéndose descubierto, se levantó de un salto.

—¿Me conoces?

Anaíd rió con una risa sincera.

—De niños nos bañamos desnudos en la misma poza unos cuantos millones de veces.

Roc se descompuso. Anaíd estaba divirtiéndose de lo lindo al darse cuenta del desconcierto que le causaba. Curiosamente no sentía ni pizca de vergüenza.

—¿Tú y yo? No, no lo recuerdo...

—Mírame bien.

Anaíd se retiró el cabello de la cara y Roc reconoció sus ojos azules. La sorpresa fue mayúscula.

—¡Anaíd! ¿Qué te ha pasado?

Anaíd iba a responder, pero se contuvo.

—He hecho un largo viaje. Necesito comida y ropa. ¿Está tu madre?

Roc asintió y se apresuró a salir.

—¡Espera!

El muchacho se detuvo un instante y ella se lo quedó mirando inquisitivamente.

—¿Me has dado agua mientras dormía?

Roc asintió y bajó la mirada, pero Anaíd no dijo nada que pudiera avergonzarlo.

—Gracias.

Roc sonrió abiertamente. Tenía los ojos francos de color melaza y el cabello negro y ensortijado. Era guapo, muy guapo.

Al salir Anaíd se estremeció. ¿La había besado sin saber quién era? ¿Tan cambiada estaba?

Elena lo confirmó.

—¿Anaíd? ¿Eres Anaíd?

Un bebé regordete y de piel sonrosada chupaba ávidamente de su pezón.

—¿Otro niño?

—¿A que es precioso? Es tan bonito que parece una niña y quería llamarle Rosario.

Anaíd se partió de risa.

—No le hagas eso. Te maldecirá y no sabes lo desgraciados que son los espíritus.

—No si le llamo Ros...

Ros mamaba placenteramente sin enterarse de nada. Anaíd suspiró.

—Otra vez en casa.

—Mi niña bonita, has crecido tanto... ¡Si eres más alta que yo! Esas piernas, deja que te vea, más largas que las de Selene. Y esa maraña de pelo. ¡Qué enredado! Tengo que lavártelo.

Anaíd se dejó querer.

—Hace una semana que no pruebo bocado.

Elena se horrorizó.

—¿Cómo no lo has dicho antes? ¡Roc! ¡Un plato de cocido! ¡Rápido!

Bendito cocido de Elena. Reconstituyente y capaz de retornar las fuerzas a un oso tras hibernar, pensó Anaíd mientras saboreaba el tocino, la col, los garbanzos y la sopa. Su estómago no sólo lo soportó, sino que lo agradeció.

Anaíd comió y durmió, durmió y comió. Luego accedió a tomar un baño, pero... no tenía ropa que ponerse. La de Elena le quedaba grande.

Roc fue quien, con ojo de experto, calculó su talla.

—La misma que Marion.

Y regresó al cabo de poco con un conjunto de lo más *fashion*.

—La he engañado, le he dicho que era para preparar una fiesta sorpresa de disfraces. Le ha encantado.

Anaíd, con el cabello limpio y seco, se embutió en la ropa interior de Marion, en sus vaqueros ajustados y su *top*.

Roc dio su aprobación final con un silbido de admiración.

—Será mejor que Marion no te vea. Te sienta mejor a ti.

Anaíd hubiera querido contemplarse en el espejo, pero no tenía tiempo que perder. Elena la esperaba en la biblioteca.

La encontró apilando libros y libros. Estaba molesta y Anaíd detectó su contrariedad desde la puerta. Al verla llegar desvió la mirada y eso fue lo peor. Supo al instante que Elena le estaba ocultando algo.

Todo había ido demasiado bien hasta el momento y eso también era preocupante. Los caminos fáciles acostumbraban a ser los más engañosos. Así pues, Anaíd, curtida en mil guerras, decidió seguir el juego de Elena y fingir que era estúpida.

—Espera un momento que ahora acabo —le dijo Elena sin levantar la cabeza de las fichas.

Anaíd se sentó en la descascarillada silla de madera donde había pasado tantas y tantas tardes de lectura cuando era niña. Oyó cómo Elena cerraba su libreta, levantaba la vista y, de repente, se llevaba la mano a la boca reprimiendo un grito.

Anaíd miró tras ella asustada.

—¿Qué pasa?

Elena se comportaba de forma muy rara. Se llevó la mano al pecho y respiró agitadamente.

—Nada, no es nada, perdona, desde lo de tu madre me altero mucho y ahora, al verte...

—¿Te he asustado yo? —preguntó Anaíd, y repasó su ropa, que era más descocada y atrevida de la que ella había llevado nunca.

—Sí..., al mirarte..., he visto, es como si... Eres como Selene... ¿Te has mirado al espejo?

Anaíd no lo había hecho. No tenía esa costumbre y quizá hacía un mes que no se veía reflejada en ninguna parte.

Con aire confidencial, Elena susurró:

—He convocado un *coven* para esta misma noche. Gaya y Karen están impacientes por escuchar tu historia.

Anaíd asintió, miró su reloj y se disculpó.

—Tengo que pasar por casa para comprobar si queda algo del ungüento de Selene. ¿Necesitaré alguna cosa más? Será mi primer *coven* del clan.

—Tu *atame,* tu cuenco y tu vara.

Anaíd lo apuntó en el dorso de su mano y se levantó con prisa. Elena la retuvo unos instantes.

—Anaíd, ven a cenar a casa. Te esperamos. Luego volaremos juntas hasta el claro del bosque.

—Ahí estaré —mintió Anaíd.

Y salió agradeciendo que Elena no pudiese leer su pensamiento. Hasta ese encuentro había eludido todas las preguntas directas que le formulaba sobre su regreso a Urt. Contestaba con evasivas y temía la posibilidad de que Elena se pusiera en contacto telefónico con Criselda. O viceversa.

Pero ya había sucedido.

Tan sólo había pasado un día, pero Elena ya estaba

avisada de su huida y debía de tener órdenes de retenerla hasta la llegada de Criselda. O de hacerla acompañar por otra Omar que asumiría la difícil tarea de eliminar a Selene. ¿La misma Elena? ¿Su querida amiga Karen? ¿O su odiada enemiga Gaya? A Anaíd se le revolvieron las tripas sólo de pensarlo.

Se quedó paralizada delante de la puerta de su casa. Mierda, las llaves. Su juego se había quedado en Taormina. ¿Dónde demonios podría encontrar una copia de las llaves de su casa? Anaíd estudió con detenimiento puertas y ventanas, pero era imposible acceder al interior desde ninguna parte. Ahora que se fijaba, había vivido en una auténtica fortaleza. Se sentó bajo el porche de la entrada lamentando su mala suerte.

Tía Criselda nunca le dijo quién había cerrado la puerta cuando ella salió de casa a las tres de la madrugada con lo puesto.

Una hora más tarde Karen, la buena de Karen, apareció con el manojo intacto. La enviaba Elena. Anaíd se conmovió por el detalle y se dejó besar, abrazar y elogiar. Pero se mantuvo impermeable a las muchas preguntas que Karen le formulaba y se dio cuenta de que también ella la miraba de forma rara. Karen se empeñó en entrar en la casa con ella. Encendió las luces y se la mostró.

—Yo misma me encargué de mantenerla limpia y cerrada. Sabía que volveríais.

—¿Quiénes?

—Tú y Criselda... y Selene, claro.

—Gracias, Karen, mi madre te consideraba su mejor amiga.

Anaíd comprobó de reojo el efecto que sus palabras habían causado en Karen.

—Anaíd, yo..., yo quiero mucho a Selene.

—Yo también.

—Pero... a veces las personas a quienes más queremos cambian, o... no son quienes imaginamos.

Anaíd empezó a ponerse nerviosa.

—Ya, ya me he dado cuenta —asintió.

Pero Karen no podía esperar. Tomó a Anaíd por los hombros y se sinceró:

—Anaíd, tu madre estuvo impidiendo que tuvieses poderes y crecieses.

—¿Cómo?

De alguna manera, esta vez Anaíd supo que Karen decía la verdad.

—La medicina, esa medicina que te hacía tomar y que yo jamás te receté, era un inhibidor de tus poderes y al mismo tiempo un potente inhibidor de tus hormonas de crecimiento.

Anaíd se alteró. No podía trastornarse por nada ni por nadie, se lo había prohibido a sí misma, pero Karen la había desconcertado.

—Te equivocas.

—No, Anaíd, no me equivoco. No sabemos por qué lo hizo, pero lo hizo.

Anaíd pugnaba por no echarse a llorar ni refugiarse en brazos de Karen. No podía flaquear. Se mordió los labios con rabia, hasta hacerlos sangrar.

¿Selene la torturó durante tantos años haciéndole creer que su retraso obedecía a causas naturales? ¿Selene la privó de sus poderes porque sabía que los tenía?

No. No quería pensar. Pensar en ello la bloqueaba y necesitaba tener la mente dispuesta, abierta, sin rencores. Necesitaba amar profundamente a su madre para poder acudir hasta ella. Si ella dejaba de confiar en la elegida, ¿quién sería capaz de decantar la balanza?

—Y, también tienes que saber que durante tu ausencia alguien ha cancelado la hipoteca de la casa. Mucho dinero, Anaíd, mucho.

Karen estaba nerviosa y se retorcía las manos. Se sentía culpable. Traspasar su carga a Anaíd había sido una forma de liberarse de su dolor.

—Lo siento, Anaíd, pero tenía que decírtelo.

Sin embargo Karen salió de la casa con la cabeza gacha. No parecía que se hubiera liberado de ningún peso. Ahora arrastraba también la pena de Anaíd.

Una vez sola, Anaíd se tragó sus lágrimas e irrumpió en la habitación de Selene. Necesitaba aferrarse a algo. Necesitaba sentir el amor de su madre. Abrió sus cajones y vació sus armarios ansiosamente en busca de una prueba de amor a la que acogerse.

Y la encontró en el interior de una vieja caja de zapatos donde Selene había escrito con su letra picuda: «Anaíd, mi niña».

En ella guardaba sus dientes de leche dentro de una pequeña cajita de nácar, unos diminutos zapatos de charol que supuso que serían los primeros que calzó y un medallón con cadena de plata.

Anaíd, nerviosa, buscó con dedos temblorosos el mecanismo de abertura del medallón. Por fin lo consiguió. Y mientras lo contemplaba arrobada, sintió cómo su inquietud se disolvía.

Una de las carátulas del medallón contenía una fotografía suya de niña. En la otra, un mechón rojo del cabello de Selene. Al cerrarlo, su imagen y el cabello de su madre se unían y permanecían en estrecho contacto.

Anaíd respiró satisfecha y se colgó el medallón del cuello, junto a la bolsa de cuero que contenía su *atame* y su vara, muy cerca del corazón.

Miró su reloj. No podía esperar a la noche, necesitaba comunicarse con los espíritus antes de que fuera demasiado tarde.

Su habitación estaba sumida en la más completa oscuridad, pero ella los conminó a salir, los llamó, rogó su presencia. Todo en vano, hasta que recibió una respuesta ronca. El caballero y la dama se excusaban por no poder aparecer ante ella. Cristine Olav los había condenado a carecer de rostro. Anaíd, contrariada, deshizo el conjuro.

—Yo os ordeno regresar con voz y rostro al mundo de los espíritus al que os condenó vuestra maldición —murmuró agitando su vara de abedul.

Descompuestos e incrédulos, la dama y el caballero comparecieron ante su presencia. Su sorpresa fue auténtica.

—Oh, bella dama, ¿sois realmente la misma?

—¿Ha sido vuestro poder capaz de contrarrestar el conjuro Odish?

Pero Anaíd no tenía tiempo para las adulaciones a las que los espíritus eran tan propensos.

—Vengo a cumplir mi juramento y a daros el descanso que me pedisteis, pero antes necesito que convoquéis a Deméter.

La dama y el caballero se miraron sonrientes y desaparecieron al unísono. Anaíd los esperó impaciente. Su retorno fue una fiesta.

—Deméter te espera en la cueva a la hora crepuscular. Antes de que el último rayo de sol desaparezca del bosque.

Anaíd se molestó.

—Yo creía que aparecería con vosotros.

—Bella joven, los muertos son los que escogen sus citas, no al contrario.

—No es fácil concertar una cita con ellos.

—Algunos se niegan, no desean regresar.

Anaíd los mandó callar con un gesto brusco.

—Pues bien, una vez haya hablado con Deméter, os concederé vuestro deseo.

—Pero bella dama..., eso no es justo.

—Por favor, hermosa joven, concédenoslo ahora...

Anaíd, impasible, consideró que debían reflexionar sobre su última traición.

—¿Ah, sí? ¿Y quién informó de mi paradero a Cristine Olav?

Acto seguido desapareció de la habitación y los dejó sumidos en sus pensamientos.

Anaíd llegó a la cueva a la hora que Deméter le había indicado. Estaba nerviosa observando hacia todos los rincones y estremeciéndose por los juegos de sombras que inocentemente provocaba la luz de su lamparilla de gas. En cada una de las esperpénticas proyecciones de las estalactitas y estalagmitas creía ver la sombra de su abuela.

Pero Deméter apareció bajo una apariencia insospechada.

La loba, la gran loba de pelaje gris y ojos sabios surgió de las profundidades de la gruta y la saludó con un aullido.

Anaíd la reconoció y quiso abrazarla, pero la loba se retiró a un lado y habló en la lengua de los lobos.

—Te están esperando, Anaíd, y no hay tiempo que perder. Yo te protegeré de ellas.

—¿De quiénes?

—No importa, saben que vas a intentarlo, pero no mires atrás. Yo estaré aquí para cubrir tu retaguardia. ¿Estás segura de que quieres intentarlo?

—Sí.

—Debes seguir el camino del sol esta misma noche. Cabalgarás el último rayo del crepúsculo para internarte en el mundo de las tinieblas. No temas, yo te indicaré cómo.

Anaíd se retorció las manos angustiada.

—Necesito saber si mi madre nos ha traicionado.

Sin embargo la loba no respondió a su pregunta.

—Regresarás, con Selene o sin ella, cabalgando el primer rayo del amanecer. Recuérdalo bien, porque si no lo hicieras quedarías atrapada en las tinieblas para siempre.

—¿Cómo sabré si Selene es una de las nuestras?

—No esperes certezas antes de asumir los riesgos. Tú deberás decidir y la dificultad de la decisión será tuya y sólo tuya. Ahora sígueme y recuerda, no mires atrás.

Anaíd se puso en pie y corrió tras la vieja loba, que se adentró en el bosque escogiendo con acierto los atajos más rápidos. Sentía la amenaza cerniéndose a sus espaldas, rodeándola, notaba la quemazón de unos ojos punzantes filtrándose entre las hojas de los robles, el susurro engañoso llamándola, invitándola a detenerse, y sentía unas ganas imperiosas de girarse, pero no lo hizo. Alcanzaron el claro cuando el último rayo solar se despedía con un leve estertor.

—¡Ahora! ¡Cabalga! —le ordenó la loba.

Un rugido atronador resonó a sus espaldas. Anaíd se detuvo, la loba luchaba gruñendo, aullando, se defendía, la defendía a ella contra alguien que intentaba apresarla. Anaíd dudó, deseaba ayudar a su abuela, encarar el peligro sin miedo, cara a cara, pero recordó la advertencia de Deméter y su condición de espíritu y no cedió a su curiosidad.

—¡Ya! —gritó Deméter.

Y obedeciendo la orden de la loba, saltó sobre el rayo de sol que hendía la tierra. Anaíd, con su largo cabello refulgiendo al sol, cabalgó el último rayo hundiéndose con él en las tinieblas.

TRATADO DE DOLS

Desde este tratado nos proponemos desarrollar la tesis de la probable pertenencia de la elegida al clan de la loba.

Nuestra tradición, alojada ya en el inconsciente colectivo, es rica en alusiones a la supuesta perversidad y agresividad del lobo, y consecuentemente de la loba. A menudo ha sido considerado como una «criatura de las tinieblas», incluso vinculada al demonio.

No es de extrañar que un depredador como el lobo, único capaz de hacernos frente en la naturaleza que nos rodea, y que actúa de forma organizada y efectiva, despierte los ancestrales miedos a ser cazado. Sin embargo, en la milenaria pugna entre lobo y hombre, las agresiones del lobo frente a las nuestras son infinitamente menores. La prueba es la actual situación de su especie.

Los mitos de Rómulo y Remo o el de Gárgoris y Habis presentan situaciones similares, en las que cachorros humanos son amamantados por lobas. Los indios norteamericanos ven en el lobo un honorable competidor, al que respetan y admiran. El ideograma chino para representar al lobo significa literalmente «perro distinguido», tal vez por el aspecto rasgado de sus ojos.

El lobo constituye uno de los motivos animales más representados en vasos, urnas y platos ceremoniales de los antiguos iberos, casi siempre reflejando el carácter infernal de este animal (ojos ligeramente rasgados, orejas puntiagudas, belfos distendidos dejando ver los dientes triangulares y los colmillos). La vinculación del lobo a las creencias de ultratumba se halla atestiguada en toda el área mediterránea. Hubo zonas de la España prerromana en que el lobo era representado como animal totémico en monedas, sustituido más tarde por la loba romana. Igualmente, el mito de la licantropía ha formado parte desde antiguo de nuestro acervo cultural. El hombre-lobo figura en multitud de dichos y leyendas y con diversos nombres, sobre todo en el área occidental de la Península.

Teniendo en cuenta dichos precedentes, ubiquemos la posible zona geográfica en la que según Om crecerán la elegida y el clan que le infundirá su saber. Desde estas páginas descartaré la posibilidad de que se trate de los Alpes ni los Apeninos, y optaré por defender la teoría de Rivana sobre los Pirineos. Demostraré igualmente el mayor número de posibilidades de que la elegida pertenezca al clan de la loba ante las hipótesis no descartadas hasta el momento de que fuera del clan de la osa o la zorra.

30. El mundo opaco

Anaíd no notó la diferencia y creyó que estaba en el mismo lugar del que había partido.

Se encontraba en el claro del bosque, a su alrededor crecían los robles y entre las copas, a lo lejos, se erguían las siluetas de las cumbres familiares.

Y sin embargo la luz no era la misma.

Al principio lo atribuyó al anochecer, pero al cabo de un rato comenzó a acusar la diferencia. La luz no variaba. Siempre era igual: desvaída, mate y privada de contrastes. Apenas se distinguían los colores. No había colores. Anaíd se frotó los ojos. ¿Estaba en un mundo paralelo? ¿Era aquí donde habitaba Selene? No le pareció un lugar especialmente siniestro. Le evocó las tardes de tormenta otoñales cuando las nubes filtran el sol provocando una luz espectral.

De pronto, una risa. Al cabo de un instante otra. Y otra. A su alrededor surgieron miles de risas. Un ejército de risas infantiles. Amenazadoras. Insolentes.

Anaíd, nerviosa, se puso en pie. ¿Quién se reía?

—¿Hay alguien ahí? —preguntó con entereza.

—Yo estoy ahí. ¿Y tú?

—Yo también estoy.

—¿Dónde estás tú?

—Estoy ahí.

—Yo no sé dónde estoy.

Y de nuevo las risas de burla. Pero Anaíd no se dejó amedrentar. Tras cada voz debía de esconderse alguien, así que se trataba de averiguar quién era ese ser. Se internó en el bosque y buscó. Buscó con los ojos abiertos levantando la hojarasca del suelo, hurgando en las raíces de los robles, levantando las piedras. Estaban por doquier, a centenares, a miles como las hormigas. Eran los duendes del bosque, descarados y diminutos —apenas unos pocos centímetros— que salían a molestarla.

Pues bien. No se dejaría provocar.

—Ya sé quiénes sois. No os escondáis.

—Qué niña tan lista.

—Más que lista, listísima.

—¿Estás lista?

—Cuidado, no me fío de los listos.

Anaíd pataleó impaciente; si cada comentario tenía que suscitar tamaña sarta de estupideces, prefería callar. Hizo su último intento, pero con garantías. Se agachó velozmente y acertó a agarrar a un hombrecillo juguetón que cabía en el hueco de la palma de su mano. La cerró y sintió cómo pataleaba, golpeaba con sus puñitos y hasta le mordía con saña. Luego se tranquilizó. Anaíd susurró muy suavemente:

—Busco a Selene.

Y en el acto sus palabras, a pesar de la confidencialidad con que fueron pronunciadas, se escamparon por el bosque a la velocidad de la luz.

—Busca a Selene.

—La hermosa niña busca a Selene.

—Qué lista es la joven que quiere encontrar a Selene.

—Llegó con el rayo de sol y quiere a Selene.

—¿Dónde está Selene?

—En el lago.

—En la cabaña.

—En la cueva.

Anaíd respiró un par de veces antes de gritar enfurecida:

—¡Basta!

Nadie la obedeció, sin embargo, y continuaron los comentarios infinitos y tontos acerca del paradero de Selene. Hasta que desde las ramas de los árboles, un petirrojo la avisó:

—Cuidado con la condesa, niña.

—¿La condesa? ¿Quién es la condesa? —preguntó Anaíd.

Y de nuevo se prodigaron centenares de comentarios estúpidos a su alrededor:

—La niña no sabe quién es la condesa.

—Si la condesa encuentra a la niña, sabrá quién es la condesa.

—Selene sí que conoce a la condesa.

—¿Duerme la condesa?

—¡Ay, si la niña despierta a la condesa!...

Anaíd se desanimó. No podía quedarse ahí rodeada de duendes burlones. Así pues, comenzó a caminar en una dirección. Si, como suponía, se hallaba en el mundo paralelo al mundo real, regresaría a su casa. Y se puso en camino por el viejo sendero. El duende prisionero pataleaba rabioso, pero Anaíd también estaba rabiosa y no le hacía el más mínimo caso.

Al final, después de una larga caminata, se dio cuenta de que se había equivocado en sus suposiciones.

El sendero acababa bruscamente y ante ella se alzaba un muro de escarpadas rocas. Allí donde debían de comenzar los primeros vestigios de civilización se acababa el mundo opaco.

—Está bien —se dijo—, regresaré de nuevo al claro del bosque y me dirigiré al lago.

Dio media vuelta, pero se perdió sin remedio. Anaíd, que conocía el bosque como la palma de su mano, descubrió que el río cambiaba de curso a su antojo. Se dio cuenta al cruzar tres veces por el mismo lugar. Era desesperante. Avanzaba en círculos, porque aunque ella caminase en línea recta, el río también caminaba y se cruzaba continuamente en su camino.

Entonces entendió la diferencia que había con el mundo real. Nada era previsible. Ni siquiera existía la bóveda celeste. El firmamento era una mancha grisácea suspendida sobre sus cabezas. Sin estrellas, sin luna, sin sol. Sin astros.

Nunca encontraría a Selene.

Nunca conseguiría regresar a su propio mundo.

Se sentó sobre una piedra y se echó a llorar desconsoladamente. Todas las lágrimas que se había ido tragando fluyeron como un manantial y cayeron por sus mejillas y se derramaron sobre la tierra empapándola. En su desespero abrió su mano y dejó escapar al duendecillo. Pero el duende no se movió. Se quedó mirando con cara de pocos amigos hacia el lugar donde caían las saladas lágrimas de Anaíd y donde había surgido un pez sin escamas, enterrado largo tiempo, que se revolcaba sobre la tierra mojada.

—¡Oh, así, qué maravilla! Llora, llora más. ¡Qué saladas y qué ricas son tus lágrimas! Ya era hora; desde que el mar se retiró, he estado esperando este momento.

Y eso indignó al duende.

—Vuelve a enterrarte, bicho inmundo.

—No me da la gana.

Entonces el duendecillo se encaró con Anaíd.
—Deja de llorar ya, chica lista.
A Anaíd le daba todo igual, así que continuó llorando.
—Está bien. Te llevaré con Selene —masculló el duendecillo.
Anaíd paró en seco.
—¿De verdad?
El extraño pez protestó:
—¿Y le vas a creer? Selene está muerta. Nunca la encontrarás.
Anaíd sintió el impulso de llorar de nuevo, pero se dio cuenta de que el extraño y malvado pez amaba las lágrimas, con lo cual prefirió fastidiarlo.
—Mentira. Vámonos.
Y recogió al duende, que sacó la lengua al pez.
—¡Ea, fastídiate!
Anaíd se sentía mucho mejor. Llorar la había ayudado a tranquilizarse. Aun así, no se fiaba ni un pelo del hombrecillo.
—¿Hacia dónde?
—Hacia el lago, pero yo que tú no iría.
—¿Por qué?
—¿No te echarás a llorar otra vez?
—Dímelo.
—Selene quiere hacerte desaparecer.
—¡No te creo! —gritó al hombrecillo, fingiendo no haberle oído, e intentó orientarse.
¿Norte? ¿Sur? ¿Este?
—Miauu.
Anaíd se quedó paralizada. Le había parecido...
—Miauu.
No había duda, era Apolo, su pequeño Apolo, su queridísimo gatito.

—Apolo, soy Anaíd —le llamó sin hacer caso de las réplicas burlonas que provocó su llamada.

Y ante ella apareció el gatito. Exactamente igual que cuando cayó por el abismo. Como si no hubiese pasado ni un minuto. Apolo se acercó a Anaíd y la lamió cariñosamente. Anaíd lo abrazó y juntos se revolcaron por el suelo. Luego, repuesta ya de la emoción del reencuentro, Anaíd maulló sugiriendo el nombre de Selene y Apolo la invitó a seguirlo.

Por fin.

Anaíd fue tras él, pero antes miró su reloj. Qué extraño. Era incapaz de calcular cuánto tiempo había pasado en ese extraño mundo. Su reloj marcaba las doce de la noche, pero... ¿Hacía cinco horas que había desaparecido del claro del bosque? No tenía sueño, ni hambre, ni sed, ni notaba ningún cansancio. Ciertamente era un mundo curioso. Tan pronto como encontrara a Selene, huirían de allí. El rayo de sol de la mañana salía a eso de las siete. Debería estar en el claro del bosque a esa hora.

Apolo, el pequeño Apolo, la precedía juguetón hasta que se detuvo junto a un recodo del río, distraído por una piedrecilla que fue a parar a sus pies. Una voz femenina y coqueta lo interpeló:

—Apolo, anda, Apolo, recoge el guijarro y tráemelo.

Otra voz la corrigió:

—No es un perro, es un gato.

—Aquí no hay perros, preferiría un perro, pero Apolo puede traerme el guijarro en la boca. ¿Verdad que sí, Apolo bonito?

A Anaíd las voces le parecieron razonables, dio un par de pasos y contempló a las muchachas de largos cabellos que se bañaban en el río.

—¡Anaíd!

—Hola, Anaíd.
—¿Buscas a Selene?
—¿Selene te espera?
Anaíd estaba atónita. ¿Cómo sabían su nombre aquellas dos bonitas jóvenes?
—¿Cómo sabéis tantas cosas? —les preguntó.
—Hemos oído voces en el bosque.
—Siempre escuchamos todo lo que sucede.
—Hablaban de ti y de Selene.
—¿Conoces a Selene?
Anaíd no sabía a cuál de ellas responder. Las anjanas cuchichearon.
—No lo sabe —comentó una.
—¿Es su amiga o su enemiga? —preguntó la otra con un gesto infantil.
Por fin Anaíd respondió.
—Es mi madre.
Silencio y risas. Las anjanas hablaban entre ellas como si Anaíd no estuviese delante.
—Te lo dije.
—Es vieja.
—Y se cree hermosa.
De pronto una anjana ladeó lánguidamente el cuello con una sonrisa seductora.
—Anaíd, mírame. ¿Soy bella?
La otra agitó sus largos cabellos y también reclamó la atención de Anaíd.
—Su piel está ajada, no le hagas caso, mírame a mí.
Anaíd las miraba alternativamente. Eran jóvenes, esbeltas, vestían gasas translúcidas y tenían el largo cabello tejido con flores.
—Las dos sois muy bellas.
—¿Más que Selene?

—Sois diferentes, ella no es como vosotras...

—Te lo dije, no es una anjana. ¿Y tú? ¿Eres una anjana tú?

—Soy una bruja.

Las dos enmudecieron inmediatamente, la miraron con ojos de terror y se zambulleron en las aguas del río.

—Esperad. Soy una Omar. No soy una Odish, no os haré ningún daño.

Pero las anjanas ya no estaban.

Anaíd continuó su camino tras Apolo, siguiendo el curso del río y ascendiendo lentamente hasta internarse en el ancho valle glaciar.

Apolo maulló mostrándole el hermoso paisaje del lago circundado de altas cumbres. A Anaíd, a pesar de la tristeza que le causaba la luz crepuscular, se le ensanchó el corazón. Era su lago.

En ese mismo momento, en el mundo sin tiempo y sin contrastes, otra nueva presencia causaba revuelo entre los alborozados hombrecillos verdes del bosque.

—¿Tú también buscas a Selene?

—¿Eres lista?

—¿Tan lista como Anaíd?

—No llegaste con el rayo de sol.

—¿Cómo has llegado hasta aquí?

Una voz seca los hizo enmudecer:

—¡A callar! Ella es mi invitada. Se llama Criselda y yo misma la he traído hasta aquí. No quiero oíros ni una palabra más... ¿Habéis comprendido?

Los hombrecillos habían comprendido y callaron. La temían y la obedecían ciegamente. Era Salma.

Criselda miró a su alrededor con precaución y consultó su reloj.

—¿Y bien? ¿Dónde está Selene?

Salma le mostró vagamente su entorno.

—El mundo opaco es impredecible. Vendrá hasta nosotras.

Pero Criselda estaba inquieta.

—No podemos esperar. Selene es peligrosa y la niña la está buscando.

—¿Quieres adelantarte a la pequeña? Se defiende bien, mira mi mano.

Criselda miró de reojo la mano de Salma, pero se mantuvo en sus trece.

—Ése fue mi pacto. Yo me ocupo de Selene, pero tú te olvidas de Anaíd.

Salma calló y su silencio pareció reconocer el pacto. Pero añadió:

—Hay algo más.

Criselda suspiró.

—Lo imaginaba. Has sido tú quien ha venido a buscarme y no lo has hecho por altruismo. ¿Qué quieres, Salma?

—El cetro de poder es mío.

Criselda se puso en jarras.

—Es absurdo. El cetro de poder sólo sirve para que lo use la elegida.

Salma se frotó las manos.

—No creo plenamente en la profecía, pero percibo el poder del cetro.

Criselda no estaba dispuesta a ceder.

—El trato era muy claro. Todo debe quedar como hasta ahora. Si la elegida muere antes de que se produzca la conjunción, ni vosotras ni nosotras seremos destruidas.

Salma se apresuró a asentir.

—Por supuesto.

Criselda puntualizó:

—En ese caso el cetro debe desaparecer.

De pronto Salma se llevó una mano a la boca y mandó callar a Criselda.

La voz de la condesa retumbó desde la grieta de la cueva.

—Salma, sé que estás ahí con una Omar. ¿La has traído para mí? ¿Es una joven?

Salma mandó callar a Criselda. Sacó su *atame* y lo blandió con fuerza.

—Por la fuerza de las tinieblas del mundo opaco, te conjuro, condesa, a permanecer dormida hasta que el cetro de la reina madre O te saque de tu sueño con el olvido impreso en tu memoria.

Y mientras Salma mascullaba su salmodia con la fuerza de la sangre que había consumido, los troncos de los robles centenarios se inclinaron, las ramas crujieron y el fuerte viento que se desencadenó a punto estuvo de llevarse con él a la regordeta Criselda, que se sujetó desesperadamente a unas raíces, cerró los ojos y esperó a que el poderoso conjuro de Salma y su traición no acabaran también con ella.

Todavía le quedaba lo más difícil.

31. *La elegida*

Las orillas del lago estaban repletas de hermosas mujeres peinando sus cabellos y contemplando sus reflejos en las aguas.

Anaíd sintió cómo su corazón se paralizaba. Algo le decía que una de ellas era Selene.

¿Pero cuál? No podía distinguir el rojo intenso de sus cabellos. La luz matizaba los colores e impedía los contrastes. Anaíd comenzó lentamente su búsqueda susurrando quedamente:

—¿Selene? ¿Has visto a Selene?

Las anjanas se lamentaban de la antipatía de Selene, pero no la ayudaban. Indicaban con un gesto vago y continuaban con su baño inacabable... Hasta que al doblar el recodo y salvar el sauce, la vio.

Estaba arrodillada junto a la orilla. Peinaba con mirada extraviada sus largos cabellos oscuros mientras cantaba, o tal vez tarareaba, una vieja canción. Una canción que Anaíd recordaba de niña. Era ella. Era Selene.

—¡¡¡Mamá!!! —gritó lanzándose a sus brazos.

Pero Selene no los abrió. Al revés. Se protegió replegando sus brazos sobre sí misma, encogiéndose asustada.

—Soy yo, mamá, soy Anaíd, por favor —insistió, suplicando por que su madre la reconociese.

Selene tenía ojos de loca, los ojos perdidos de los que

han vagado por tantos mundos que ya no saben regresar. Miraba atentamente al fondo del lago.

—Se me ha caído, se me ha caído y no puedo recogerlo. Nadie me ayuda, quiero que alguien me ayude.

Anaíd siguió la mirada de su madre y distinguió en el fondo del lago una especie de rama dorada, medio oculta por los juncos y el cieno. El lago era profundo y sus aguas tan frías que nadie que se atreviese a zambullirse sobreviviría a sus bajas temperaturas. No. Era imposible recuperar el objeto que Selene reclamaba.

—He venido a buscarte, tenemos que irnos —susurró Anaíd tomándola de la mano.

—Déjame, no me iré sin mi cetro —la rechazó Selene con fuerza.

Y se inclinó sobre el lago de nuevo dando la espalda a Anaíd. Las anjanas se rieron.

—Selene quiere su cetro para ser la más hermosa de todas.

—Y la más poderosa.

—Para acabar con las Tsinoulis.

—¡Callaos! —rugió Selene con odio.

Anaíd se estremeció. La voz de su madre era diferente a como ella la recordaba. No había ni asomo de ternura. Tenía un sonido metálico como el de las monedas tintineando en el billetero.

—Mamá —pronunció Anaíd a duras penas, masticando las sílabas.

Le costaba, pero no estaba dispuesta a renunciar a Selene a la primera.

—¿Qué quieres?

—Te quiero a ti, te quiero, mamá.

Selene se giró rauda, como una serpiente al atacar, y su rostro quedó a tan sólo un milímetro del de Anaíd.

—Si me quieres, si me quieres de verdad, devuélveme mi cetro.

Anaíd miró al fondo del lago de aguas violetas. Se fue desnudando lentamente hasta que toda su ropa quedó en la orilla.

—No lo hagas, niña tonta, te destruirá.

—No le devuelvas el cetro, eso es lo único que desea.

Pero esta vez fue Anaíd quien las ordenó callar.

—¡Silencio!

Luego miró a Selene y preguntó:

—Si consigo tu cetro, ¿vendrás conmigo?

Selene la miró sin verla y asintió con gesto de loca.

Anaíd tomó aire y, desde la roca, se zambulló limpiamente. Las aguas del lago se enturbiaron y se tragaron el cuerpo de la niña.

De pronto, Selene extendió los brazos hacia el agua. No veía el fondo del lago, no podía ver la rama dorada que tenía su voluntad encerrada.

—Anaíd, Anaíd, ¡vuelve! Anaíd, Anaíd...

Una lucecilla de miedo había prendido en su pupila y el horror estaba adueñándose de su conciencia.

Las anjanas se reían indiferentes a su angustia.

—El lago se ha tragado a Anaíd.

—El lago se ha cobrado su presa.

—El lago no devuelve nunca a sus víctimas.

—Quedan prisioneras de los juncos y sus cabellos se enredan en las ramas.

—Nunca regresan de las frías aguas.

Selene recobraba poco a poco su memoria. Imposible calcular el tiempo, pero Anaíd no salía, Anaíd no regresaba a la superficie. Selene palpó la ropa que la niña había dejado en la orilla y la acercó a su rostro. La olió, como haría cualquier loba, y lanzó un aullido de dolor. De pronto, unas burbujas en la superficie desviaron su atención. Una enorme trucha con ojillos inteligentes sostenía entre su boca el cetro. Selene, dudosa, alargó su mano y lo tomó. La trucha, de un potente salto, salió del lago y fue a caer en su regazo convulsionándose en un aleteo agónico. Se ahogaba, y Selene no sabía cómo ayudarla. Era Anaíd.

—Mi niña, mi niña bonita, mi pequeña Anaíd..., vuelve, mi pequeña, Selene te cantará tu canción y te mecerá entre sus brazos.

Y Selene la acarició, la acunó y cantó en un susurro mientras las convulsiones de la trucha cesaban y sus aletas se transformaban en largas piernas y brazos delgados, y sus escamas se cubrían de la piel blanca y azulada de Anaíd.

—¿Anaíd?

—Soy yo —murmuró la niña agotada por el esfuerzo.

Selene la abrazó con ternura. Estaba regresando lentamente a los recuerdos vagos de su otra vida.

—Anaíd, hija.

—Mamá —respondió Anaíd temblando de frío y arrebujándose en la tibieza de su pecho.

Y el abrazo cálido acabó de disolver los témpanos de indiferencia que se habían apoderado de la rutina de loca de Selene.

—¿Qué haces aquí? ¿Cómo has venido?

Anaíd miró su reloj. No había tiempo que perder.

—He cabalgado sobre el último rayo de sol y debemos regresar con el primero. Vamos.

Pero Selene no la escuchaba, su mirada se había detenido en el cetro que ella misma había dejado caer sobre los guijarros. Lo cogió, lo secó con su vestido y lo agitó.

—La profecía.

Anaíd no comprendió.

—Se está cumpliendo la profecía —musitó de nuevo Selene.

Palpó la bolsa de cuero de su hija, extrajo su *atame* de piedra de luna y proclamó:

—Cabalgará el sol y blandirá la luna.

Y Anaíd fue comprendiendo lentamente, demasiado lentamente. Selene abrió el medallón que Anaíd llevaba al cuello y sonrió al contemplar su fotografía de niña.

—Mi pequeña. No quise traer ni siquiera tu imagen a este lugar, pero deseaba tanto tenerte conmigo...

Anaíd temblaba.

—¿Viniste por tu propia voluntad?

—Así es.

—¿Y no luchaste contra las Odish?

—No. Sólo quería alejarlas de ti.

Anaíd tenía que asumir tantas informaciones que no se sentía capaz de asimilarlas.

—¿Por qué?

—Para distraerlas. Les hice creer que era tentada, así fijaban su atención en mí y se alejaban de la verdadera elegida.

—Así pues, ¿no eres la elegida?

Selene se la quedó mirando con la convicción de los que creen.

—¿Aún no te has dado cuenta?...

Anaíd temblaba de frío y de miedo.

—La elegida eres tú, cariño.

—No, no puede ser —negó Anaíd con severidad al sentir cómo el miedo la atenazaba.

Y Selene recitó con voz melodiosa la profecía de O:

Y un día llegará la elegida, descendiente de Om.
Tendrá fuego en el cabello,

alas y escamas en la piel,
un aullido en la garganta
y la muerte en la retina.

Cabalgará el sol
y blandirá la luna.

Anaíd la escuchaba en silencio. No podía ser, Selene estaba equivocada.

—Anaíd, puedes ver a los espíritus de los muertos y puedes comprender a los animales y hablar su lengua. Eres la elegida. Lo supe cuando eras muy niña. Un cometa anunció tu nacimiento.

Pero Anaíd no lo asimilaba, ella no tenía fuego en el cabello. A no ser que... Una sospecha cruzó rápida por su mente. Selene adivinó lo que estaba pensando. Le mostró su medallón y el pequeño mechón rojo.

—Este cabello rojo es tuyo, Anaíd. Te lo corté cuando eras niña.

—¡No es verdad! ¡Mientes! —se resistió Anaíd.

Pero Selene insistió:

—Siempre teñí tu cabello y el mío. Los intercambié. Ahora tus raíces deben de ser rojas, otra vez.

Anaíd fue comprendiendo. Recordó el estupor de Elena al verla con el pelo limpio.

—Entonces, entonces tú... las engañaste adrede.

—Deméter y yo decidimos protegerte y confundirlas haciéndoles creer que yo era la elegida. El cometa que las Odish detectaron apareció hace quince años, cuando tú naciste.

Anaíd se sintió peor.

—¿Te dejaste atrapar por mí?

Selene intuyó que Anaíd estaba a punto de desmoronarse.

—Anaíd, mira tu reloj. Aquí no transcurre el tiempo. Debes regresar, yo protegeré tu huida. Vístete.

Y mientras iba poniéndose la ropa, Anaíd continuó insistiendo. No estaba dispuesta a renunciar a ella fácilmente.

—He venido a buscarte y tenemos que escapar las dos.

Selene se entristeció.

—No puedo, Anaíd. Ninguna Omar ha conseguido salir nunca. Vivimos por siempre prisioneras junto al lago. Perdemos la memoria y la ilusión. Esta vez me he dejado atrapar para no sufrir. Creí que no llegarías hasta aquí. Querían que te eliminase.

—¿A mí?

—La condesa sospecha. Por eso me llevé el cetro, por eso lo lancé al lago. Pero Salma es muy peligrosa y no te perdona que amputases su dedo.

—¿Yo?

—Huye, Anaíd, y escóndete hasta que estés preparada para gobernar con el cetro de poder. Aún no se ha producido la conjunción, aún tienes tiempo.

El cetro brillaba con todo su esplendor. Anaíd fue a cogerlo, pero Selene le advirtió:

—¡No lo toques!

—¿Qué ocurre?

—No lo sé, es el cetro de O, y es tan poderoso que ha conseguido que Salma se rebele contra la condesa y que yo enloquezca.

—Está bien, no lo tocaré, pero tienes que venir conmigo. Alguien tiene que llevarlo. Llévalo tú.

—No, Anaíd, me quedaré aquí y seré bella para siempre. Cuando estés triste, acude al lago a verme. Estaré bajo las aguas, sonriendo.

—Si tú no vienes, yo también me quedaré bajo las

aguas. Peinaré mis cabellos, sonreiré a los hombres y tendré ojos de loca —se plantó Anaíd.

Selene se desesperó.

—No puede ser. Has recorrido un largo camino tú sola. Nunca creí que tu destino fuese llegar hasta este mundo triste, pero lo que sé es que no debes quedarte. Tu sitio está en el mundo real, junto a las Omar. Tú eres la elegida, Anaíd, y tú deberás cumplir la profecía algún día, ¿me oyes?

—He venido a buscarte —insistió Anaíd con terquedad— y no me iré sin ti.

Selene sabía que Anaíd era tan tozuda como ella. Así pues se puso en pie.

—Está bien, te acompañaré.

Anaíd miró su reloj. Eran las cuatro y media y el sol salía a las siete. ¿Llegarían a tiempo?

Con Selene el regreso fue más fácil. Selene condujo a Anaíd sin dilaciones hacia el claro del bosque esquivando con pericia las provocaciones de las anjanas y los gritos insolentes de los duendes. Selene era una habitante más de ese mundo insólito y absurdo, pero estaba cuerda y serena y Anaíd se reconfortó al oír los argumentos que aportaban luz a las espantosas sospechas de traición que recaían sobre ella.

Al contrario de la loba, que jamás abandona a su camada, Selene actuó como la zorra taimada, que aleja a los cazadores de sus crías y los provoca astutamente con su reclamo. Selene traicionó por tanto al espíritu de su clan y confundió a las Odish. Todas, Omar y Odish, creyeron en su condición de elegida. Selene interpretó magistralmente su personaje haciendo recaer todas las miradas sobre ella y ocultando tras su sombra rutilante y provocadoramente pelirroja a la fea Anaíd, a la pequeña Anaíd, a la bruja sin poderes a quien no valía la pena iniciar.

Pero le faltó tiempo para acabar de atar los cabos de su plan. Las Odish la secuestraron antes de que pudiese poner a salvo a Anaíd en manos de Valeria y creyó que finalmente había fracasado en su estrategia, urdida a lo largo de muchos años con su madre Deméter.

Sin embargo, tras su desaparición, el destino de Anaíd se había ido cumpliendo, inexorablemente, con contundencia, casi, casi matemáticamente.

Durante el trayecto, la fe de Anaíd había impregnado de esperanza a Selene. Estaba tan falta de futuro que ya no creía en su propia vida. Su hija le había hecho recordar y reír, sufrir y temer. Por eso, al acercarse al claro del bosque, la inquietud la acosó con fuerza.

—Ellas saben que estás aquí. Nos esperan. Intentarán impedir tu marcha —murmuró.

Anaíd también podía sentir el peligro. Eran las seis. Disponían de apenas una hora. ¿Cuánto tiempo era una hora en un espacio sin tiempo? Simplemente el que marcase su reloj.

—Anaíd, bonita, sabía que vendrías.

Anaíd y Selene se detuvieron paralizadas por la sorpresa. Ante ellas, la encantadora y dulce Cristine Olav les cerraba el paso.

—No sabes lo feliz que me siento al verte sana y salva y tan hermosa como te había concebido en mis fantasías. Selene, la impostora, nunca creyó que pudieses eclipsarla, pero así ha sido. Eres más alta que tu madre, Anaíd, más esbelta, más joven, más bella, y tienes el poder de la elegida.

Selene, pálida, tapó los oídos a Anaíd.

—No la escuches, no creas ni una palabra de lo que diga.

La risa clara de Cristine resonó en el bosque.

—¿No le has explicado nada, Selene? Sabes que la quiero, que la quiero tanto como tú. Que no le deseo ningún mal. ¿No le has dicho la verdad?

Selene se interpuso entre ambas.

—Déjanos pasar si es cierto que la quieres.

—Ah no, Anaíd es tan mía como tuya, Selene. Me engañaste una vez, pero ya no me engañarás nunca más.

Selene se irguió como una leona y avanzó hacia la señora Olav. Echaba fuego por los ojos y hasta Anaíd se compadeció de la dulce fragilidad de la hermosa dama nórdica.

—Apártate —rugió Selene.

Pero la fragilidad era aparente. La dulce voz tenía la firmeza del acero y escondía un poder infinitamente superior al de Selene. El poder que otorgan los milenios y la inmortalidad.

—No, querida, no me apartaré ni os dejaré marchar. La compartiremos tú y yo. Como una familia. Anaíd, recuerda, ¿no te reconforté en mis brazos? ¿A que te hice feliz? Te traté como a una hija. ¿Te hice algún daño quizá? Te protegí en Taormina, velé por ti y te aislé de Salma. Yo estaba en tu armario bajo la forma de una gata. Díselo a Selene, no me cree.

Anaíd estaba confundida, la señora Olav la confundía. Decía la verdad y además ella y Selene parecían haber tenido tratos. ¿Se conocían? ¿Qué derechos reclamaba Cristine Olav?

Selene la empujó.

—No la escuches, Anaíd, está mintiendo. Huye, Anaíd, el rayo está a punto de salir. Vete de aquí. Sal de esta trampa.

Anaíd se sintió indecisa durante unos segundos; luego, segura de ella misma, miró a la señora Olav a los ojos.

—Te creo, pero déjanos marchar a las dos.

La señora Olav parpadeó. Anaíd detectó una lágrima, una pequeñísima lágrima en su pupila. ¿Era posible? Le temblaban los labios, era un temblor reflejo, producto de la emoción.

—¿Me crees?

Selene la tomó de la mano.

—Ya basta, Anaíd, no la mires a los ojos, no...

Pero Anaíd no obedeció a su madre, sino que continuó ofreciéndose a Cristine Olav con las manos desnudas.

—Déjanos marchar.

—¿Es eso lo que quieres, Anaíd?

—Sí.

—Está bien, marchaos.

—¿Las dos? —quiso confirmar Anaíd.

—Si es eso lo que quieres...

Anaíd, siguiendo su impulso, abrazó a Cristine Olav y dejó que los delgados brazos de la hermosa dama la rodeasen. Sintió su calor y su afecto, y la besó en la mejilla antes de despedirse.

Luego, ante sus asombrados ojos, la señora Olav se transformó en una elegante gata blanca y desapareció.

Anaíd y Selene llegaron al claro unos minutos antes de las siete. Pero no estaban solas.

Criselda y Salma las estaban esperando.

Las cuatro enmudecieron. Salma las recibió con una sonrisa.

—Bienvenidas, creíamos que nunca llegaríais.

¿Criselda, la buena de Criselda junto a Salma? ¿Qué significaba eso? ¿Qué había ocurrido?

Anaíd y Selene las miraban alternativamente intentando discernir cuál era más peligrosa y más impredecible.

—Cumple con tu sagrada misión, vieja Omar.

Criselda sacó su *atame,* miró a Selene, luego a Anaíd.

—No lo haré delante de la niña. Quiero que se vaya. Una vez haya regresado al mundo real, cumpliré mi tarea.

Anaíd se negó.

—No me iré sin mi madre.

Y Salma mostró su mano de la que faltaba el dedo anular.

—La niña es cosa mía. Tengo una deuda pendiente con ella. Tú ocúpate de la elegida. Aún no se ha producido la conjunción, puedes sacrificarla, no nos sirve ni a vosotras ni a nosotras. Devolvió a un bebé con vida y me hizo creer que se alimentaba de su sangre.

Criselda, atenta a la luz que se filtraba a través del claro, lanzó una suplicante mirada a Anaíd que abarcó también a Selene.

—¡Huid con el rayo! —chilló.

Y con una fuerza y una agilidad sorprendentes se lanzó con su *atame* sobre Salma.

Selene lanzó un grito y Anaíd ni siquiera llegó a comprender qué había sucedido. La extraña reacción de Criselda la había dejado desorientada. Criselda, en lugar de cumplir con su juramento de eliminar a Selene, atacaba a Salma. Quiso ayudarla y desenvainó su *atame* forjado en el crisol de las serpientes. Pero ya era demasiado tarde.

Criselda había caído fulminada por Salma y yacía muerta o inconsciente.

Salma la contempló extrañada.

—Nunca entenderé a las Omar, son capaces de sacrificarse las unas por las otras absurdamente, estúpidamente.

—Hay muchas cosas que no entiendes, Salma —la provocó Selene a propósito—. A lo mejor la estúpida eres tú. Tengo el cetro. Aparta o acabaré contigo.

Anaíd vio el resquicio del primer rayo de sol apuntando entre la oscuridad del firmamento opaco. Selene también lo vio.

—Cabalga, rápido —le ordenó Selene.

Salma avanzaba hacia Selene con su vara extendida, y la hubiera herido como a Criselda de no ser por la rápida intervención de Anaíd desdoblándose en múltiples ilusiones de sí misma y alcanzándola con su propio *atame* de luna. Esta vez no se desintegró. El arma invencible que había forjado en las profundidades de la tierra devolvió a Salma su propio conjuro de destrucción y la hirió en un hombro con tal contundencia que la hizo gritar de dolor y soltar su vara.

El dolor de Salma desencadenó la tempestad. Los relámpagos cegaron a Anaíd y a Selene y una sombra las rodeó. El poder de Salma se manifestaba en toda su virulencia. Sentían sus zarpas oprimiéndolas, ahogándolas, exprimiendo sus corazones al unísono. Selene se abrazó a Anaíd para protegerla y Anaíd sintió el contacto del cetro en sus manos que la atraía como un imán. Sin dudarlo un instante, arrebató el cetro a su madre y lo blandió con fuerza sobre su cabeza contra Salma.

—¡Oh, cetro! ¡Destruye a la inmortal y retórnala a los tiempos de los tiempos!

Y ahí se perdieron los recuerdos de Anaíd. Recuerdos de confusión y caos. Recuerdos de una terrible explosión y de los brazos fuertes de Selene arrastrándola hacia el rayo de sol y obligándola a cabalgar sola, recuerdos de la voz de Criselda empujando a Selene y a Apolo con ella, recuerdos de ambas, Selene y Anaíd, abrazadas sobre el primer rayo del amanecer, viajando desde el mundo sin contrastes, sin tiempo, cabalgando hacia la claridad y la luz.

Apolo, al tocar tierra, maulló al sol del nuevo día.

32. El peso de la profecía

Anaíd se abrazaba a Selene sollozando. Volvía a ser una niña, una niña pequeña en brazos de su madre.

—¿De verdad la he eliminado?

—Sí, cariño. Salma se ha desintegrado.

—¿Entonces...?

Selene temblaba al mostrarle el cielo.

—La conjunción de los planetas se ha producido. Es asombroso. ¿Los ves? Están alineados uno tras otro. Mercurio, Venus, Marte, Júpiter, Saturno, y junto a nosotros, la Tierra, la Luna y el Sol... Ya puedes gobernar.

Anaíd contempló el fenómeno conteniendo la respiración. Era insólito y francamente hermoso.

Apartó sus ojos del cielo.

—¿Qué será de tía Criselda?

Selene le acarició sus cabellos y sonrió.

—¿Te has mirado al espejo últimamente?

Anaíd se secó las lágrimas y negó. Un rayo de sol fue a posarse sobre su cabeza.

—El cabello en llamas —murmuró Selene con emoción.

—¿De verdad? ¿Lo tengo rojo?

—¿Cuándo fue la última vez que usaste tu champú?

—Hace un mes y medio, quizá dos.

—Tenemos que teñirte inmediatamente.

Anaíd tomó conciencia de su responsabilidad.
—Elena se dio cuenta al mirarme y supongo que Karen también. Por eso avisaron a Criselda, por eso Criselda aceptó seguir la farsa a Salma.
—Posiblemente.
Anaíd tenía una duda.
—¿Y por qué Salma necesitaba que fuese Criselda quien te eliminase?
Selene no dudó.
—Para defenderse ante la condesa. La condesa no hubiera permitido que Salma destruyese a la elegida. La necesita para sobrevivir. Se está acabando y sólo la elegida tiene la clave de su inmortalidad.
—¿Cuál?
—El cetro de poder que permitirá el fin de las Omar.
Anaíd estaba muy asustada. Contempló el cetro brillante que tenía en sus manos.
—No sé ni cómo lo hice. Pronuncié las palabras que el cetro me dictó.
Selene reflexionó.
—Deméter y yo guardamos el secreto de la verdadera elegida celosamente. Nadie sabe la verdad, tal vez Valeria lo intuyese.
Anaíd lo negó.
—No, estaba convencida de que lo eras tú. En realidad todas creían que tú eras la elegida, excepto Gaya.
Selene soltó una risita maliciosa y se puso en pie.
—¡Gaya, menuda alegría va a tener al saber que estaba en lo cierto!
Anaíd también se puso en pie.
—No estoy preparada.
—Lo sé, Anaíd, por eso tendremos que continuar guardando el secreto y escondernos hasta que llegue el momento.

—¿Cuando eras niña tenías el pelo oscuro?

—Sí.

—¿Entonces cómo lograste confundir a Criselda y las demás?

—Cuando tú naciste, tu abuela y yo nos vinimos a vivir al Pirineo, donde nadie nos conocía. Deméter hizo correr el bulo de que me ocultaba y que desde niña me había teñido el pelo, pero que ya no importaba puesto que las Odish me habían encontrado.

Anaíd suspiró y se llenó los pulmones del aire límpido y fresco de la mañana, absorbió los colores otoñales y sus contrastes, acarició su vista con los ocres, los amarillos y los cobrizos y se recreó con los rojos, los anaranjados y los violetas. ¡Qué hermoso era su mundo! ¡Qué magnífica sensación el hambre! ¡Qué genial calmar la sed! ¡Y qué estupendo el cansancio!

—Pobre tía Criselda.

—Yo sobreviví. Se puede sobrevivir a la nada.

—Pero tú eres más fuerte.

Selene se la quedó mirando estupefacta.

—¿De verdad crees eso?

Anaíd afirmó convencida:

—Tía Criselda es un desastre, un horror, no tiene ni idea de...

Selene explotó en una carcajada sincera.

—¿No te lo dijo?

—¿El qué?

—Ella ha sido la sucesora de Deméter. Ella ha mantenido unidas a las tribus. Ella ha velado por ti y te ha protegido.

Anaíd se sorprendió.

—Pero si parecía...

—No te fíes de las apariencias. Las Omar no son nunca lo que parecen.

—Ni las Odish —murmuró Anaíd pensando en la señora Olav.

Pero Selene, rápidamente, echó a correr.

—¡Un, dos, tres! ¡La última prepara el desayuno!

—¡Espera! —gritó Anaíd—. ¡Me tienes que explicar lo de Max!

Los grandes almacenes estaban llenos a rebosar. Anaíd nunca había sido tan feliz como esa tarde de compras con Selene. Selene y ella habían decidido acabar con las existencias de ropa de la sección de novedades.

—¿De verdad puedo comprarme este jersey? ¿Cómo es que tenemos tanto dinero?

Selene miró discretamente a un lado y a otro.

—Es un secreto a voces, fui una Odish y ésa fue mi paga.

—Pero si nos lo gastamos todo de golpe volveremos a ser pobres.

—Soy una derrochadora, Anaíd, por eso me fue tan fácil convencerlas y hacerles creer que me tentaban. Me encantan las sortijas de diamantes, el caviar y el champán.

—¿No tuviste miedo?

—Mucho.

—¿Cuál fue tu peor momento?

—Hacerle creer a Salma que desangraba a un bebé.

—¡Qué horror!

—Aunque he de reconocer que tuvo algunas gratificaciones. ¡Nunca pasaremos hambre, te lo aseguro!

Abandonaron los almacenes tan cargadas que apenas podían acarrear las bolsas y ya en la salida se toparon con Marion. Anaíd fue quien la reconoció.

—¡Marion!

Marion no atendió a la primera.

—¿Anaíd?

Anaíd la besó con naturalidad, como si fuesen viejas amigas.

—Gracias por la ropa que me dejaste. Me fue estupenda.

Marion estaba cortada.

—De nada, yo... ¿Es cierto que te vas?

—Pues sí. Nos vamos lejos.

—¿Dónde?

—Al Norte —dejó en el aire Anaíd.

—No, al Sur —corrigió Selene.

Anaíd se encogió de hombros.

—Aún no nos hemos puesto de acuerdo.

Selene rió y le mostró la ropa.

—Por si acaso hemos comprado de todo.

—Ah, qué divertido —dijo Marion azorada.

Anaíd la tranquilizó.

—Sí, eso sí, nos divertimos mucho.

Marion prolongó el encuentro con una propuesta inesperada.

—¿Quieres salir con nosotros este sábado?

Anaíd lo pensó un segundo.

—Me gustaría, pero ya he quedado. De todas formas antes de marchar celebraré una fiesta.

—¿Una fiesta? —se extrañó Selene.

—Sí, una fiesta de cumpleaños. Será mi fiesta. Estás invitada, Marion.

—Oh, gracias, yo... Lástima que no estuvieses para la mía...

—No te preocupes, en mi fiesta estará todo el mundo y te presentaré a mi mejor amiga. Se llama Clodia.

—Clodia, guay.

—Y ella es más guay todavía, rebana el cuello a los conejos que da gusto verla. Es genial.

Marion palideció.

Anaíd la besó como despedida.

—No te asustes, he dicho a los conejos.

Marion rió tímidamente y se dio media vuelta. Selene alcanzó a Anaíd en la calle y le comentó en un susurro.

—Qué dominio, te has marcado tres faroles.

—Ni uno.

—¿Cómo que ni uno?

—Este sábado tengo una cita en el lago con tía Criselda. Pienso celebrar mi fiesta de cumpleaños y Clodia, mi mejor amiga, será mi invitada de honor y la verás rebanar el cuello a un conejo.

Selene se quedó estupefacta.

—Pues vaya, sí que me he perdido cosas.

Anaíd afirmó:

—Muchas.

MEMORIAS DE LETO

Ando y desando la senda de la vida. Me detengo en las fuentes para beber agua fresca y descansar unos instantes. Charlo con los otros caminantes y espero ávidamente sus respuestas.

Sus palabras son la única linterna que orienta mis pasos.

No me consuela saber que ella, la elegida, también deberá recorrer un largo camino de dolor y sangre, de renuncias, de soledad y remordimientos.

Sufrirá como yo he sufrido el polvo del camino, la dureza del frío y la quemazón del sol. Pero eso no la arredrará.

Desearía ahorrarle la punzada amarga de la decepción, pero no puedo.

La elegida emprenderá su propio viaje y lastimará sus pies con los guijarros que fueron colocados para ella.

No puedo ayudarla a masticar su futura amargura ni puedo endulzar sus lágrimas que aún no han sido vertidas.

Le pertenecen.

Son su destino.

33. El futuro incierto

Las frías aguas del lago se mecían suavemente por el viento. Anaíd recorrió sus orillas sin desfallecer y sin apartar ni un segundo la mirada del fondo de su lecho. Su imagen, la imagen que le devolvía el lago la incomodaba y la llenaba de orgullo. Creía ver a Selene en esa joven esbelta, de largos cabellos y movimientos felinos. Pero esperaba encontrar otro rostro. El rostro amado de Criselda, que permanecía prisionero del embrujo.

Por fin lo halló.

—Ahí, está ahí —señaló Anaíd emocionada.

Selene se arrodilló junto a ella. Las dos contemplaron a Criselda que peinaba sus largos y hermosos cabellos junto a la orilla. Parecía más joven, más serena, más ausente.

—¿Nos puede ver? —preguntó Anaíd.

Selene se lo confirmó.

—Sabe que la estamos mirando. Fíjate.

Y Criselda sonrió con la dulzura del que siente la paz.

—¿Es feliz?

Selene la abrazó.

—Tú eres la elegida y estás viva. Eso le basta.

—Y ya soy mujer.

—Eso no lo sabe pero lo puede intuir. Mírala, díselo con tu mirada.

Anaíd sonrió a su vez a Criselda y su sonrisa contenía la promesa del regreso. Nunca la olvidaría.

Anaíd suspiró.

—Tengo miedo.

Selene la reconfortó.

—Es natural. El poder produce vértigo.

—¿No me dejarás, verdad?

—Serás tú quien me deje a mí.

—¿Yo?

—Es ley de vida, Anaíd.

—¿A ti te ocurrió?

—Claro.

—¿Y fue entonces cuando conociste a Cristine Olav?

Selene palideció.

—Ésa es una larga historia.

Anaíd ya lo sabía.

—¿Algún día me la contarás?

Selene calló, estaba pensando.

—Algún día.

De pronto Anaíd se llevó las manos a la cabeza.

—¡Mierda!

Selene se asustó.

—¿Qué ocurre?

Anaíd inició su regreso.

—Que me he olvidado por completo de cumplir un juramento.

—¿Un juramento?

—Juré a la dama traidora y al caballero cobarde que los liberaría de su maldición.

—¿Cómo?

—Lo que oyes.

—Pero...

—Es una larga historia —la cortó Anaíd.

Selene comprendió y le guiñó un ojo con complicidad.
—¿Algún día me la contarás?
Anaíd calló y simuló pensar.
—Algún día.

Índice

9,00.-
F0309